М. Дж. Хайленд

ДАЙ СПОКІЙ

Роман

ФАБУЛА ВИДАВНИЦТВО

УДК 82-311.2
Х12

Оригінальна назва твору: Carry Me Down

Опубліковано за узгодженням з Canongate Books Ltd, 14 High Street, Edinburgh EH1 1TE

Хайленд Марія Джоан

Х12   Дай спокій. Роман / пер. з англ. Я. Сєрая. — Харків : Вид-во «Ранок» : Фабула, 2019. — 352 с.

ISBN 978-617-09-4968-4

Роман талановитої ірландської письменниці Марії Джоан Хайленд — це напружена психологічна драма, оповідь у якій ведеться від імені підлітка.

Джону Ігану лише 11. Він скрупульозно веде «журнал брехні» і стрімко дорослішає в умовах катастрофічної нестачі батьківської любові і сімейного тепла.

Пронизлива історія незвичного хлопчика залишає щем на серці і нестримне бажання приголубити власну дитину.

УДК 82-311.2

ISBN 978-617-09-4968-4

«Дай спокій» — це майже клаустрофобно вузьке скорочення значних подій життя Джона до миттєвих чуттєвих вражень. Але це водночас захоплює і поглинає, і викликає сильне співчуття, до болісного рівня. У кінці мої почуття до Джона були такими сильними, що я відчувала фізичний біль.

Жеральдін Беделл, Observer

У прекрасно деталізованій і зрозумілій прозі медитація Хайленд на суть фальші оголяє безцінну правду на кожнім кроці.

The Times

«Дай спокій» М. Дж. Хайленд — це витончена, сильна й захоплива річ. Тут те, що лежить на поверхні у звичайних сім'ях, те, що розбиває їх і тримає разом,— правда, зрада, безумовна любов і пробачення. У цієї книжки міцна хватка, і вона не відпускає. Хайленд мудра і вражаюче талановита.

Ліса Мур

Яскравий, тривожний другий роман М. Дж. Хайленд, від якого дуже важко відірватися, виявляє великий талант… розумна, витончена письменниця, яка змогла проникнути у страхи і неврози дитинства, у динаміку дисфункціональної сім'ї та обернути все на захопливий твір.

Алістер Меббот, Herald

«Дай спокій»… не має нічого фальшивого.

Лоуренс Філан, Independent on Sunday

Важко поєднати реалізм із сюрреалістичними епізодами в одній розповідній структурі, але Хайленд зробила це без зусиль.

Рут Скарр, Daily Telegraph

М. Дж. Хайленд продовжує свій визнаний критиками дебют How the Light Gets In, знову використовує чуттєвого, нестабільного і складного підлітка в ролі оповідача, щоб висвітлити складний для розуміння стан дитинства, де брехня і напівправда часто стрівані явища. Поетичний гумор Джона також додає автентичності. Це гуманістичний і захопливий роман.

Клер Олфрі, Metro

Торкається душі... [М. Дж. Хайленд] дійсно рідкісний талант.

Sydney Morning Herald

Переконлива розповідь від першої особи занурює прямо в розум одинадцятирічного Джона Ігана. Вона в хронологічній послідовності передає розшифрування його передчасно розвинутого розуму. Її оригінальність частково обумовлена тим, як Хайленд описує Джона як квінтесенцію невдах... Ми проходимо разом з Джоном крізь зубний біль, головний біль і серцевий біль. Роман розповідає про жорстокість і страждання передчасного дорослішання, які часто лишають позаду частини розбитого себе. Падаючий сніг забезпечує прекрасний художній образ, а використання теперішнього часу додає переконливої безпосередності цій оповіді.

Аніта Семі, Mslexia

Це несентиментальна й іноді вражаюча подорож крізь поламане життя.

Dallas Morning News

Другий роман М. Дж. Хайленд завдячений The Curious Incident of the Dog in the Night-Time Марка Годдона або Родді Дойлу менше, ніж «Мандрам Гулівера». Страждання і травми дванадцятого року Джона... описані з огидою Свіфта... Хайленд намагалася створити або шокуючу сенсацію, або емоційну гіперболу в стилі «Прах Анжели», і її прості стандартні речення роблять брутальність оточення Джона ще більш шокуючою.

Financial Times Magazine

Хоча книга й схожа на вправляння в мізерабілізмі, автор піднімає важливіші теми: інаковість дитинства, хиткість захищеності та біль бути чуттєвою дитиною в брутальному світі. Хайленд дає спочутливий портрет дитини на межі психічного розладу, яка намагається захистити себе ритуалами і талісманами, що не допомагають.

Г'ю Бонар, Ireland on Sunday

У дитини-оповідача в «Дай спокій» є декілька вигаданих героїв-попередників: Голден Колфілд... Крістофер Бун з Curious Incident of the Dog in the Night-Time... але Джон Іган, скороспілий довгань-невдаха, який розказує цю історію, є унікальним і незабутнім... Хайленд блискуче передає гнітючий, деградаційний ефект бідності... [вона] огортає розповідь у захопливу невизначеність, змушуючи читача позбутись очікувань... Цей роман сподобався би Фройду, і Хайленд це знає. Це витончений, але безкомпромісний опис психічного розладу і зростаючого психозу — сміливий і тривожний.

Джоан Гейден, Sunday Business Post

Суворе, пронизливе свідоцтво розгубленості й витривалості молоді... Голос Джона самотній і потужний... Витончена розв'язка, що задовільняє, збереже для Джона місце і в «Книзі рекордів Гіннеса», і серед найяскравіших персонажів року.

Publisher's Weekly

Як і у своєму першому романі, How the Light Gets In, Хайленд демонструє зріле почуття, створює образи і тримає напругу в неймовірно захопливій розповіді. Близьке, бридке, філігранне дослідження проблемного ніжного віку.

Kirkus

Динамічна психологічна драма... Роман М. Дж. Хайленд — це свіже і водночас тривожне нагадування про біль утрати безгрішності і ціну здобуття правди.

People Magazine

Хайленд підтримує той самий суворий контроль, що і у своєму дебюті How the Light Gets In. Вона не з тих письменників, які слізно просторікують і багатословлять. Її речення різкі й чіткі.

Мішель Ґріффін, Australia Book Review

Хайленд пише суворо і просто, описує період, місце й обставини з ясністю і милою стриманою лірикою. Якщо How the Light Gets In змусило мене згадати Селінджера, то «Дай спокій» нагадало мені Вільяма Фолкнера і Джеймса Джойса.

Кет Кенеллі, Weekend Australian

«Дай спокій» — це хвилюючий домашній твір, сповнений співчуття до звичайних людських слабкостей.

Ґреґорі Дей, Age

Напруженим простим стилем Хайленд педантично фіксує специфічний біль нужденного дитинства і самотності в Ірландії і вправно аналізує свого упередженого головного героя, дивну суміш маленького хлопчика і дорослого парубка.

Entertainment Weekly

Стюарту Ендрю М'юр
(Якби був хтось, схожий на тебе)

1

Січень, неділя — похмурий зимовий день, і я сиджу за обіднім столом з татом і мамою. Батько сидить спиною, ступнями сперся на стіну, на колінах книжка. Мати праворуч від мене, її книжка спочиває на столі. Я сиджу поруч. Моє крісло розвернуте до вікна. Відчуваю тепло від печі.

У центрі столу чайник з гарячим чаєм, а в кожного з нас чашка і тарілка. На тарілках бутерброди з шинкою та індичкою, і якщо ми захочемо ще їсти чи пити — всього повно. Комірчина забита.

Час від часу ми відриваємось від читання, щоб поговорити. Це приємне відчуття, немов ми одна людина, яка читає книжку, а не троє окремих і самотніх людей.

Такі дні прекрасні.

Крізь маленьке квадратне віконце я бачу вузьку сільську дорогу, яка веде до містечка Горі, за нею — засніжене поле. За тим полем снігу — хоча зараз я не бачу його — дерево, біля якого я проходжу кожного ранку, а за деревом через дві милі — національна школа міста Горі, куди я повернуся після різдвяних канікул.

На розі вулиці, ліворуч від головних воріт,— пошта, на ній знак, який указує на Дублін, під ним менший знак, указує на кладовище. Ще два дні ми будемо разом, утрьох, і я цього хочу. Більше мені нічого не треба.

* * *

Коли я бачу, що мама дочитує останню сторінку, я беру колоду карт і підсовую їй під лікоть. Скоро вона відкладе книжку і запропонує мені зіграти. Я заглядаю їй в обличчя і чекаю.

Раптом вона закриває книжку і встає.

— Джоне,— каже вона,— ходімо зі мною.

Вона веде мене до коридора, подалі від батька. Вона забирає мене геть із його очей як непотріб.

— Ходімо. І лиши свою книжку тут,— каже вона.

Ми стоїмо біля крутого підйому вузьких сходів, які ведуть до спальні моїх батьків — єдиної кімнати на горищі,— і вона схрещує на грудях руки і притуляється до поручнів. Шкіра на її руках холодна і біла як крейда.

— У мене сьогодні особливий вигляд? — питає вона.

— Ні. Чому?

— Ти знову витріщаєшся. Ти витріщався на мене.

— Я просто дивився,— кажу я.

Вона відхиляється від поручнів і кладе руки мені на плечі. Її зріст 5 футів 10 дюймів[1], і, хоч я лише на півтора дюйма нижчий, вона тисне на мене, доки я не присідаю. Її тіло нахилилося вперед, і її сідниці випнулися.

— Ти витріщався на мене, Джоне. Не можна так дивитися.

— Чому я не можу дивитися на тебе?

---

[1] Близько 178 см.— *Тут і далі: прим. ред.*

— Тому що тобі одинадцять. Ти вже не дитина.

Мене відволікло нявкання нашої кішки Кріто, яка була зачинена в комірчині під сходами разом зі своїми черговими кошенятами. Я хочу піти до неї. Але моя мати тисне ще дужче.

— Я просто дивився,— сказав я.

Я хочу сказати, що в роздивлянні речей немає нічого дитячого, але моє тіло трясеться під її руками і я занадто сильно тремчу, щоб щось казати.

— Навіщо? — питає вона.— Навіщо так витріщатися на мене?

Вона робить боляче моїм плечам, і її вага неймовірна. Вона здається легшою, і меншою, і гарнішою, коли сидить за столом або на моєму ліжку, коли розмовляє зі мною, смішить мене. А зараз я злий на неї, за те що вона висока, за те що вона така велика, така важка, і за те, що вона робить великим мене, занадто великим для мого віку.

— Я не знаю навіщо. Мені просто подобається це,— сказав я.

— Може, слід позбутися цієї звички?

— Чому?

— Бо це дратує. Неможливо розслабитися, коли на тебе так витріщаються.

— Вибач,— кажу я.

Вона випростовується і відпускає мене. Я подаюся вперед і цілую її біля рота.

— Ну добре,— каже вона.

Я цілую її вдруге, але коли я огортаю своїми руками її шию, аби притягнути ближче, щоб обійнятися, вона відступає.

— Не зараз,— каже вона,— тут холодно.

Вона розвертається, і я йду за нею на кухню.

Темне кучеряве волосся мого батька скуйовджене, спадає йому на очі.

— Зачини двері,— каже він, не відриваючись від книжки.

— Вони зачинені,— кажу я.

— Добре,— каже він,— нехай будуть зачинені.

Він посміхається своїй книзі: «Френологія та кримінальний череп».

Мій батько не працює три роки, стільки ж ми живемо тут, у котеджі його матері. До того як ми переїхали до бабусі, він працював електриком у Вексфорді, але він ненавидів свою роботу — казав про це щовечора, повертаючись додому. Тепер, замість того щоб ходити на роботу, він читає. Він каже, що готується до вступних іспитів у Трініті-коледж, і що з цим не буде жодних проблем, бо минулого року він склав тест Менса з відмінним результатом.

— Подивись у вікно,— кажу я матері.— Сніг летить горизонтально.

— Так,— каже вона.— Наче борошно крізь сито, еге ж?

— Борошно не летить горизонтально крізь сито,— кажу я.

Її язик показався, щоб облизати куточок рота, і залишився зовні. Я нахиляюся через стіл, щоб доторкнутися до нього.

— У тебе такий холодний язик,— кажу я.

Батько дивиться на нас, і губи матері щільно стуляються.

— Я наче ящірка,— каже вона.

Вона посміхається мені. Я посміхаюся у відповідь.

— Дивна парочка,— каже батько.

Кріто мовчить. Вона, мабуть, рада чути нас і знати, що ми поряд.

Я продовжую читати «Книгу рекордів Гіннеса», мою улюблену книжку. У мене є всі її випуски, окрім 1959, і це один з моїх різдвяних подарунків кожного року. Лишилося кілька сторінок до завершення нового видання 1972 року, і я майже закінчив читати вчетверте розділ «Людина». У «Книзі рекордів Гіннеса» повно чудес, наприклад китайський монах з найдовшими нігтями. За двадцять сім років він виростив їх двадцять два дюйми завдовжки[1], і на фото вони чорні й закручені, як баранячий ріг.

Найкращі — це ілюзіоністи і люди типу Блондена, який перейшов по канату через Ніагарський водоспад, або Йоганн Хурлингер, який ішов на руках понад п'ятдесят днів. Він пройшов на руках 871 милю[2].

Одного дня я опинюся в «Книзі рекордів Гіннеса», поміж інших людей, які не хочуть, щоб їх забули або не помітили. Я поб'ю значний рекорд або зроблю щось видатне. Я не бачу іншого сенсу жити, окрім того, що я можу робити щось краще за інших або зможу робити те, що ніхто більше не може.

Я згинаю сторінку з фотографією найнижчої у світі жінки, і вона опиняється навпроти найвищого чоловіка. Його звати Роберт Першинг Вадлов, і його зріст 8 футів 11,1 дюймів[3]. Коли йому було одинадцять, його зріст був уже 6 футів 7 дюймів[4].

Цікаво, чи почав його голос ламатися раніше за мій? Цікаво, а що було б, якби я став гігантом. Я все ще непокоюсь через це, але не так сильно відтоді, коли

---

[1] Близько 56 см.
[2] Близько 1402 км.
[3] Близько 2 м 72 см.
[4] 1 м 93 см.

я вирішив, що не опинюся в «Книзі рекордів Гіннеса» як потвора. Я потраплю туди з кращих причин.

Найнижчу жінку звали Пауліна Мустерс, і вона була 1 фут 11,2 дюйми заввишки[1]. Коли я притулив її фото до найвищого чоловіка, вона походила на якусь річ, що випала в нього з кишені, не на людину взагалі: людина не може бути іншій людині по коліно.

— Дивись,— кажу я матері.— Ця ліліпутка як іграфка.

Я вже знаю, що вона скаже.

— Іграшка,— каже вона.

— Не перегинай свою книжку,— каже батько.

— Добре,— кажу я.

— І ти майже не доторкнувся до бутерброда,— каже він.

— Я не хочу до нього торкатися,— кажу я.

Мати ляпнула по моїй руці.

— Ти не доїв свій бутерброд просто для того, щоб це сказати?

— Ні.

— Тоді з'їж.

Але хліб уже зачерствів і зараз шоста година, час пити чай. Мати встає і виглядає у вікно. Сніг перестав. Вона витирає руки об свій светр і ставить чайник з водою на піч. Вона відкриває холодильник і дістає пакунок.

— Будеш це? — питає вона батька.

Він чеше підборіддя і не відповідає. Вчора він зголив бороду, і тепер видно ямку; темний вертикальний рівчачок у плоті його підборіддя. Він чеше його цілий день, наче хоче розгладити складку.

— Майкле, ти хочеш це до чаю чи ні?

---

[1] Близько 59 см.

Він дивиться на пакунок.

— Ні,— каже він.— Я б хотів копченої риби.

— Ні,— каже мати.— У нас немає копченої риби. Моя мати ненавидить готувати.

— Тоді я буду ту рибу з пакета,— каже він.

— Тоді ти будеш,— каже вона.

Вони посміхаються одне одному. Іншою посмішкою, не такою, яку вони використовують для мене.

Те, що мій батько називає рибою з пакета,— це їжа, зварена у воді: квадратний кусок риби в прозорому пластиковому пакеті, повному білого соусу.

— Можна я потримаю це? — питаю я.

— Якщо ти так хочеш,— каже мати.

Я беру в неї пакет і причавлюю пластик, м'який, як волога вовна.

— Схоже на золоту рибку, яку я виграв в Батлінсі,— кажу я.

— Іди до мене,— каже батько й обійматиме мене. Але його руки надто тиснуть на мою шию, а в нього дуже міцна хватка.

— Припини обіймати мою шию,— кажу я.— Боляче.

— Віддай пакет з рибою,— каже він.

Я віддаю йому рибу в пакеті, і він гладить її.

— Не погоджуся з тобою,— каже він.— Цей пакет більше схожий на пакет зі шмарклями, ніж на золоту рибку.

Батько розсміявся, і я розсміявся, хоч мені і не сподобалося, що він порівняв мій обід зі шмарклями.

Мати відібрала рибу і поклала її в каструлю з водою. Я зазирнув в обличчя батькові.

— Татку, розкажеш мені історію?

— Яку історію?

— Будь-яку.

Батько прочистив горло і випростався на стільці, перед тим як почати.

— Добре. Ця історія про Тантала, якого боги послали стояти по пояс у воді. Взимку вода була холодною, а влітку гарячою. Коли Тантал захотів пити і в нього пересохло в роті, він нахилився напитися, і вода відступила, а коли він зголоднів і потягнувся до гілок, усіяних смачними фруктами, гілки піднялися вгору, і вода з їжею були недосяжними. І так було з Танталом…

— Декілька днів,— каже мати.— Як покарання за те, що він не мив руки перед чаєм, а потім він улаштував собі бенкет зі смаженою куркою і шоколадним морозивом і більше ніколи не голодував і не відчував спраги.

Він посміхається і каже:

— Мий руки.

Я мию руки та уявляю Тантала, який облизував губи, коли нахилявся до води. По дорозі до кухні я підходжу до книжкової полиці у вітальні, де мій батько тримає свої довідники і підручники. Я гортаю енциклопедію, доки не знаходжу потрібну сторінку. Це Сізіф з червоним знаком оклику біля імені. Я поставив цей знак минулого року. Я повертаюся до кухні.

— Тантал дуже нагадує Сізіфа,— кажу я.— Можна сказати, вони обидва страждають однаково.

Мій батько засміявся.

— Ти згадав це сидячи в туалеті?

— Я не був у туалеті. Я просто мив руки і тоді згадав.

Я обережно дивлюся йому в обличчя. Він не сміється з мене, то ж я поступаюся.

— Так,— кажу я.— Я ясно бачу Сізіфа, який штовхає вгору великий камінь, і цей камінь котиться прямiсiнько бiля Сiзiфа вниз до пiднiжжя гори. Я бачу, як Сiзiф стоїть там, дивиться на камiнь, що котиться, сам сумний i мовчазний, а тодi штовхає його знову вгору. А камiнь скочується на те саме мiсце, знову i знову. Я думаю, вiн почувається точно як Тантал.

— Обидва не можуть допхати велику коричневу штуку туди, куди хотiлося б,— каже мiй батько i смiється так, що на очах виступають сльози.

Тепер уже i мати смiється.

— Принесiть хто-небудь бiдному чоловiковi склянку води.

Я схоплюсь i несу батьковi склянку води i коли сiдаю на мiсце, мати цiлує мене в нiс, дякуючи менi.

— Добре мати тебе пiд рукою,— каже вона.— Думаю, ми залишимо тебе у себе.

— Добре,— кажу я.

Коли батько допив воду, я помiтив, що на його куртцi неправильно застiбнутi ґудзики. Вiн робить це навмисно i часто на знак того, що вiн у доброму гуморi. Я нахиляюся i тягнуся до верхнього ґудзика.

— Можна поправити тобi ґудзики? — питаю я.

— Нi, нi! — смiється вiн.— Ти зруйнуєш мiй недбалий обеззброюючий вигляд.

Вiн у гуморi — судячи з ґудзикiв, тож я йду навколо столу i хапаю його за другий ґудзик. Вiн кричить i смiється.

— Вiдчепися, риб'яча мордо! Вiдчепися вiд мене!

— Лише чотири ґудзики! — кричу я у вiдповiдь.

Менi вдається розстiбнути ще один ґудзик, i тодi вiн встає i йде до вiкна. Вiн стоїть i дивиться, обличчя раптом стає серйозним; досить гри.

— Боже правий. Думаю, вона повертається сьогоднi.

— Сьогоднi? — питаю я.

Він говорить про мою бабусю, свою матір, яка повернеться з Леопардтаунських перегонів у вівторок. Лишилося всього два дні побути з ними наодинці.

— Ні,— каже він.— Фальшива тривога.

Ми сідаємо, і він продовжує читати.

Я розвернутий до буфета, тож я бачу чорно-білий весільний портрет 1960 року. Батькові тоді було двадцять сім, він був навіть красивіший, ніж тепер, бо в нього було довше волосся. Матері двадцять шість. Вона і зараз така ж гарна.

Майже всі у Вексфорді знали про стосунки моїх батьків і те, як кожен з них розірвав заручини з іншими. Кажуть, що кожен зупинявся подивитися на них, коли вони йшли вулицею: вони були як кінозірки. На фото у них щасливий вигляд, батько позаду матері, на 4 дюйми[1] вищий за неї, це робить її маленькою. Мені подобається, як вони разом розрізають торт, мамина рука на татовій, обидва тримають довгий білий ніж.

Я некрасивий, надто довготелесий, і мій ніс уже завеликий для мого обличчя. Мабуть, батькам важко дивитися на мене, гадаючи, чи є якась надія, що я стану таким же гарним, як вони.

Я повертаюся до «Книги рекордів Гіннеса» і читаю на сторінці 398 про те, що рекорд поховання живим у труні стандартного зразка належить ірландцю Тіму Гейзу. Він був похований на 240 годин, 18 хвилин і 50 секунд. Він виліз назовні 2 вересня 1970 року. Дивно, що я про нього не чув. Може, колись я зустрічав його.

Вже майже сьома година, і мені стає нудно. Я кладу свої ступні на мамині ступні, а вона витягає свої

---

[1] 10 см.

ступні з-під моїх і кладе на мої. Ми робимо це знову і знову, доки батько не дивиться на нас і не трясе головою. Я не подаю виду, що помічаю, але це повільне трясіння головою миттєво зупиняє маму, і вона встає і дивиться на годинник.

— Тобі краще покінчити з цим,— каже вона батькові.

Вона говорить про кошенят Кріто, яких треба вбити до повернення бабусі.

— Одну хвилину,— каже він.

— Будь ласка, зроби це до того, як хтось почне давати їм імена,— каже мама.— І, Джоне, ти залишаєшся зі мною.

— Мені байдуже,— кажу я.— Я збирався допомогти цього разу.

— Мені теж байдуже,— каже вона. Зараз вона дивиться на батька.— Просто позбудься їх до того, як повернеться твоя мати, бо цьому не буде кінця.

Батько назвав кішку Кріто на честь близького друга Сократа, який найбільше плакав біля його смертельної постелі. Мені подобаються чорно-білий писок Кріто та її довгі білі шкарпетки.

Мати киває батькові, і він встає.

— Ну, ходімо тоді,— каже він.— Зараз побачимо, з чого зроблений цей хлопчик.

Я йду за ним до комірчини під сходами. Він зігнувся і поліз у темінь, між пилососом і лопатою. Він каже мені ввімкнути світло і потім тягне за хвости шістьох кошенят, щоб відірвати їх від сосків Кріто. Він кладе їх до «сумки», яку зробив, заправивши свою куртку в штани.

— Все добре,— кажу я Кріто.— Ми візьмемо їх на прогулянку.

— Ти впевнений, що готовий до цього? — питає батько.

— Так,— кажу я.

— Тоді піди візьми мішок біля печі й віднеси до ванної. Зустрінемося там.

Він сказав це так, ніби ми зустрінемося десь далеко, але котедж — це невелике місце, і ніхто навіть не може загубитися в ньому: ти заходиш у парадні двері і стоїш у коридорі, і якщо ти повернеш праворуч, то ідеш через кухню, з кухні ти можеш або повернутися до коридора, або піти до вітальні. У вітальні двоє дверей, і ти можеш вийти знову до коридора, де ти натрапиш на двері до ванної, і тоді, зробивши декілька кроків, бачиш двері до моєї спальні, а тоді в задній частині котеджу ти побачиш спальню моєї бабусі. А в самому кінці коридора чорні двері, які ведуть до маленького саду. Єдина пригода — це піднятися вузькими сходами до спальні батьків.

Я поклав мішок біля ніг батька.

— Добре. Засунь їх сюди.

Я беру кошенят (усі вони чорно-білі, як Кріто) із пазухи мого батька і складаю їх у мішок, поки він наповнює ванну гарячою водою. Моє обличчя спітніло через пару.

— Вони не дуже пручаються,— кажу я.— Мабуть, у мішку затишно.

— Не будь м'яким,— каже він.— Подай мені те крісло, я сяду, і візьми собі стілець.

Він посунув своє крісло ближче до ванни, я сів на стілець біля крана на випадок, якщо йому знадобиться більше води. Він занурює мішок у гарячу воду. Мішок спливає на мить, а тоді тоне. Мішок рухається, бо всередині рухаються кошенята.

— Скільки часу зазвичай на це потрібно? — питаю я.

Батько знизує плечима.

— По-різному.

Ми не розмовляємо. Його нога смикається вниз і вгору, повітряні бульбашки випливають на поверхню води. Я хитаюсь на стільці, і мені ні за що вхопитися. Я майже падаю і хочу сісти на підлогу, але я не кажу цього.

— Боже, татку,— кажу я.— Вони так рухаються. Може, треба було зробити їм якийсь укол чи що?

Він не відповідає. Він витріщається на воду, закусивши губу. Голівки кошенят пнуться з темної тканини мішка.

Бульбашок меншає.

— Це так довго,— кажу я.

Він повернувся до мене.

— Ти здатен на це чи ні? Якщо ні, йди до матусі і допоможи на кухні.

Моя мати не на кухні. Вона за дверима, у моїй спальні. Я чую, як вона співає.

— Я здатен на це,— кажу я.

Наодинці батько каже мені деякі речі, які викликають у мене змішане почуття збудження і роздратування.

— Дідько,— каже він.— Напевне, вода недостатньо гаряча.

Він встає з крісла і витягає мішок з води. Я злажу зі стільця і дивлюся, як батько намагається розв'язати вузол на мішку. Кошенята все ще рухаються.

— Швидше,— кажу я.— Випускай.

Вузол не піддається, аж ось мішок розв'язаний. У батька почервоніли обличчя і шия. Він висипав чотирьох кошенят на підлогу, вони звиваються і лізуть одне на одного. Їхні маленькі ребра підіймаються і опускаються під мокрим темним хутром. Якби вони не нявчали, не можна було б зрозуміти, що це кошенята.

— Я знав, що ти їх випустиш,— кажу я.— Я знав, що ти не можеш їх убити.

Мій батько повертається до мене, бере в руку кошеня, замахується і розбиває його голову об край ванни. Звук трощіння черепа гучний і гострий, як від зламаної навпіл лінійки.

— Ти тупий слабкий малий вилупок,— каже він.

Він тримає забите кошеня за хвіст над ванною. Я хочу, щоб воно було живе, і все ще сподіваюся на це, але кров капає з його черепа і вух і воно не рухається. Я знаю, що, скоріше за все, воно мертве. Крові не так уже й багато, але достатньо, щоб натекти на дно ванни і пофарбувати поверхню води в рожевий. Крові меншає, потім вона зупиняється. Я не дивлюсь на батька і потім, без попередження, він піднімає з підлоги наступне мокре кошеня і б'є його головою об край ванни. Я ще не бачив, щоб його обличчя було настільки червоним. Коли він потягнувся за наступним кошеням, його рука тремтіла.

— Припини! — кажу я.— Будь ласка, припини.

Він дивиться вниз. Ті кошенята, що ще в мішку, вже не рухаються.

— Це природно,— каже він, його груди здіймаються і падають.— Ти повинен зрозуміти, що це природно.

Я дивлюсь на нього.

— Хіба тобі не сумно? — питаю я.

— Чому мені має бути сумно?

Він встає.

— Це лише те, що роблять фермери кожного дня протягом тижня, щоб роздобути їжу для твого столу.

Я обережно дивлюся на нього, і тут щось сталося. Я знаю — я впевнений — він бреше. Його обличчям пробігає блискавична самовдоволена посмішка, і потім він хмурніє. Також є щось фальшиве в тому, як він сказав: «Це лише те, що роблять фермери кожного дня протягом тижня, щоб роздобути їжу для твого столу» (такого він раніше ніколи не казав). Він бреше, що йому не сумно.

— Тобі справді не сумно?

Він витріщається на мене, я витріщаюся у відповідь, його карі очі стають чорними.

— Ні. Зовсім ні. Вони ще навіть не мають душі. А тобі саме час ставати більш жорстким.

— Але ти розтрощив їм голови. Це не змушує тебе почуватися винним перед ними?

— Ні, точно ні. Я казав тобі. У цьому немає нічого сумного. Вони лише волохаті опариші.

— Ти сміливий,— кажу я, і одразу після цього мене знудило.

Я блюю, без попередження, на підлогу у ванній, за кілька дюймів від голови кошеняти і за дюйм від ступні батька. З мене вийшло відро жовтої отрути. Він збрехав мені, і через це мене знудило. Він відійшов назад і покликав матір:

— Гелен, іди допоможи нам з цією бридотою.

Я прибираю свої черевики з калюжі жовтого блювотиння і блюю знову. Я дивлюсь униз, щоб він не бачив мого обличчя.

— Ісусе,— каже він.— Бідне слабке хлопча.

Прийшла мати з ганчіркою в руці і побачила на підлозі моє блювотиння.

— Майкле? Що сталося?

— Його знудило,— каже батько.

Я дивлюсь на її черевики. Це батькові. Вона не повинна носити його взуття.

Я хочу, щоб вона щось сказала, але вона витріщається на моє блювотиння і нічого не каже. Я йду до неї, і вона все одно мовчить.

— Вони всі мертві,— кажу я, протискуюсь між мамою і татом і виходжу в двері.

Мати прийшла до мене в кімнату о пів на дев'яту і сіла на край мого ліжка.

— Джоне, піди скажи таткові «добраніч».

— А може, ляльковий театр? — питаю я.

Іноді ввечері, перед тим як лягти спати, моя мати влаштовує мені ляльковий театр. На картонній коробці з-під яблук намальовані штори, з боків отвори для її рук. Ця коробка стоїть у моїй кімнаті біля мого ліжка, а ляльки зберігаються в моїй шафі.

— Не думаю. Не сьогодні, Джоне.

Вона встає.

— Ходімо. Треба сказати «добраніч».

Батько у своєму кріслі біля вогню. Зазвичай, коли я приходжу до нього казати «добраніч», він розсуває ноги, якщо вони схрещені — ставить їх рівно. Але навіть так я завеликий, я сідаю йому на коліна, жартома, щоб він спитав мене, чи розчесав я свої зуби, щовечора той самий жарт, і ми сміємося.

Але, побачивши, що я заходжу до вітальні, він продовжує тримати свої ноги перехрещеними і дивиться на мене так, наче ніколи раніше не бачив мене біля свого крісла. Він змахує волосся з очей, і артерія на його лівій скроні пульсує в одному ритмі з дідусевим годинником; наче ртуть пульсує в ковбасній шкірці, бридкій і гарячій.

— Добраніч, татку,— кажу я.

— Добраніч,— каже він.

— Добраніч,— кажу я ще раз.

Він робить вигляд, що не почув. Я повертаюсь у ліжко і деякий час читаю.

Заходить мати.

— Все добре? — питає вона.

— Так,— кажу я.

— Якщо хочеш, сьогодні можеш почитати довше,— каже вона.

Вона в татовій піжамі, і краї штанів волочаться по підлозі.

— Чому сьогодні все по-іншому? — питаю я.

— Ні, сьогодні все як завжди, Джоне.

— О,— кажу я,— ти впевнена?

— Так, любий. Я впевнена.

Вона підходить ближче до ліжка. Я сідаю і нахиляюся вперед. Замість того щоб поцілувати мене, вона торкається комірця моєї піжами.

— Солодких снів,— каже вона стіні позаду мене. Але її голос лагідний, і коли вона йде, я щасливий, але лише на мить, доки не розумію, що в мене клубок у горлі, і самопочуття погіршується.

Я чую, як на вулиці талий сніг стікає до каналізації, і я чогось боюся, хоча і не знаю, чого саме. Я замислився, як це — бути впевненим у тому, що людина бреше. Завтра я перевірю «Книгу рекордів Гіннеса», чи приймаються заявки на детектор брехні.

2

Мати надворі в машині — чекає на мене, щоб поїхати зі мною в місто і купити нові штани. Я виріс зі своїх старих.

На виході з кухні я проходжу повз батька, який читає за столом. Вночі він поховав кошенят на задньому дворі і поставив на них камінь. Вікно моєї спальні в боковій стіні будинку, і, коли я встаю, я бачу за парканом вузеньку дорогу, яка веде на кладовище. І хоча я не виглядав у вікно вчора вночі (я грівся під ковдрою), я знав, що мій батько шукає камінь, бо він гучно стукав ногою.

— Привіт,— кажу я.

Перед ним тарілка наполовину з'їденої кров'яної ковбаси. Я наближаюсь до нього і питаю:

— Про що книжка?

Він піднімає на мене очі.

— Про ті самі речі, про які була тоді, коли ти питав минулого разу.

— О,— кажу я.

— Злочинці і кримінологія,— каже він і чухає коліно.

— Які злочинці?

— Вроджені злочинці Ломброзо. Злочинці, які не можуть утриматися від порушення закону.

Халат у нього занадто короткий, і його коліна і білі волохаті литки стирчать із-під столу.

— Як грабіжники і вбивці? — питаю я.

— Мама чекає. Побачимось пізніше. І в мене є подарунок для тебе.

— Останнього разу ти забув.

Сильний вітер захряснув двері, й він подивився на мене так, ніби це моя провина.

— Я не забув,— каже він.— Але цей подарунок дуже гарний. Ось побачиш.

Він опускає очі на книжку, і я дивлюся на його широкий рот. Я думаю: а що, як я підійду до краю столу і поцілую його на прощання? Йому це сподобається чи він роздратується? Зазвичай я можу сказати, чи він у гуморі для поцілунку, але сьогодні у нього такий вигляд, ніби він хоче і не хоче, щоб я був поруч. Я пильно придивляюся до нього. Він знову чухає коліно, тоді дивиться на мене.

— На що ти витріщаєшся?

— Ні на що.

— Бувай, синку. Гарного тобі дня з мамою.

Я вийшов.

Мати витирає зсередини лобове скло рукавом свого пальта. Я сідаю в машину.

— Чому ти затримався?

— Я говорив з татком.

Холодно сьогодні, а в машині ще холодніше. Я притуляю пальці до долоні й дивуюся, як моя долоня може бути теплою, коли пальці вже такі холодні, наче їх повідбивали. Я міцно обхопив своє тіло руками і застиг.

Я хочу спитати маму, чи вважає вона, що батько вступить до університету, і, якщо так, чи переїдемо ми в Дублін. Мені подобається тут, але Дублін також подобається, і це лише за дві години звідси. У Дубліні легше зустрітися з людьми з «Книги рекордів Гіннеса».

— Ти хочеш повернутися до школи наступного тижня?

— Не дуже.

Тим самим рукавом, яким протирала скло, вона витерла в себе під носом.

— Хочеш носовичок? — питаю я. У мене є в кишені.

Я витираю їй носа носовичком, а вона в цей час веде машину, і я думаю, куди подівся рожевий носовичок, який я подарував їй на Різдво. Кінчик її носа червоний і навколо края ніздрі тоненька блакитна жилка. Не пам'ятаю, щоб я бачив раніше цю жилку чи темну родимку на її пальці, з якої росте три чорні волосини.

— Коли тебе востаннє міряли в школі? — питає вона.— Може, нам треба знову поговорити з лікарем?

— Я на півтора дюйми[1] нижчий за тебе,— кажу я.— Мій зріст рівно п'ять футів вісім з половиною дюймів[2].

— Ми просто хочемо слідкувати за всім. І все. Може, краще поговорити про це з лікарем?

— Немає про що говорити. Я просто високий. І все.

— Що стосовно всіх інших речей?

— Немає інших речей! Я просто високий.

Вона відкашлюється і збавляє швидкість.

— Що стосовно статевого дозрівання? У тебе це може початися рано.

— Ну. Не почалося. То про що тоді говорити?

— Але подивися на свої ноги,— каже вона.— Вони майже не вміщаються в машину. А руки! Великі, як чоботи-заброди.

— Я такий уже декілька тижнів. Вони такі вже щонайменше три тижні.

---

[1] Близько 4 см.
[2] Близько 174 см.

— Ясно. У тебе черговий стрибок росту. Може, поговоримо з лікарем? Що скажеш?

Незабаром після мого десятого дня народження мій голос почав ламатися, як у хлопців із шостого класу. Але шостий клас — це лише на один клас старше за мене зараз, і мій голос і зріст уже не турбують мене так, як раніше. Окрім того, у школі я завжди відчуваю себе дивакуватим. Я нервуюся, і, хоч мені це і не подобається, я звик до цього.

Я маю лише одного друга в школі. Його звати Брендон, і я потоваришував з ним у свій перший день у школі Горі. Він спитав мене, чи вмію я робити паперовий вертоліт, і на перерві ми сіли на підлогу і спробували його зробити. Більшість хлопців не люблять мене, бо я мовчазний і не граю з ними, не займаюся спортом.

Я не надто подобаюся моїй шкільній учительці, міс Колінз, бо в мене не дуже з ірландською, а вона знає, що як я захочу, то в мене вийде досить добре. Я не зразковий учень; третє, четверте, а іноді й нижче — п'яте місце на тестах. Але я не тупий.

Хочу сказати, що мені хочеться бути розумнішим, ніж я є, і було б непогано гарно писати тести, докладаючи менших зусиль. Але я знаю, що знайду спосіб відзначитися і справити враження речами більш важливими, ніж розум.

Мати ніяк не хоче міняти тему.

— Джоне, будь ласка, слухай, коли я тебе питаю. Тебе дражнять через твій зріст? Інші діти дражнять тебе?

— Ні,— відповідаю я.— Вони навіть не звертають уваги.

Вони звертають увагу. Іноді вони обзивають мене Тролем, так звали монстра з казки про трьох козенят, який жив під мостом. А перед Різдвом мої дядько Джек і дядько Тоні гостювали в нас кілька днів. Вони грали з батьком у карти. Дядько Джек зайшов до ванної, коли я мився перед тим, як піти спати.

У дядька Джека велика борода, і він сором'язливий, часто в нього наче клубок у горлі з'являється, і слова застряють, і він зовсім не може нічого сказати. Але того вечора він напевно хильнув склянки зо дві, бо здавався щасливим. Він дав мені фунт і спитав про школу.

Я трохи поговорив з ним, і він сказав:

— Говорити з тобою — це наче говорити з лялькою черевомовця, тільки самого черевомовця немає.

Пізніше, коли я поклав фунт собі до скарбнички, я взагалі пожалкував про те, що говорив з ним. Говорити з п'яним — це те саме, що говорити з твариною.

Ми чекаємо на розі, доки діти перейдуть дорогу. Мама витирає вітрове скло. Потім вона повертається до мене.

— Якщо ти колись захочеш поговорити з доктором Райном або міс Колінз, дай мені знати. Ми з твоїм батьком тебе дуже любимо.

— Добре,— кажу я, розмірковуючи, чи є серед тих, хто переходить дорогу, той, хто вміє читати по губах.

— Любий хлопчику, ти поговориш з міс Колінз, якщо тебе щось турбує? Якщо є якась проблема?

— Я вже поговорив,— кажу я.— Все гаразд.

Я не говорив з міс Колінз про мій зріст чи голос. Я просто хочу все владнати; це все, що мені потрібно.

Ми переїжджаємо через вибоїну на дорозі і в'їжджаємо до маленького метушливого містечка, де ми купимо мені нові штани. Після магазину я йду до бібліотеки за рогом, доки мати в аптеці. Я беру книжку про детекцію, і бібліотекар допомагає мені замовити ще одну книжку з Вексфордської бібліотеки, значно більшу. Я кажу їй, що заберу її дорогою зі школи наступного тижня.

3

Четвер, вечір, я сиджу на своєму ліжку, їм банан і читаю книжку, коли її машина заїхала на гравій. Моя бабуся повернулася з Дубліна.

Я встаю з ліжка і прислухаюся біля дверей. Вона на парадних сходах, розмовляє з Йозефом, чий фургон припаркований з п'ятьма іншими за дві милі звідси. Напевно, він чекав на повернення бабусі. Вона дає йому трохи грошей, і він каже:

— Дякую, місіс Іган. Ви справжній друг. У вас немає яблука для Недді?

Недді — це строкатий кінь Йозефа, який витріщається і фиркає на мене кожного разу, коли я його бачу. Бабуся йде на кухню, бере яблуко і дає його Недді.

— Ти гарний коник,— каже вона.

Вона зачиняє передні двері, і я повертаюсь у ліжко; мені чути, як вона йде у свою спальню, а тоді в кухню, а потім до мене. Я б хотів, щоб вона лишила мене в спокої. Завжди, коли вона заходить у мою кімнату, я хочу натягти ковдру на голову, сподіваючись, що відключуся і прокинуся тоді, коли вона піде.

— Я повернулась,— каже вона, ввалюючись до моєї кімнати і обдивляючись мене з голови до ніг великими вибалушеними очима глибоководної риби.

— Привіт,— кажу я.

— Ти скучив за мною?

— Так,— кажу я.— Сподобалось на перегонах?

— О, так. І ще я бачила у Дубліні твою тітку Евелін.

— Чудово.

— Розкажу тобі казку: приніс зайчик дров в'язку, поколов їх дрібненько, моя казка коротенька.

Ненавиджу ці казочки. Я хочу сказати «Йди звідси», але не можу. Це її котедж, і я волію в ньому жити. Вона сідає на моє ліжко і хапає мою руку, я не зупиняю її.

Ми жили в двокімнатній квартирі з блідо-зеленими стінами, просмерділій цвіллю і мишачою сечею. Але коли батько втратив роботу, а маминої платні не вистачало на оренду, декілька місяців по тому бабуся запросила нас жити у неї.

У мого дідуся була ювелірна крамниця, яку він відписав бабусі. Він помер, коли мені було сім, і бабуся продала крамницю разом з усіма коштовностями. Щодо мого батька, частина грошей від продажу крамниці має належати йому.

— Іде коза рогата,— каже вона, накидається на мене і встромляє свої холодні пальці мені під праву пахву, встромляючи нігті.

— Я знаю, де тобі лоскотно,— каже вона.— Я знаю де! Отут!

Я вириваюся і відхиляюся. Я хочу, щоб вона мене лоскотала, але я знаю, що на початку це приємно, а в кінці ні.

Що більше я ухиляюся, то сильніше вона встромляє нігті мені під пахвою. Ми не розмовляємо, і я прикидаюся, ніби мені смішно і приємно, і тиша під час цих епізодів робить їх ще дивнішими, наче ми обидва розуміємо, що я прикидаюся.

Вона зупиняється.

— Можна мені гостинці? — питаю я.

— Може, так. А може, й ні.

— Будь ласка,— кажу я.

До того як бабуся встигла відповісти, мама з усієї сили відчиняє двері до спальні, так, що вони вдаряються об стіну. Можливо, вона ненавмисно.

Її обличчя пашить, і шия також, її очі великі і блакитні. Вона на вигляд гарніша після повернення зі свого лялькового театру, і я знаю, що вона ніколи не стане занадто старою чи бридкою і ніколи не буде такою, як бабуся.

Коли мама говорить, я дивлюся на її рот — саме такий, яким і має бути красивий рот. Коли говорить потворна людина, її губи схожі на надрізане тісто, яке закриває чорну дірку. Я часто пильно придивляюсь до облич: чи красивий рот, чи належний у нього вигляд, чи він огидний і схожий на криву рану, що відкривається і закривається.

— Джоне, час пити чай,— каже мама.

Я кладу наполовину з'їдений банан під подушку. Я не люблю їсти банани на людях.

— Ти можеш взяти банан із собою, якщо хочеш.

Мама так говорить про мій банан, наче це домашня тваринка.

— Нічого,— кажу я.— Я доїм пізніше.

— Як знаєш,— каже вона.

Ми сидимо за кухонним столом і їмо курячий суп-пюре. Бабусина сумка лежить на підлозі біля дверей, а її пальто — на спинці її крісла. Зазвичай, коли вона повертається з Дубліна, то просить мене віднести пальто і сумку до її кімнати, а коли я повертаюся з її капцями, вона дає мені гостинці. Щось не так сьогодні.

Вона скидає черевики на підлогу, і запах нейлону і поту заповзає на стіл, а потім у мій курячий суп.

Я спостерігаю, як вона їсть, і мене нудить від її поведінки за столом. Батько поводиться майже так само. Порівняно з мамою вони немов дикі собаки. Вони наповнюють кухню такими звуками, як у туалеті від сцяння, і я хочу заткнути собі вуха. Вони цокотять ложками по тарілках, плямкають язиками, і ти вже не можеш думати ні про що інше.

Ми доїли суп, і бабуся іде до буфета і повертається з шістьма булочками з кремом і куском весільного торта. Торт вкритий марципаном і смердить свіжою фарбою. Я кладу дві булочки собі на тарілку і встаю з-за столу. Я хочу їсти у своїй кімнаті. Але батько простягає ноги переді мною, тож я не можу вийти.

— А куди це ти зібрався? — каже він з гнівом, занадто раптовим і занадто готовим, наче він накопичував його з неділі.

Біль, не гострий, але й не тупий, метнувся з сечового міхура прямо в горло.

— Нікуди,— кажу я і сідаю на місце.

— Отже,— каже батько бабусі,— ти гарно провела час у Дубліні?

Бабусина помада розмазана по булочці, на носі крем. Її рот повний мокрого хліба, варення і крему, але вона навіть не завдає собі клопоту проковтнути мокре місиво перед тим як говорити.

— Пречудово. Після перегонів я поїхала до крамниці Евелін і трохи посиділа в неї біля вогню.

Евелін — це старша сестра моєї матері.

Батько з бабусею розмовляли, а ми з мамою спостерігали за ними, чекаючи, доки щось трапиться. Коли батько з бабусею разом за столом, це часто закінчується скандалом.

Після чаю бабуся випила склянку хересу, і її плечі опустилися від задоволення. Її голова звісилася, очі заплющилися, а потім голова нарешті впала. Батько посунув своє крісло, і скрегіт розбудив її. Вона дивиться на нього, перелякана.

— Де твоя борода? — питає вона, щойно прокинувшись.

Мама і я сміємося.

— Я хочу знати, що трапилось з обличчям мого сина,— каже вона.— Його немає, все м'яке й поголене.

Ледве вона сказала це, як її очі заплющилися, а голова вклалася на груди.

— Підйом! — кричить батько.— Стіл тобі не ліжко.

Вона розплющує очі.

— Це мій дім, і якщо я захочу, буду спати в комірчині під сходами.

Мені стало цікаво, де зараз Кріто, і я почав її кликати:

— Кс-кс-кс! Кріто! Кріто!

Батько похмуро глянув на мене, підвівся і мовчки вийшов.

Якщо бабуся виграє на перегонах більш ніж п'ятдесят фунтів, вона повезе мене в табір Батлінз чи в цирк, якщо поруч є якийсь. Минулого року в Батлінзі була виставка «Неймовірні чудеса світу». Там були фотографії гігантів і ліліпутів; чоловіка без рук, який грав на піаніно ногами; сіамських близнюків, одвернутих одне від одного, щоб поцілуватися зі своїми нареченими. Ми з бабусею сиділи в першому ряді і дивилися фільм про чоловіка, який перетнув Ніагарський водоспад у бочці, і реконструкцію трюка Гаррі Гудіні, де він звільнився від гамівної сорочки і ланцюгів. Справжнє ім'я Гудіні — Еріх Вайс. Він народився у 1874 і помер у 1926 році.

Моя тітка Евелін побувала на Ніагарському водоспаді. Коли вона повернулася додому, то сказала:

— Дивіться, яка в мене гарна засмага.

Але вона стала товстішою, ніж була до подорожі. І на її засмагу ніхто не дивився. Моя мати каже, що тітка Евелін власними зубами риє собі могилу.

Я чекаю на зустріч з тіткою Евелін, бо вона розказує мені історії зі своєї подорожі. Вона розповідає мені про містечко з пагорбом Кліфтон Гілл, вкритим музеями та милими кафе, кунсткамерами, домами чудес, неоновими ліхтарями та неймовірними розвагами. Вона каже, що місто біля Ніагарського водоспаду — це наш спосіб позмагатися з природою.

— Потвора природна — гігантський водоспад і людське шоу потвор. І все це разом там, у Ніагарі.

Мені спало на думку, що я можу потрапити до Ніагари швидше, якщо тільки бабуся допоможе.

— Ти виграла? — питаю я, торкаючись її плеча. Вона прокидається.— То що, ти щось виграла на перегонах?

— Цього разу ні,— каже вона.— Але перемога — це не головне.

— То ти не виграла на перегонах? — кажу я.

— Ні,— каже вона.— Але я гарно провела час.

Раптом у мене запаморочилось у голові, наче я втрачаю рівновагу.

— Ти справді нічого не виграла на перегонах? — питаю я.

— Нічого. Я вже сказала тобі,— каже вона.— Я не виграла жодного пенні.

Я опустив очі.

— Я зроблю ще чаю,— каже мама.— Візьми бабусині пальто і сумку і віднеси до її кімнати.

Я приніс пальто і сумку до її спальні. Всередині її великої кімнати здається, що ти перебуваєш в іншому будинку чи шале на кшталт того, де ми зупинялися у Батлінзі. Я ставлю її сумку на ліжко і відкриваю.

Її гаманець аж розпирає від грошей. Я дивлюся на двері, а потім починаю рахувати гроші, сортуючи купюри. П'ятдесятки, двадцятки й п'ятірки стовпчиками. Деякі банкноти пожмакані, декілька розірваних. Я порахував один раз, потім рахую знову, моє серце калатається, вистрибуючи з грудей.

Мене от-от знудить. Я мчу до ванної, відкриваю холодну воду і схиляю голову над унітазом. Мене вирвало жовтою рідиною, як минулого разу. Майже все блювотиння я спрямував в унітаз, решту витер туалетним папером. У роті присмак гіркого помаранчевого соку.

Я проходжу повз кухню і заглядаю всередину. Бабуся п'є чай і розмовляє з мамою. Я повертаюся до її спальні і дивлюся на гроші: сімсот сорок п'ять фунтів! Я молюся Господу, щоб він затримав бабусю на кухні і мене не спіймали, і мої руки тремтять, коли я беру трохи грошей собі. Я кладу їх у кишеню, але я не крадій. Це лише потрібні мені докази того, що я не уявляв такого багатства, і того, що вона бреше.

Я йду до своєї кімнати і не виходжу звідти весь день. Я не хочу, щоб хтось бачив мої тремтячі руки. Я загороджую двері комодом і знову рахую гроші. Я взяв дев'яносто фунтів. Я сортую купюри на маленькі купки. Три двадцятки, дві десятки, два п'ятірки. Сховаю гроші під матрац і пізніше вирішу, що з ними робити.

О дев'ятій мати прийшла до моєї спальні сказати «добраніч».

— Як тут наш задавака? — каже вона.

— Добре.

— Що робиш?

— Думаю.

— Ти забагато думаєш. Обережно, бо станеш відлюдником.

Не знаю, чому те, що хтось проводить час за міркуванням, когось дивує. Є тисячі речей, про які варто думати. Коли ти розмірковуєш, життя перетворюється на великий парк розваг. Коли ти заходиш до парку, тобі хочеться покататися на всіх атракціонах.

Я б сказав їй це, але вона може подумати, що я смішний, і почати сміятися, а я не в гуморі для сміху.

— Добре,— кажу я.— Припиняю. Можеш трохи побути зі мною?

Вона зачиняє двері і сідає на моє ліжко.

— Почухаєш мені ступні? — питаю я.

— Тоді висунь їх з-під ковдри.

Вона робить мені масаж ніг, я дивлюсь на неї.

— Ти сумний,— каже вона.

— Тому що батько брехун.

— Що значить «батько брехун»?

Я хочу розказати їй, що бабуся теж брехуха, але тоді вона дізнається, що я залазив до її гаманця, і може запідозрити мене.

— Він брехун. І в мене є докази. Я блював, бо він збрехав мені. Він збрехав, що йому не сумно.

— Ти блював від вигляду мертвих кошенят.

Я сідаю.

— Ні,— кажу я.— Я блював, бо зрозумів, що він бреше. Якщо я скажу тобі, як я це зрозумів, обіцяєш не казати таткові?

— Давай, скажи мені.

— Обіцяєш?

39

— Обіцяю. Скажи.

— Присягаєшся, що не скажеш?

— Клянуся. Кажи.

— Я давно підозрював, що батько брехун. Іноді він обіцяє щось зробити, і я знаю, що він не виконає обіцянки. Іноді він каже, що повернеться додому до полудня, і я знаю, що він не повернеться. Я підозрюю його дуже давно. Просто мені були потрібні докази. Тепер я їх маю, тому що я блював. Я знаю, що батько брехун.

— Що ти верзеш? Ти блював, бо був засмучений. Твій батько не брехун.

— Не тільки через це. Я бачив, як змінилося його обличчя, коли він брехав, і я чув, як змінився його голос, і бачив, як затрусилися руки.

Вона встає і йде до дверей, не обертаючись до мене.

— Ти стомлений і засмучений,— каже вона.— Лягай спати. Побачимося вранці.

— Але…

Вона вийшла.

Я перевірив у «Книзі рекордів Гіннеса», чи був хтось зі здібністю викривати брехню. Нікого. Я напишу їм і скажу, що можу викривати брехню. Якщо вони вирішать перевірити мене і я пройду тест, то можу потрапити до книги, і не через те, що я поб'ю чийсь рекорд (як, наприклад, поїдання найбільшої кількості яєць чи відпускання найдовших вусів), а через те, що я можу робити унікальні речі.

Можливо, треба написати до музею Ріплі «Віриш чи ні!». Вони можуть мною зацікавитися. Над моїм ліжком висить фотографія Роберта Лероя Ріплі. Він стоїть, обіймаючи за плечі чоловіка на ім'я Ель Фусіладо, «Страченого», який вижив після розстрілу. Обличчя Ель Фусіладо вкрито шрамами від куль, але він посміхається, щасливий бути з Ріплі. Принаймні, за свій талант я отримаю гроші для подорожі до Ніагарського водоспаду.

Я прислухаюся, чи не повернувся батько: цікаво, чи він прийде до моєї спальні з подарунком? Я дістаю коробку з-під ліжка і роздивляюся листівки і брошури, які тітка Евелін присилала мені з Ніагари.

Я точно знаю, якою має бути моя подорож. По-перше, це будемо ми з мамою, і я хочу, щоб ми сиділи вдвох у великому літаку і дивились у вікно на водоспад Хорсшу, найбільший водоспад, а потім приземлилися в аеропорту Ніагари. І я хочу, щоб нас двох сфотографували в кабіні разом з пілотом і другим пілотом.

Я хочу, щоб ми промокли під бризками водоспаду, а потім висохли (це буде влітку) по дорозі на Кліфтон Гілл до парку розваг, де безліч атракціонів і, найголовніше, музей Ріплі «Віриш чи ні!».

Я дивлюся на годинник: о пів на дев'яту, мого батька ще немає вдома. Я йду до вітальні і питаю бабусю, де він. Вона каже, що він лишився на ніч у Вексфорді. Йому треба зустрітися з колишнім босом стосовно допомоги. Я заснув з брошурою музея Ріплі під подушкою.

4

Уранці мій друг Брендон прийшов до котеджу на годину раніше, ніж потрібно. Він завжди такий ранній, ніби хоче заскочити людей за чимось, чого вони не повинні робити. Він підходить до вікна моєї спальні, коли я вдягаюся, і стукає у скло.

— Приві-і-іт,— каже він, пародіюючи голос фермера.— Сього чудового дня я продав дев'ять корів.

— Приві-і-іт! — кричу я у відповідь.— Кажуть, дев'ять краще за вісім.

— На передні чи на задні?

— Та хоч крізь димар.

Є передні двері і задні двері. Обидві завжди відчинено.

— Зрозуміло,— каже він.

Він притис рот і ніс до вікна і лизькає скло. Брендон нижчий за мене, але більший і ширший. І сильніший. Він горбатиться, його голова і шия нахилені вперед, наче він намагається збалансувати якийсь вантаж на своїй спині.

Він заходить до моєї кімнати, і ми сідаємо на підлогу і розмовляємо деякий час. Я не сиджу з ним на ліжку. На ліжку я сиджу тільки з мамою. Я думав, чи показувати йому гроші, і вирішив не показувати. Що, як він захоче трохи витратити? Що, як він розкаже одній із сестер?

Ми прямуємо до поля навпроти котеджу, і, коли проходимо кухню, бабуся зупиняє нас.

— Брендоне! — каже вона.— Зупинися і поговори зі мною.

— Добре, місіс Іган,— каже він.

* * *

Моя бабуся часто вдягається з голови до ніг в один колір, і сьогодні вона в жовтій сорочці, жовтій спідниці і жовтих туфлях на підборах. Навіть її великі очі здаються жовтими. Вона пропонує Брендону варених яєць, і, поки вона варить яйця і робить тости, Брендон розказує їй, що в нього вдома бешкетні дівчата-близнючки граються з його сестрами і що він не знав, як їх швидше здихатися.

— Що за дівчата-близнючки? — питає бабуся.

— Береніка Бойд і її сестра Бернадетта,— каже Брендон.— Вони принесли вітальну листівку і пиріг для моєї сестри.

— Твоїй сестрі слід бути обережною з тією листівкою. Може, хай витре її вологою ганчіркою перед тим як торкатися її знову.

— Не можна заразитися через вітальну листівку,— кажу я.

— Сказ,— каже бабуся, її голос гучнішає, з в'ялого рота вилітають маленькі бризки.— Ти можеш сказитися. У всієї їхньої родини піна з рота через сказ.

Я хочу вийти з кімнати, коли бабуся так розмовляє, але зварилися яйця.

— Ось,— каже вона.

Яйця недоварені і занадто рідкі, щоб їх їсти.

Білок найогидніший — сира прозора рідина. Жовток не такий жахливий на вигляд, як сирий білок.

— Це тобі,— кажу я їй.— Я не дуже голодний.

Бабуся ножем розбиває вершечок яйця, і білок стікає по шкаралупі на тарілку. Замість того, щоб ложкою чи шматочком хліба все зібрати, вона підносить яйце до обличчя й облизує тріснуту шкаралупу. Потім вона бере тарілку зі столу, нахиляє її собі до рота і лиже, доки все не скінчилось. Вона їсть так, ніби вона думає, що жування нашкодить їжі, ніби вона хоче, щоб уся їжа була слизька. Якби подали рибу, вона б їла її так само.

* * *

Не розумію, як така охайна і порядна людина може так їсти і робити навколо себе такий безлад, завжди після неї плями та липкі залишки їжі. Її огидність так роздратувала мене, що мені стало важко дихати. Але вона взяла нас до себе, коли в нас не було грошей, і сказала, що це наш котедж, наш дім. І вона співає у ванній повстанські пісні, і вона грає зі мною в «Скребл», і вона навчила мене грати в нарди і покер і не дає мені виграти.

Я схопив Брендона за куртку і витяг із кухні.

— Нам треба йти,— кажу я.

— Ну,— каже вона.— Якщо вам так треба йти…

І я нічого не можу вдіяти, щоб вона не засмучувалась від того, що знову лишається сама.

Ми грали у футбол декілька годин, а коли зупинилися, то були аж за милю від дому, посередині між котеджем і школою. Майже стемніло, все важче бачити м'яч. Я сідаю навпочіпки, щоб відпочити хвилинку, Брендон сідає на м'яча.

— А знаєш,— каже він,— коли ми через вісім місяців перейдемо до шостого класу, деякі дівчата вже носитимуть ліфчики.

Він підскакує на м'ячі.

Я встаю і вдаряю по м'ячу під ним.

— До того часу я вже буду в «Книзі рекордів Гіннеса».

— Що?

— Я їм напишу днями, до початку занять.

— Чому це «Книга рекордів Гіннеса» візьме тебе?

— Поки що не можу сказати, але як отримаю від них листа у відповідь — одразу скажу. Це секрет поки що.

— Припини бити по м'ячу! Кому кажу?

— Скажу тільки, що я потраплю туди через незвичну річ.

Він встає з м'яча і випинає груди, і я випинаю свої також. Це така гра, у яку ми граємо, коли в чомусь не згодні.

Я кажу:

— Ну шо?

А він каже:

— А ти шо?

І ми штовхаємо один одного деякий час.

— Ну давай.

— Давай.

— Давай.

Він падає на спину, і я атакую його.

— Ну шо?

Він накидується на мене. Я втрачаю рівновагу і падаю. Лежачи на землі, я кажу:

— Шо?

Він сміється з мене.

— Вже п'ята. Мені треба йти.

— Звідки ти знаєш, що п'ята, у тебе навіть годинника немає? — питаю я.

— Я нещодавно бачив твій, і була вже майже четверта.

Я подивився на годинник. За хвилину п'ята.

— Ще не п'ята,— кажу я.

— Ні, кажу тобі, вже п'ята.

Зараз я мав би вчинити ще одну бійку, задля розваги, але я хочу повернутися до своєї кімнати.

— Побачимося у понеділок у клятій школі.

— До понеділка,— каже Брендон і піднімає м'яч.— І не забудь по дорозі сказати коровам, що трава їм шкодить.

— Бувай,— кажу я.

Він починає йти задом, і я також. Ми довго дивимось один на одного, не наважуючись кивнути чи посміхнутися, і нарешті робимо криві гримаси, після чого обидва ніяковіємо. Я розвертаюся і йду додому так швидко, як тільки можу.

Я йду звичним шляхом, довгою стежкою вздовж ялинок, а потім через поле до бабусиного котеджу. Через останнє поле є вузька стежка, якою я ходжу кожного дня до школи, на ній втоптана земля і не росте трава. Це я її витоптав, і в середині вона змією звивається в трьох місцях.

На краю поля, на північ від нашого котеджу, неподалік дороги, на дереві висить лялька, і я не можу пройти повз, не подивившись на неї.

Вона міцно затиснута між двома гілками на висоті близько десяти футів, і її не дістанеш. Вона висить там багато років, відтоді, як я почав ходити до Національної школи Горі. Її одяг вицвів, руки і ноги в деяких місцях почорніли, наче вона їх обморозила.

46

Взимку я відвертаюся від неї одразу, як тільки переконуюся, що вона на місці, але влітку, увечері, коли ще не стемніло, мені стає її шкода, і я хочу зняти її. Інколи літніми вечорами, коли я повертаюся зі школи, я обіцяю їй, що залізу на дерево і зніму її, але як тільки наїдаюся і напиваюся, я забуваю про неї.

Якби Кріто не сиділа на кухонному столі і не муркотіла, котедж був би пустим і беззвучним. Світло вимкнене, радіо також. Можливо, бабуся пішла пограти в бінго чи до магазину, а батько все ще у Вексфорді. Можливо, мама на репетиції літньої вистави. Я сідаю за стіл і беру Кріто на коліна. Буду думати, доки хтось не повернеться додому.

Моя мати — акторка-ляльковик, але вона каже, що недостатньо гарна в цьому.

— Я лишаю це експертам,— каже вона.— Я не перформер.

Але я знаю, що вона помиляється. Після минулорічної вистави, коли більшість глядачів вийшли і вимкнули світло й обігрівачі, маленька дівчинка кричала, викликаючи ляльок. Мама маленької дівчинки роздратувалася і сказала:

— Все, я пішла.

І залишила маленьку дівчинку скиглити:

— Де вовк? Де курчатко?

Моя мати показала дівчинці, що ляльки несправжні. Вона забалакала голосом вовка замість курчатка і голосом курчатка замість вовка. Коли дівчинка почала плакати ще голосніше, моя мати стала навколішки й обняла маленьку дівчинку.

— Заспокойся,— сказала вона.— Ляльки пішли спати.

Дівчинка продовжувала плакати, доки моя мати не поцілувала її волосся. Я підійшов до них, і мати прибрала руки.

— Залиш нас, Джоне. Іди почекай в машині,— сказала вона.

Вона дала мені ключі, але я не пішов до машини. Я пішов до церковної кухні і дивився крізь вікно, щоб переконатися, що нічого більше не станеться.

І так я дізнався, що вона кращий ляльковик, ніж вона каже.

Я зробив собі тостів з ожиновим варенням і пішов до вітальні. І я побачив, що весь цей час батько був удома.

Він сидів у тиші на тому краї дивана, що ближчий до вогню, і читав «П'ять великих філософів після Платона». Він одягнений у штани і зелений светр із діркою біля шиї. На його підборідді чорна щетина.

— Привіт, тату,— кажу я.

— Привіт, сину,— каже він.

— Мій подарунок у тебе? — питаю я.

— Який подарунок?

— Той, що ти обіцяв.

— О, так. Але я його ще не забрав. Я завтра принесу. Це буде навіть більший сюрприз.

— Але ти обіцяв.

— Аморфна порочність,— каже мій батько.— Ось що ти маєш: дитячу мрію, що ти можеш мати і повинен мати все.

Я вмикаю телевізор і сідаю на протилежний бік дивана з тостами, і після близько десяти хвилин перегляду «Доктора Хто» мені стає холодно. Я встаю поворушити вугілля кочергою.

Коли я сідаю на місце, він каже:

— Привіт, сину.

Наче він забув, що ми вже почали розмову.

— Гарно погуляли з Брендоном?

— Так, усе добре.

Я відкушую від тоста, але мій язик наче паралізований.

— Тату, коли ти отримував наукову ступінь із кримінології, ти хотів допомагати ловити злочинців?

Він набирає повітря і кладе книжку собі на коліна. Гадаю, сьогодні він у гуморі поговорити. Я піднімаю ноги на диван і підсовуюся ближче до нього, так, що мої коліна торкаються його ноги.

— Не зовсім,— каже він.— Я хотів зрозуміти їх. Ти чув вираз «профілактика краща за лікування»?

— Але ви з дядьком Джеком і дядьком Тоні говорили про злочинців, які заслуговують на те, що вони отримали. Ти казав, їх треба повісити.

Мій батько відчув, що я розкусив його. Він заплющує на мить очі, тоді розплющує, ніби починає спочатку.

— Іноді майже неможливо зрозуміти зі слів людини, про що дійсно вона думає. Людей дуже важко зрозуміти. Те, що я насправді думаю, значно складніше. Що я вважаю насправді,— так це те, що тільки монстр може повісити людину. І людина, яка скасувала страту в Америці,— одна з найвидатніших у всі часи.

Він дивиться на мене, чи я розумію. Я розумію. Краще, ніж він уявляє.

— І розмова,— продовжує він,— і слова, які використовують під час бесіди. Коли люди прагнуть сподобатись одне одному і вбити час, і залікувати рани нудьги і самотності… Знаєш, судити когось по цих словах і розмовах, які ти чуєш більшість часу між мною і твоїми дядьками, нерозумно — ну, це типу рефлекс, як у випадку, коли я стукаю по твоєму коліну і нога підскакує.

Потім він, не кажучи більше нічого, повертається до своєї книжки. Я хочу, щоб він продовжував говорити, а не зупинявся отак.

— То ти маєш на увазі, що не хотів би карати злочинців, навіть найгірших? А що, як хтось із них уб'є маму?

— Їх треба карати,— каже він і чухає обличчя,— у межах розумного. Але, може, спершу треба дізнатися, чому вони коять злочини.

Я підсуваюся по дивану ближче до нього. Я відчуваю тепло його тіла.

— А що, як хтось дізнається, що злочинець бреше? Що, як є викривач брехні?

— Це дурне питання.

Я відчуваю у шлунку раптовий неочікуваний пекучий біль, як від тертя мотузкою. Я верчу тост на тарілці і знову піднімаю очі на нього.

— Але,— кажу я,— я хочу знати, що повинно трапитися, щоб ти зрозумів, що злочинець бреше.

— Ти маєш на увазі поліграф? Детектор брехні? — питає він.

— Так.

— Але деякі люди дуже вмілі брехуни.

— А що, як існує людина, схожа на детектор брехні, яка може сказати, коли хтось бреше?

Він нахмурився.

— Не думаю, що існує така людина.

Я вирівнявся і посміхнувся. Здається, мама виконала обіцянку і він нічого не знає.

— А що, як існує?

— Ну, тоді вона повинна мені це довести. Але вона, мабуть, якийсь дивак, як потвори з твоєї книжки.

Я відриваю скоринку зі свого тоста, кидаю у вогонь, і мовчу. Одну за одною я відриваю всі скоринки і кидаю у вогонь.

— Не годиться так викидати добрий хліб.

Я встаю.

— Я не дуже голодний,— кажу я.— Піду до себе в кімнату.

Але я не пішов. Я виходжу через передні двері. Не дивлячись на те, що тут холодно, мокро і темно, я сідаю на свою куртку на маленькому лужку біля заїзду з гравію і клаптями скубу траву. Я бачу, як проїжджає машина, і корів у полі через дорогу; корови, групками по двоє і більше підходять до огорожі, вони наче думають, що хтось звільнить їх.

Іноді я махаю цим коровам, підходжу до них і даю їм трави, яку я вирвав з лужка. Я люблю рвати траву, мені подобається звук розривання, чистий тріскучий звук.

Я чую, що мама і бабуся повернулися додому, але я не виходжу до них. Я лишаюся у своїй кімнаті і читаю.

Вже пізно, але мама не приходить до мене сказати «добраніч». Я йду до ванної і знаходжу її. Вона в нічній сорочці нахилилась над умивальником, чистить зуби. Я стою біля дверей і дивлюся на неї. Вона вирівнюється, коли помічає, що я на неї дивлюся.

— М-м-м? — каже вона, на її губах і підборідді зубна паста.— Що ти хочеш?

— Нічого,— кажу я.

Моя мати закінчила і, коли виходила, забула подати мені мою блакитну щітку.

— Можна тебе на двоє слів? — питаю я.

— На двоє слів? — каже вона і посміхається, нарешті трохи тепла.

— Так,— кажу я.— Прямо зараз.

Ми йдемо до моєї спальні. Я залажу під ковдру. Вона також. Ми лежимо на спинах, дуже близько. Її рука м'яка порівняно з моєю, і незабаром ми дихаємо в одному ритмі. Її довге волосся лоскоче моє плече,

51

і її рука торкається мого стегна. Я хочу повернутися до неї, щоб її обличчя було ближче, але спочатку я повинен сказати їй.

— Бабуся також бреше.

Вона кладе руку під голову і повертає обличчя до мене.

— Це занадто важлива річ, щоб про це говорити,— каже вона.

— Мамо, я знаю, коли люди брешуть. Я відчуваю нудоту і розумію це.

Вона пильно дивиться на мене, я намагаюся не моргнути.

— Про що саме збрехала бабуся?

Я розказую про гроші, але не кажу, що взяв щось собі. Вона сідає і більше не торкається мене. Я заплющив очі і чекав, доки вона заговорить.

— Ти щось узяв із бабусиного гаманця?

— Ні, мамо. Звісно ні.

Я затаїв дух. Моє серце стукає так, що я відчуваю це у своїх вухах. Навіть якщо я знервований, мені треба приділяти увагу тому, як я себе почуваю. Це дуже важливо для мене: знати, як це — брехати, і відслідковувати, як це впливає на моє тіло. Я не хотів брехати, але якщо ми говоритимемо про гроші, то не будемо говорити про мої здібності. Якщо я розкажу одну правду, тоді більш важлива правда не вийде назовні.

— Точно? — питає вона.

— Так. Точно.

Я не можу дивитися на неї, коли брешу, і тому нахмурився, вдаючи нудьгу і легку роздратованість.

— Приємно це чути,— каже вона.

Приємно чути. Це те саме, що сказати, що ти знаєш, що хтось бреше, але тобі подобається чути брехню, бо від неї ти почуваєшся краще, ніж від правди.

— Так,— кажу я.

— Що відбувається, коли хтось бреше? — питає вона.

— Мене нудить, шия і вуха палають, і я помічаю кожну маленьку дрібницю, що відбувається.

Вона деякий час витріщається на килим.

— Я хочу, щоб ти пообіцяв мені, що не скажеш жодного слова таткові і бабусі стосовно цієї брехневої справи.

Хоч вона і не бреше, я знаю, що вона не вірить мені і переживає в основному через те, що з мене будуть сміятися. Вона не ставила мені достатньо запитань і, якби вона мені повірила, була б більш зацікавлена. Зазвичай вона ставить багато запитань, одне за іншим, і я завжди відповідаю на її запитання.

— Добре,— кажу я.— Нехай це буде наш секрет.

— Не будемо називати це секретом. Давай просто… давай назвемо це нашим сплячим цуциком.

— Яким цуциком?

— Рудим хропуном з волохатими лапами, якими він смикає уві сні.

Вона знову лягає. Ми посміхаємося, але мені хочеться більшого: щоб вона обняла мене. Я піднімаю руку і кладу їй на плече. Вона кладе свою руку мені на талію. Такого давно вже не траплялося.

— Заплющ очі,— каже вона.

Як тільки я заплющую очі, вона цілує мене в губи.

— Не розплющуй,— каже вона.

— Добре,— кажу я.

Вона веде рукою по моєму тілу аж до стегна, але раптово зупиняється, гладить мене двічі і забирає руку. Тоді вона встає, дуже швидко, з мого теплого ліжка.

— Добраніч,— каже вона.

— Але…

— Добраніч.

Допізна я сидів і читав бібліотечну книжку «Правда про детектор брехні» і новою ручкою в новенький зошит я почав записувати все про брехню і про те, як поводяться люди, коли вони брешуть. Я назвав цю книжку «Ланруж Інхерб» і написав у ній про брехню тата і бабусі, а потім про дивну реакцію моєї матері на правду.

Цікаво, що буде, коли люди дізнаються про мою рідкісну здібність? Або коли люди зрозуміють, що не зможуть обдурити мене? Треба бути обережним. Дуже обережним.

5

Я прокидаюся рано і піднімаюся вузькими сходами до спальні моїх батьків. Мій дідусь побудував цей лофт, бо хотів кімнату, окрему від усього котеджу, де він може реставрувати прикраси. У ньому два великих вікна і низька стеля. З усіх нас тільки бабуся може не нахилятися, проходячи у двері.

Двері трохи прочинені, настільки, щоб я міг зазирнути. Мама спить на своїй половині, її ступні виглядають із-під пухової ковдри.

Батька немає в ліжку. Він лежить на підлозі, на матраці під коричневою ковдрою. Він не спить, витріщається на стелю, або, може, спить із розплющеними очима. Не впевнений, що саме з цього.

Я довгий час стою навшпиньки і дивлюся, і він помічає мене. Він мав помітити мене, його очі зустрілись з моїми, але його обличчя не ворухнулося. Він нічого не каже, і не схоже на те, ніби хоче говорити. Він довго дивиться на мене пустим поглядом, і я все ще не розумію, спить він чи ні.

«Чому ти на підлозі?» — хочу я спитати, і минулого тижня я б так і спитав, але зараз я вже не такий знервований, як під час школи, і я йду вниз, тримаючись за стіну, доки не щезаю з його очей.

Сходи вузькі, і я йду вниз боком, міцно тримаючись за поручень.

На кухні я шумлю гучніше, ніж зазвичай, в надії, що моя бабуся почує мене зі своєї спальні на другому кінці котеджу. Невдовзі вона заходить.

— Джоне! — каже вона.— О пів на шосту ранку.

— Я зголоднів.

— Ти мале бісеня. Я думала, грабіжники залізли. Підійди.

— Вибач,— кажу я, але не підходжу.

— Ну що, я вже прокинулась. Може, принесеш мені чаю і трохи зі мною посидиш?

Я роблю тости і чай і несу їй у спальню.

— Якщо ти замерз, можеш залізти під ковдру.

— Ні,— кажу я.— Мені не холодно.

Я сідаю на край її ліжка, і вона їсть тости, широко відкриваючи рота, як їсть усе, наче в неї грип і вона не може дихати носом.

— Хіба це не смішно? — кажу я.— Коли в тебе грип, ти не можеш їсти, бо в грудях хрип.

Вона піднімає підборіддя.

— Ну, ти не можеш дихати і їсти одночасно, коли в тебе грип…

— А-а… Тепер зрозуміла. Треба бути напоготові із самого рання, щоб розуміти тебе.

— Так,— кажу я.— Від самого рання.

Вона посміхається, але посмішка швидко зникає і повертається її огидний рот.

— Тобі ж подобається жити тут зі мною? — питає вона.

— Звичайно,— кажу я.— Тепер набагато краще. Я можу ходити стежкою, яку сам протоптав через поле, до школи і не треба чекати на автобус.

— Чудово,— каже вона.

Ми сидимо і мовчки їмо тости.

Я доїв свій тост, і вона доїла свій.

— Мені б іще чаю,— каже вона.

Я несу чай і коли доніс, то поставив тацю на її ліжко і став поруч.

— Ніколи не стій, коли можеш сісти,— каже вона.

Я сідаю.

— Де твоя чашка?

— У мене немає.

Я сиджу і дивлюся.

Вона сьорбає чай і посміхається мені. Вона висуває язика, щоб зустріти чашку перед кожним ковтком, і після ковтка вона мені посміхається.

Чути тільки її сьорбання і тишу, якої стільки між нами, що я був дуже вдячний вантажівці за шум і відволікання. Я дивлюся у вікно і бачу вантажівку, яка повільно їде вниз вузькою дорогою повз котедж.

Бабуся випиває другу чашку, і в кімнаті з'являється недоречний запах силосу.

— Що ти бачив, коли ходив нагору? — питає вона.

— Нічого не бачив.

— Бачив батьків у ліжку?

Запах перегною чи прілого сіна наповнив спальню бабусі, і її питання наче вкрите брудом.

— Так, я бачив їх, вони спали.

— Вдвох спали? Разом?

У мене в горлі піднімається слиз, аж до піднебіння.

— Я бачив, що тато спить на підлозі,— кажу я.

— Правильно,— каже вона.— У нього знову проблеми зі спиною. Як і минулого року, коли він тиждень спав у вітальні. Але не турбуй його. Він не любить, коли його жаліють. Зрозумів? Не питай у нього про біль у спині і чому він спить на підлозі. Зрозумів?

— Так,— кажу я.

Вона бреше. Між мамою і татом щось сталося, і я повинен дізнатися, що саме.

* * *

Я йду до себе в кімнату і починаю читати другу книжку про детектор брехні, яку взяв у Вексфордській бібліотеці. Із цієї книжки я дізнаюся, що у стародавньому Китаї людей, яких підозрювали у брехні, просили виплюнути пожований рис. Сухий рис указував, що у брехуна сухо в роті. Не знаю, чи буде в мене можливість колись скористатись цим способом. Я записав про це в «Інхерб Ланруж», який я ховаю під матрацом, поруч з грошима, які я взяв з бабусиного гаманця. Зараз у мене три розділи: Велика брехня (Янхерб Акилев), Мала брехня (Янхерб Алам) і Біла брехня (Янхерб Аліб). Але слово «велика» навпаки не дуже гарне, тож я замінив велику брехню на «Янхерб Акил».

Я тримаю «Інхерб Ланруж» під матрацом і, як додатковий захист, також використовую кодові імена для моєї родини: мати — це Ромта, батько — Хафта, бабуся — Могра, дядько Тоні — Толак, і дядько Джек — це Джатал. Хоч про неї поки що нічого писати, тітка Евелін буде Лонев, і під неї вже відведена сторінка під назвою Лонев, яка чекає, доки вона збреше.

6

Сьогодні неділя, минув тиждень відтоді, як батько збрехав про кошенят, і я читаю книжку про те, як Шерлок Голмс розслідував убивства Джека-різника.

Мої мама і тато сидять зі мною на дивані, і я читаю їм уголос розділ із книжки. Батько каже:

— Шерлок Голмс і Джек-різник в одному місці — анахронізм і нісенітниця.

— Як це може бути анахронізмом,— каже мати,— якщо Шерлок Голмс вигаданий персонаж, а Джек-різник — справжній? Вигаданий персонаж може жити коли йому заманеться. І, більше того, я вважаю, вони жили приблизно в одні часи.

— Що таке «анахронізм»? — питаю я.

— Це помилка в хронології історичних подій,— каже батько.— Типу як Ісус Христос випив кока-коли перед розпинанням.

Мати каже:

— Я принесу словник. Давайте глянемо, як сказано в словнику.

Вона виходить. Батько встає поворушити вугілля в каміні, потім раптом виходить, не кажучи нічого. Мати не повертається зі словником. Я читаю на самоті.

Дочитавши, я йду на кухню. Батько з бабусею за кухонним столом. Я не заходжу. Натомість я стою біля дверей, там, де вони мене не бачать.

Бабуся читає листа. Коли вона закінчує, то підводить очі на батька.

— Чого ти чекаєш від мене? — питає вона.— Я не була прислана на цю землю виключно для твоєї вигоди.

Батько каже майже пошепки:

— А ти подумала про Джона? Про твого онука?

Бабуся міцно стуляє губи перед тим, як заговорити.

— Може, ти і єврей у цій сім'ї,— каже вона,— але ти не маєш ніякого права видавати мені таке стосовно грошей. І яким прикладом ти є для твого сина? Чоловік повинен сам себе забезпечувати.

— Ну добре. Я знайду роботу, якщо це ощасливить тебе. Бачити мене жалюгідним.

Бабуся взялася за стіл.

— Я в човні, який швидко тоне,— каже вона.— Кожного дня я відчуваю, як він затоплюється, осідає і набирається водою. Ти не уявляєш, як це — зустрітися зі смертю. Я хочу жити, але моє життя майже закінчилося. Якщо я хочу витратити те, що залишив мій чоловік, то маю на це право. Не тобі мені казати, як прожити мої останні роки.

— Ти запросила нас сюди.

— Я запросила вас пожити деякий час, доки ти знайдеш роботу, замість цього ви зайняли цей дім, як саранча,— роздратовано каже вона, бризкаючи на нього слиною.

Батько дивиться вниз, на свої стиснуті кулаки.

— Коли я казала, що ви можете лишатися назавжди? — продовжує вона.— Ти не працюєш три роки. А-а, я забула, ти ж можеш проходити тести і розгадувати ребуси. Навіщо? Навіщо все це навчання? Весь час ти намагаєшся довести, що ти розумний, але ніколи не застосовуєш цього для отримання вигоди.

До того як мій батько встиг щось відповісти, вона схоплюється з-за столу і йде до дверей. Я хотів вислизнути, але вона помічає мене.

— Привіт, Джоне,— каже вона.— Я думала, ти дивишся телевізор.

— Я зголоднів,— кажу я.

— Ясно. Геть із дороги і дай мені розібратися, що робити далі.

Вона хапає мене за руку і відсуває вбік, наче якісь меблі на її шляху.

Я йду надвір. Мати сідає в машину.

— Де ти зібрався? — питає вона.

— Я не знаю.

— А я хочу купити борошна і цукру у Кітінга, але мені ліньки йти пішки.

— Можна з тобою? І, може, потім поїмо в місті риби з картоплею?

Вона нахмурилася.

— Ні, ми не поїмо,— каже вона.— Ніколи. Увечері мені треба дещо пошити для лялькового театру.

— Тоді я просто з'їжджу в магазин.

Я сідаю в машину, і ми їдемо до Кітінга. У мене гарячі руки і серце вискакує.

— Ти більше не хочеш проводити час зі мною,— кажу я.— Ти змінила ставлення до мене.

— Не думаю, що це я змінилася. Я думаю, на тебе щось найшло.

— Нічого на мене не найшло,— кажу я.

Я хочу, щоб вона продовжувала на мене дивитися, але кажу:

— Не дивись на мене.

Вона посміхається.

— Що трапилось? Скажи. Між нами немає секретів.

— Я чув, як бітько і бабуся сварилися через гроші і через те, що ми живемо в її котеджі.

Вона зітхає.

— Не переймайся. Тобі не варто через це переживати.

— Але це було всерйоз. Вона збирається вигнати нас.

Моє серце калатається, і я хапаю повітря, щоб зупинити його, але воно продовжує калатати.

— Твоя бабуся не збирається робити цього. Під час сварки люди говорять не те, що мають на увазі.

— Ні,— кажу я.— Більшість із того, що вони кажуть, вони мають на увазі.

Я не хотів цього казати, і мені стало цікаво, чи це брехня, коли слова випереджають думки.

— Це вже занадто, щоб так говорити,— каже вона.

— Так,— кажу я.

— Іноді так, іноді ні. У цьому випадку вони не мали цього на увазі. Нам не загрожує вигнання. Твоя бабуся занадто сильно любить тебе, щоб так вчинити. І вони скоро помиряться.

Вона не бреше, і мені стає спокійніше. У грудях уже не стукає і долоні знову сухі. Вона їде повільно і співає.

— У тебе колись вилітало серце і пітніли долоні? — питаю я.

— Іноді. Коли я нервуюся.

— Коли ти нервуєшся?

— Коли я налякана, напевне, або відчуваю, що хтось дивиться на мене, наче яструб.

— Іноді я нервуюся, коли наодинці. З тобою таке колись траплялось?

— Зазвичай ні,— каже вона.

— Тому що людина не може боятися сама себе? — кажу я.— Щоб людина відчула себе погано, потрібно двоє людей?

— Думаю, так.

Ми зупиняємося на перехресті і чекаємо, поки проїдуть повільна вантажівка і трактор. Я дивлюсь у вікно на собаку, який чухається біля парканового стовпа.

— Цей собака зараз себе поранить,— кажу я.

— З ним усе буде добре. В нього товстий шар хутра.

Ми мовчки дивимося на собаку, який чухається, доки він не перестає і не повертається подивитися на нас. Я відчиняю вікно.

— Гав,— кажу я.

— Гав-гав,— каже мама.

Спантеличений собака тікає.

— Добре,— каже вона.— Я можу скасувати ляльковий театр. Скажи мені, що б ти дійсно хотів зробити. Ми не можемо весь день стояти на перехресті. Ми можемо поїхати куди хочеш на цілий день. Тільки треба повернутися до полудня.

— Ми все ще їдемо до Ніагари?

— Звісно. Ми поїдемо, коли ти закінчиш школу.

— Я хочу, щоб ми поїхали на мій тринадцятий день народження,— кажу я.— Коли я виросту, я можу перехотіти їхати.

— Ми так не домовлялися. Це менше ніж за два роки від сьогодні. Це дуже дорога подорож.

Я думаю, чи вистачить дев'яносто фунтів на один квиток. Я знаю, що це платня робочого на заводі за два тижні.

— Скільки це буде коштувати?

— Набагато більше, ніж у нас є.

— А що, як бабуся допоможе оплатити?

— Це вже занадто таке просити.

Автівка за нами чекає, коли ми поїдемо.

— А що, як вона погодиться? Що, як вона нам зараз дасть грошей, доки вони не скінчилися?

— Не думаю…

Водій за нами сигналить.

— Ти навіть не питала її. А що, як ти пообіцяєш спитати в неї?

— Я можу спитати в неї,— каже вона.— Але ти не повинен допікати мені і не повинен допікати їй. Що б вона не відповіла, це буде остаточна відповідь, і я скажу тобі, це «так» чи «ні», і на цьому край. Домовились?

Мати махає водію, щоб він проїжджав, він проїжджає і хитає головою.

— Тільки уяви,— кажу я.— Уяви: водоспади, і розваги, і фанфари, і Ріплі, і політ на 747!

— Не треба радіти передчасно,— каже вона, але вигляд у неї щасливий і радісний; її щоки палають і руки бігають по рулю.

На перехресті вона повертає ліворуч і знову прискорюється. Проїжджаючи великий дім, маєток біля дороги, яка веде до Горі, вона пригальмовує і паркується на в'їзді.

— Чому ти зупинилась? — питаю я.

— У мене ідея,— каже вона.— Я завжди хотіла подивитись цей дім. Чому б не зараз?

Усі в Горі знають цей великий дім, туристи приїздять подивитись на нього, на темний ліс навколо, на трояндовий сад і озеро за домом.

Володарі маєтку живуть у Дубліні і приїздять тільки раз чи двічі на рік. Вони платять робітникам, садівникам, прибиральникам, покоївкам та доглядачам за те, щоб вони підтримували його в належному стані.

— Я хочу всередину,— кажу я.— Я хочу зайти всередину й оглянути усі кімнати.

Вона дивиться на годинник.

— Видно буде,— каже вона.

Коли моя мати каже «Видно буде», то у відповідь я повинен вигадати щось нереальне. Це в нас така гра. В неї граємо тільки ми з мамою.

— Я більше не хочу бути людиною,— кажу я.— Я хочу бути сонною видрою, яка цілими днями літає над горами і їсть морозиво.

— Видно буде,— каже вона, і ми посміхаємося.

Ми ставимо машину біля воріт і йдемо стежкою вниз. Біля головного входу стоїть садівник у довгій зеленій курточці і гумових чоботах. Ми йдемо до нього, він бачить нас, але нічого не каже, доки ми не зупиняємося за декілька кроків.

— Це приватна власність,— каже він.

— Так, але мій син хотів би подивитися, як там усередині,— каже мама.— Можна йому зазирнути на хвилинку?

Садівник витирає обличчя тильною стороною долоні. Він не рухається. Через порожній вираз обличчя він більше схожий на сплячого.

— Це приватна власність,— повторює він.

Моя мати наполягає.

— Мій син тяжко хворий,— каже вона.— Він швиденько подивиться, і все.

Вона збрехала, але я не відреагував. Це така брехня, яку більшість людей назвали би білою. Але все ж це брехня, і вона була сказана, щоб виграти, обдуривши іншого. Можливо, з білою брехнею це не спрацьовує, бо людина, яка бреше, не відчуває гніву чи неспокою. І все ж таки біла брехня може мати такі самі жахливі наслідки, як і чорна.

— І в нас немає бруду на черевичках,— кажу я.

Садівник дивиться через плече на будинок і витирає обличчя тильною стороною другої долоні, на якій татуювання рози, а потім дістає з кишені ключі.

— Все одно мені треба було провітрювати,— каже він.

Заходячи, я вдавано кашляю, прикидаючись хворим, мати шаріється. Її обличчя таке червоне як ніколи. Я не дивлюся на неї, доки вона не зблідла знову, тоді я беру її за руку, проходячи кімнатами маєтку. Всередині темно і холодно і пахне «Містером Мускулом».

Садівник розказує про вік меблів, а моя мати, яка ніколи не була нудною, неприродним голосом ставить дивні запитання.

— Люстри з Вотерфорду? — питає вона.

На кухні в задній частині маєтку я розумію, що тур майже закінчився, і вирішую відійти від них. Я повертаю і йду назад до холу. Я обдивляюся навкруги і забігаю по широких відкритих сходах.

Коли мама кличе мене, я стою навпроти стіни першого поверху.

— Джоне! — кричить вона.— Джоне!

Я чую, як вона розмовляє з садівником і чекаю, що він прийде по мене. У мене небагато часу. Я забігаю сходами ще на три прольоти і, коли добігаю останнього поверха, вже захеканий і знервований, біжу далі. Я відчиняю двері і заглядаю всередину кімнат, доки не натрапляю на одну з іграшками. Я заходжу до неї і зачиняю за собою двері.

Тут є дерев'яна конячка і коробки з іграми, і два звичайних ліжка, засипаних ведмедиками Тедді, і ляльки, і біля каміна стоять у рядочок пляшечки, наповнені піском замість молока.

На столі під відчиненим вікном макет села із залізничною станцією, поштою і крамницею. Поки я стою і дивлюся, легкий подмух вітру виходить із вікна крамниці, маленька хмаринка, точно як Кріто, дихає мені на руку. Я переживаю, що мене хтось побачить іззовні крізь високі вікна. Я беру макет села зі столу і несу в куток за ліжком біля задньої стіни. Я починаю опускати макет на підлогу, він згинається посередині, і два маленьких дерева відпадають. Я опускаю село на підлогу ще обережніше і ставлю дерева туди, де, здається, вони були раніше, і сідаю зі схрещеними ногами на килим.

Тут є паровози, і крамниці, і пластикові люди, і кущі, і собаки. Я знімаю вагони з колій і ставлю їх рядочком.

Це макет не ірландського, а французького села. Потяг іде до Пігаля. Я трохи граюся потягом. У ньому є балкон для пасажирів, щоб вони могли дивитись на краєвиди, і я думаю: чому немає балконів у наших потягів?

Я б хотів узяти собі один з паровозиків, але мені ніде сховати вагон. Замість нього я беру начальника станції і кладу його собі в кишеню куртки. У нього є вуса, червоний капелюх з козирочком, і він стоїть на пласкому шматочку зеленого пластика, на такому стоять мої солдатики.

Мама піднімається сходами, вигукуючи моє ім’я. Я ставлю макет назад на стіл і спускаюся їй назустріч.

Вона сама.

— Чому ти втік?

Я знизую плечима.

— Ходімо. Я не хочу завдавати клопоту садівникові.

Йдучи сходами вниз, я тримаю її за руку.

— Дякую,— кажу я.

— Все гаразд,— каже вона.

* * *

Садівник іде до воріт.

— Не можна було так щезати,— каже він.— Через тебе в мене було б багато проблем.

— Вибачте,— кажу я.— Я просто хотів побігати сходами вниз і вгору. Просто задля розваги.

— Ну ясно,— каже він.— Але це поганий тон — бігати по чужому будинку.

— Вибачте,— кажу я.

У машині мама повертається до мене.

— Ну, що скажеш?

— Це просто неймовірно,— кажу я.— Колись я житиму в такому маєтку. Може, й саме в цьому.

— Може,— каже вона, але, думаю, не вірить мені.

Я серйозно. Як тільки я промовляю слова, я знаю, що вони допоможуть здійснитися тому, про що я сказав. Тож я кажу це знову.

— Я житиму в маєтку,— кажу я.— Я знаю це. Я буду відомим і багатим. Я не буду якоюсь звичайною людиною. Я зроблю щось велике. Я це знаю.

Ми під'їжджаємо до бакалійної крамниці Кітінга, і мама глушить мотор.

Я дивлюся крізь лобове скло.

— Я люблю тебе,— кажу я.

Вона бере мене за руку і каже те, що дуже дивує мене:

— Слово — це не діло, синку. Твоїй мамі іноді потрібна підтримка.

Ми обнімаємося довше, ніж завжди. Потім припиняємо: і вона плаче.

— Так приємно,— каже вона голосом, ніжним від сліз.

Вона довго мовчить перед тим, як знову заговорити, але потім сміється і показує на машину, яка паркується, і я думаю, що вона плакала, бо щаслива.

— Подивись на того чоловіка в кардіаку,— каже вона.

Через її сміх я розумію, що вона навмисно зробила помилку, а моя робота — виявити її. Це ще одна наша гра.

— Кадилак,— кажу я.— А не кардіак!

— Точно,— каже вона.

Коли ми повернулися додому, там був бабусин шоколадний пиріг, щойно з печі. Я беру великий кусок і йду їсти до своєї кімнати. Потім, коли доїв, я вирішив знайти бабусю і принести їй чашку чаю і кусок пирога. Я стукаю у двері її спальні, але вона не відповідає. Я все одно заходжу. Вона спить у ліжку, на спині, в самих трусах. На її ступні дме обігрівач, а її одяг лежить купою на підлозі. Я вперше бачу оголене тіло, і воно зовсім не схоже на тіло людини.

Її рука лежить на животі, який більший і кругліший, ніж, я думав, має бути. Її груди звисають до пахв, як дві сумки з водою, з блакитними і червоними венами і темно-коричневими кранами, які стирчать посередині.

На тумбі біля ліжка повна чашка чаю з молоком і маленька біла тарілка з двома товстими шматками чорного хліба, намазаного варенням.

Я деякий час витріщаюся на її тіло, потім зачиняю двері і повертаюсь на кухню. Батько заварює чай у чайнику.

— Я був у маєтку сьогодні,— кажу я.

— Справді?— каже він.— Сподобалось?

— Навіть більше, ніж сподобалось,— кажу я.— Там сто кімнат.

Я хочу показати йому начальника станції, але не знаю, як він відреагує на крадіжку.

— Я бачив макет села,— кажу я.

— Макет села? — каже він.

Він проходить повз мене до холодильника і кладе руку мені на спину. Я не розумію, чи це прояв ніжності, чи він хоче прибрати мене з дороги.

— Садівник впустив нас,— кажу я.

— Молодець він,— каже батько, дістаючи пляшку молока з холодильника.

— Так,— кажу я його спині.— Молодець.

— Щось іще розкажеш?

— Я бачив макет французького села і балкон у потязі, який іде в Пігаль.

— Дурне хлопча. Немає наземного потяга до Пігаля. Підземне метро є. Наземного потяга немає.

Мої кулаки стислись і мої ноги затремтіли, і все через ненависть, яку я зараз до нього відчуваю, і хоч це він тримає пляшку молока, а у мене в руках нічого, я відчуваю, наче пляшка в моїй руці. Я розкриваю кулаки і можу відчути її: прохолоду скла, її вагу, і я чую, як моя хватка послаблюється і пляшка вислизає з моїх пальців. Я чую, як пляшка розбивається об підлогу, і бачу, як молоко розтікається по кахлях і щілинах між ними, але коли я дивлюся на батька, він міцно тримає пляшку.

Він наливає молоко в білий глечик.

Я дивлюся на нього, як він стоїть біля печі. Я дивлюся на його спину і рухаю руками, ніби б'ю його по голові. Він не рухається. Він, напевне, знає, що я роблю, але не повертається, щоб глянути на мене. Я припиняю рухати руками.

Його руки спокійні, мої тремтять.

Я йду до своєї кімнати і весь вечір намагаюся знайти всіх моїх пластикових солдатиків. Я знаю, що їх близько двох сотень, і вони завжди встряють у панчохи та закочуються під диван. Я з ними більше не граюся, але хочу знати, де вони.

Я думаю, батько порозкидав їх, потоптав, повідламував пластикові підставки. Коли я питаю в нього, чи він їх не бачив, він каже мені, що вони пропали безвісти або що вони в самоволці. Я думав, що самоволка — це таке місце за стіною.

Коли вони зникли, зникли на війні, я уявляв їх спаленими живцем в окопах, й іноді не спав вночі і переживав за них.

Я не хочу, щоб мої солдатики були розчавлені диваном чи випали з вікна, так само, як я хочу, щоб ляльці на дереві було зручно сидіти між гілками: обличчя вперед, руки розслаблені, ноги разом.

Буду зберігати своїх солдатиків у їхній коробці, де їм тепліше і затишніше: коробка — це як казарма.

7

Сьогодні вранці йде сильний дощ, і я біжу в гумових чоботях і в курточці з каптуром, нап'ятим на голову. Бабуся пропонувала відвезти мене, але я хотів піти сам і не хотів, щоб бачили, як я на прощання цілую її біля шкільних воріт. Я проходжу через чотири поля і дві дороги і зустрічаю Брендона на розі біля нашої школи, і ми разом переходимо ще одну дорогу, щоб почати наш перший день у п'ятому класі.

— Пуевіт,— каже Брендон з удаваним американським акцентом.

— При-иві-і-іт,— кажу я, розтягуючи по-південному.

— Що за жахливо нудний день чекає на нас.

— Цікаво, що міс Колінз отримала на Різдво? — питаю я.

— Різку з гуми або піни, я сподіваюсь,— каже Брендон.

— Але ти помітив, що вона використовує її вже не так часто, як раніше?

— Може, з тобою і не так часто. Вона тебе боїться, бо ти вдвічі вищий за неї.

Дзвенить дзвоник, і ми заходимо. Я відкриваю портфель, дістаю останнє видання «Книги рекордів Гіннеса» і кладу собі в стіл, поряд зі словником.

Наша школа невелика, нею керують монашки. Монастирська школа на чотири класи, у кожному не більше дванадцяти учнів. Перший і другий класи відокремлені від третього і четвертого. А учні п'ятого і шостого класів мають власні кімнати.

Я сиджу позаду, і мій стіл стоїть біля двох маленьких вікон у лівій стіні. Мені видно ігрове поле, дорогу і монашок, які йдуть на служіння. Сестра Урсула, яка викладає у першому і другому класах, завжди зазирає подивитися на нас, ідучи на службу, і махає нам своєю Біблією. Більше ніхто не заглядає.

Під час першого уроку Брендон дістає із сумки окуляри з біфокальними лінзами і товстою оправою і каже, що він сліпне. Міс Колінз пересаджує його із середнього ряду на перший. Я впевнений, що окуляри з пластику і Брендон хоче сидіти на першому ряду, бо там стоїть єдиний обігрівач у нашій холодній кімнаті з бетонною підлогою. Не розумію, чому він не сказав мені про цей сліпий жарт. Я дам йому можливість і час розповісти мені, і якщо він не розповість… Що ж, я з'ясую все одно.

Перерва, дощ продовжується. Я і Брендон сидимо на лавочці, що стоїть уздовж усього коридора під гачками для наших курточок, які капають нам на голови дощем, тим, що падав під час сьогоднішньої дороги в школу.

Брендон здирає кірочку з рани на коліні і кладе її собі в кишеню.

— Навіщо це тобі? — питаю я.

— З'їм пізніше.

— Ти їси вавки?

— Якщо ти не з'їси свою вавку, наступного разу, коли ти поранишся, то стікатимеш кров'ю, доки не помреш.

Я простягаю руку, і Брендон дає мені вавку. Я хотів розказати йому про вавку у мене на голові, яку я розчухав у волоссі, але якщо я скажу йому, він захоче подивитися.

— У тебе правда погіршився зір? — питаю я.

— А чому, по-твоєму, я ношу ці окуляри?

Коли Брендон говорить, мокрі крихти бісквіту падають йому на штанину і він збирає їх наслиненим пальцем. Я думав, що буде, якщо я пограю в детектива з Брендоном. Що буде, якщо я допитаю його? Може, вміння викривати брехню спрацює і я дізнаюсь правду без обстеження окулярів. Може, я отримаю докази брехні, спостерігаючи за його руками, й обличчям, і голосом, і моїми фізичними симптомами.

— А що саме з твоїми очима?

— Я майже осліп! — каже він.— Якщо я не носитиму окулярів, у мене буде пухлина мозку.

— Минулого тижня, коли я бачив тебе, ти не був сліпий.

— Це сталося наступного дня. Мати сказала, що я підхопив вірус чи щось-таке, що викликає сліпоту.

Він бреше, і я дізнався це тільки за допомогою своїх фізичних симптомів: у мене горять вуха. І я знаю, що Брендон бреше, бо він не дивиться на мене, він дивиться вгору на стіну. В одній з книжок ішлося, що зазвичай, коли людина розмірковує, вона дивиться вгору праворуч і дуже рідко ліворуч. І ще — Брендон знизав плечима і розмовляв повільніше, ніж завжди.

Дзвенить дзвоник, і ми повертаємося до класної кімнати.

Зазвичай я йду з ним до його столу, тоді прощаюся чи розказую якийсь жарт, який буде підбадьорювати нас до ланча, але в мене перехопило подих, і я знервований. До цього я ніколи не нервувався через Брендона, і це така ж знервованість, яку я відчуваю поруч з батьком відтоді, коли спіймав його на брехні. Це не нудота. Я відчуваю різницю.

8

Через сильний снігопад заняття в школі відмінили. Я лежу під ковдрою на дивані. Мама в кріслі біля дивана, читає книжку. Весь день я думаю, де мій батько.

— Де тато? — нарешті питаю я.— Він хворий у ліжку?

— Ні,— каже вона.— Вчора пізно ввечері він пішов погуляти з другом і вирішив лишитися в отелі.

— Чому?

— Тому що дороги занесло.

Мій батько не п'яниця. Мої дядьки, Джек і Тоні, кажуть, що його зневага до алкоголю неприродна. Батько каже їм, що коли він кинув пити, він саме це і мав на увазі, і він не бачить сенсу робити те, що йому не подобається.

Він ходить до бару раз або двічі на рік. Коли він напивається, то наступного дня весь час сидить на кухні і дивиться на вустерський соус і сире яйце і ніяк не може змусити себе це випити.

— Мамо,— кажу я і сідаю в ковдрі на її ступні.

— Що? — каже вона.— Встань із моїх ніг.

Я повертаюся на диван.

— Посмажимо маршмелоу?

— У нас немає.

— Тоді, може, тости? — питаю я.

— Як хочеш,— каже вона.

Вона мовчки встає, піднімається сходами до себе в спальню і більше не спускається. Я довго чекаю, дивлюсь телевізор, не вникаючи, що там іде.

Я піднімаюсь і стукаю у двері її спальні.

— Мамо?

— Заходь,— каже вона.

Вона під пуховою ковдрою, одна рука обіймає подушку.

— Що робиш? — питаю я.

— Відпочиваю,— каже вона.

— Чому?

— Тому що мені треба відпочити.

Вона заплющує очі.

— Зачини двері,— каже вона.— Протяг.

Я підходжу до ліжка, лягаю поверх пухової ковдри і обнімаю її ззаду рукою за живіт.

— Який протяг? — питаю я.— Той, що протягом двох кілометрів, чи той, з яким свистять?

— Я не в гуморі для таких ігор,— каже вона.

Можливо, вона хвора.

— Можна мені під ковдру? — питаю я.

— Так.

Я залажу під ковдру, вона перевертається і кладе на мене руку, тоді заплющує очі і швидко засинає.

Її подих спочатку має запах яєць, і він гарячий, потім я звикаю до нього і не звертаю уваги. Але після десь десяти хвилин він починає смердіти, як затхла вода в забитій каналізації.

Її тіло дуже гаряче. Мені стає спекотно, я забираю свою руку від неї і відсуваюся на інший бік ліжка. Деякий час я дивлюсь на неї звідтіля, доки нарешті не провалююсь у сон.

* * *

Вона будить мене. Вже темно. На якусь мить я не розумію, де я.

— Котра година? — кажу я.

— Саме час випити трохи чаю,— каже вона і вмикає лампу біля ліжка.

— І батько повернувся. Краще вставай.

Я не хочу йти вниз.

— Ти така класна, як тістечко,— кажу я.

— Класна, як огірок,— каже вона без посмішки.

— Ти впевнена? Не як тістечко?

— Мені не хочеться грати в ігри, Джоне,— каже вона.— Ми не можемо весь час грати.

Я вибігаю з кімнати, ігноруючи, як вона кличе мене.

Я зустрічаю батька, який підіймається сходами. Він бачить мене, але нічого не каже. Один із нас повинен поступитися дорогою. Він доходить до середини, і я змушений відхилитися вбік і дати йому пройти. Я притискаю спину до поручня. Його руки штовхають мене, і його тіло рухається так, наче він ненавидить мене. Він проходить, не вітаючись зі мною, не дивлячись на мене, наче він сліпий. Я продовжую стояти і чекати. Він піднімається нагору, зупиняється і дивиться вниз на мене.

— Вона там? — питає він.

Він не повинен казати на маму «вона», і він знає, що вона там, бо вона щойно кликала мене.

— Так,— кажу я, але йому не цікаво, що я відповів. Він спитав просто щоб щось сказати.

— Ти сердитий на мене? — питаю я.

— Можна людині просто піднятися довбаними сходами?

Він не дивиться на мене. Я відчував його гнів ще до того, як почув його слова. Я набираю повітря.

— Мама спала,— кажу я.

— Якщо я зараз скажу те, що мені дійсно хочеться сказати, думаю, я буду шкодувати про це все своє життя.

— Що ти хочеш сказати? — питаю я.

— Краще тримайся від мене подалі,— каже він.

Я відчуваю в шлунку те саме, як перед тим, як падаю зі стіни або з дерева: хвиля жару підіймається вгору до перенісся.

Коли він повертається спиною, я кажу тихенько:

— Ти мені не потрібен.

Але він не чує.

Деякий час я дивлюсь телевізор, потім роблю нові нотатки в «Ланруж Інхерб». Я описую брехню, яку люди кажуть у телевізорі (особливо в новинах). Мені складніше викривати таку брехню, тому що знаки слабкіші, але я все ж можу це робити. Я помітив, якщо люди почуваються ніяково (так, як зазвичай вони почуваються під час обманювання когось), то вони часто торкаються або тягнуться до того, що є поряд: чашки, книжки, комірця сорочки. У «Ланруж Інхерб» я називаю це потягом до комфорту або відволікання.

9

Снігопад припинився, і дороги стали безпечними для машин. Ми повернулися до школи. Я сподіваюся, що сьогодні буде той день, коли я скажу Брендону про свої здібності викривати брехню. Я планую сказати йому по дорозі додому, але перед дзвоником містер Донеллі, директор, заходить у клас і викликає мене:

— Джоне Іган, вийди до дошки.

Кімната наповнюється хіхіканням і шепотінням. Тільки б вони сміялися з містера Донеллі, його тупості чи маніру говорити голосно, а не з мене.

— Стань рівно.

— Так, сер.

— Будь ласка, йди за мною в мій кабінет.

По дорозі в кабінет містер Донеллі мовчить, але щойно ми заходимо всередину, він починає розмовляти дуже голосно. Він сидить за своїм столом, а я сиджу в кріслі біля вікна, тож я можу дивитися на вулицю. Я не хочу дивитися на його велике червоне обличчя і його пальці, такі довгі і жирні, що вони, певно, не помістяться в отворі телефонного диска.

— Жахлива погода,— каже він.

— Так,— кажу я, дивлячись у вікно.

Я не хочу з ним розмовляти. Я тільки хочу дізнатися, навіщо він мене викликав. Він підсувається ближче до столу.

— Як успіхи?

— Добре, сер. Не турбуйтеся.

— Скільки тобі зараз, Джоне?

— У липні буде дванадцять.

— Тобі щось потрібно?

Він відсуває шухляду свого столу і починає порпатися у канцелярському приладді.

— У тебе достатньо олівців і ручок?

— Повно, сер.

Він зітхнув.

— Сядь рівно.

Я дивлюся на годинник на його руці.

— Не сиди на краю сидіння. Підсунься до спинки і сядь рівно. Так набагато краще. Отак.

Я знаю, про що він дійсно хоче поговорити. Він хоче поговорити про моє тіло. Він уже розмовляв минулого року. Це лише питання часу. Я б хотів мати змогу зупинити його. Він нікчемний, до того ще й некрасивий, з рудим волоссям і рудою бородою. Але я сів глибше в крісло тільки тому, що він мені сказав так сісти.

— Тепер слухай мене, юначе. Ти пас задніх на уроках ірландської в останньому семестрі. Чому? Ти такий кмітливий — і відстаєш.

Я дивлюся на руде волосся містера Донеллі і не кажу йому правди, що на уроках ірландської я читаю «Книгу рекордів Гіннеса». Я кажу йому, що мені не подобається ірландська і це важко — досягти успіху в чомусь, що тобі не подобається. Мені трохи паморочиться в голові, і я тримаюсь за сидіння, щоб не хитатися.

— Ну,— каже містер Донеллі,— це як про яйце і курку, ніколи не взнаєш, хто з'явився перший. Не дуже пояснює суть проблеми, але ми можемо рухатися далі, і ти можеш сказати мені, які предмети тобі *подобаються*.

— Мені подобається історія,— кажу я, розмірковуючи про те, чому в людей буває руде волосся і чи це через містера Донеллі я не люблю рудоволосих людей.

— *Чому* тобі подобається історія? — питає містер Донеллі, його руки схрещені на грудях.

Я сиджу так близько до спинки і так рівно, як тільки можу в дерев'яному кріслі, і згадую, як минулого літа я дивився фільм у кінотеатрі у Вексфорді. Переді мною сидів рудоволосий хлопець, сам, і я зняв черевики і поклав свої ноги на спинку прямо біля його обличчя.

Коли хлопець повернувся і попросив мене прибрати ноги, я не відповів йому і не подивився на нього, а лишив одну ногу там, де вона й була, на сидінні біля обличчя хлопця. Коли він повернувся вдруге і сказав мені, що мої ноги смердять, і попросив мене прибрати їх, я нічого не відповів і залишив ноги там, де вони були.

— Я люблю історію тому,— кажу я містеру Донеллі, на ходу вигадуючи свою відповідь,— що це про знання історій і фактів. Як історія про Карла Великого, якому відтяли голову.

Містер Донеллі витріщається на мене і хитає головою.

— Наче я слухаю голос, який лунає з дна колодязя,— каже він.

— Так,— кажу я.

Донеллі говорить про мене. Він має на увазі, що мій голос дуже низький для малого хлопчика, ніби хтось говорить із глибокої ями.

— Ти занадто високий, Джоне,— продовжує містер Донеллі.— Твій зріст як у учня старших класів. Якщо ти і поводитимешся як дорослий, ми зможемо прийняти рішення про переведення тебе до наступного класу і ти більше не будеш стирчати у класі, як цвях.

У тебе гарні оцінки з більшості предметів, деякі навіть відмінні, але з ірландською все погано. Тож ти не готовий переходити в старший клас, хіба що за зростом, якщо ти розумієш, про що я.

Я не хочу говорити про свій зріст.

— Я вже не так виділяюся, сер, і в моєму класі Брендон. Я не хочу переходити.

— Ну, цього не станеться, як я щойно сказав. Принаймні доти, доки ти не розберешся з ірландською.

— Зрозуміло, сер.

Я встаю з місця.

— Сядь, Джоне. У мене до тебе декілька питань. Сядь як чемний хлопчик і сконцентруйся на темі бесіди.

Я сідаю, і він дивиться на мене так пильно, наче він має якесь право на мене і може робити зі мною що заманеться.

— Тепер скажи,— продовжує він, оглядаючи знову все моє тіло, обдивляючись із ніг до голови, потім з голови до ніг.— Ти почуваєшся добре? Як твоє тіло?

Я відкриваю рота, але все, що я відчуваю,— це клубок у горлі.

— Не треба соромитись.

Я знизую плечима, почуваюся розчавленим. Я ніщо. Навіть тварина може поворушитися, якщо вона хоче відійти від чогось.

— У тебе буває дивна чи раптова активність нижче пояса?

Я трясу головою, дуже швидко. Я, напевне, поводжусь як дурень. Але мені байдуже, який у мене вигляд перед ним.

— У тебе є якісь питання стосовно того, що відбувається з твоїм тілом?

— Ні! — кажу я, мій голос тремтить.

— Ти був у лікаря?

— Так.

— І лікар сказав, який у тебе зріст?

Мені запаморочилося в голові від дискомфорту.

— Мені треба до туалету, сер. Можна я повернуся після того, як сходжу до туалету?

— Коли ти повернешся, я дам тобі нову гумку і трохи нових зошитів. Нове канцелярське приладдя надихне тебе гарно вчитися. Хочеш?

Я не відповідаю. Я відчиняю двері і мчу коридором до хлопчачого туалету і думаю, що не так з містером Донеллі. Він любить знущатися з мене своїм цькуванням, але він не хоче, щоб я його ненавидів. І тому після таких принижень він майже завжди щось дарує мені або каже добрі слова, надихаючі і милі; завжди якесь вибачення за його жахливу поведінку.

Я не повернувся до його кабінету.

Вдома я йду на кухню і бачу там маму, з книжкою на колінах і Кріто біля її ніг.

— Мамо, містер Донеллі змусив мене прийти до нього в кабінет і говорив зі мною про мій зріст і всяке таке.

Вона киває і відсуває свій стілець від столу.

— Вибач, Джоне. Я повинна була сказати тобі.

— Сказати що?

Я стою біля неї, склавши руки на грудях.

— Я попросила його поговорити з тобою. Він дзвонив мені спитати, як ти, і потім те-се, і добалакались до цього.

— Навіщо ти це зробила? Мені навіть не потрібна допомога! І це його не стосується!

Без наміру, несвідомо, я раптом подався вперед, і мої ноги вперлися в мамине крісло, і я навис над нею.

Вона дивиться вгору мені в обличчя, і я бачу своє відображення в її очах.

— Не треба на мене тиснути,— каже вона, її голос слабкий і тихий.

Я відступаю до свого стільця і відчуваю його дерев'яну спинку під моїми пальцями. Мене трясе, і я скрегочу зубами.

— Вибач,— кажу я.— Але я не знаю, навіщо ти змусила мене розмовляти з ним. Він ображав мене і поводився зі мною, як з цирковою потворою, й обдивлявся мене з голови до ніг.

Вона посміхається.

— Зі мною він теж так робить і інколи навіть облизується. Я помилилася. Не треба було про це його просити. Вибач.

— Але чому ти вирішила, що йому треба зі мною поговорити? Гадаєш, зі мною щось не так?

— На той момент мені здалося, що це досить безневинна ідея. Я думала, може, ти хочеш щиро-відверто поговорити з дорослим чоловіком про те, що зараз із тобою відбувається. Підлітковий вік може бути важким етапом.

— А батько для чого?

— Так, це його обов'язок також. Але, боюся, ти не станеш говорити з батьком, навіть якщо матимеш потребу.

— Поговорю, якщо треба буде.

Я йду до своєї кімнати, і через півгодини вона заходить і питає, чи хочу я ляльковий театр перед вечерею, і вона бере свої маріонетки і показує невеличке шоу.

Потім вона танцює і співає, рухаючись по моїй кімнаті так, ніби вона сама і ніхто на неї не дивиться. Але я дивлюся, і те, як вона рухається, нагадало мені сцену з одного фільму: красива жінка вночі сама в басейні з блакитним світлом у воді.

Тиждень по тому дорогою зі школи я зупиняюся десь за двісті футів від дерева з лялькою. На моїй стежці лежить корова — спить або помирає. Я стаю навколішки і дивлюся на неї. Вона ще дихає, її очі заплющені.

Я чую стукіт копит десь у полі, і ось з'являється корова, одна, вона біжить. Біжить дуже швидко, я ніколи не бачив, щоб так бігла корова, і потім вона зупиняється біля загороди. Я дивлюся вниз на помираючу корову, і потім знову чутно гуркіт копит, та сама корова тепер біжить назад, туди, звідкіля вона прибігла, потім зупиняється і дивиться на мене.

Я не знаю, що мені робити з хворою коровою, її дихання слабке і кволе. Я встаю і йду навколо неї, щоб роздивитися усе її тіло, може, в неї є рана чи вона вагітна. Я штовхнув її в живіт черевиком. Та корова, що бігала, більше не дивиться на мене, і я почуваюся вільніше, я можу робити те, що вважаю за потрібне. Але я не знаю, що потрібно робити.

Я знову стаю навколішки і дивлюся на неї. Якщо вона помирає і їй болить, то ветеринар, напевне, усипить її. Я не хочу лишати її тут, на моїй стежці, помирати. Я знімаю свою куртку і обгортаю її морду. Вона не реагує. Треба буде сісти на неї, щоб усипити. Але я не можу цього зробити. Я поправляю куртку, щоб вовняна підкладка не торкалася її очей, щоб їй не кололо.

Я сиджу обличчям до тієї корови, що бігала, але замість того щоб дивитись на мене, вона вирішила їсти траву. Я сиджу деякий час, помираюча корова нічого не робить. Я кажу:

— Скоро все скінчиться. Ти заснеш.

Я не знаю, що казати, але не говорити з нею здається грубим.

Зараз піду. Я дуже змерз, і крижаний вітер дме під мій светр. І ще я голодний. Пізніше фермер знайде її, забере з моєї стежки і поховає, якщо вона помре. Я беру свою куртку з її морди і кажу:

— Прощавай.

Наступного ранку я виходжу до школи раніше і йду швидко: а що, як корова ще лежить на моїй стежці? Але коли я підхожу, то бачу, що вона зникла, ніяких слідів. Треба було вчора перерахувати все стадо, тоді б я знав, чи бракує однієї. Я дивлюсь за огорожу на скупчення корів, але ніхто з них не оглядається. Наче нічого не сталося. Але щось сталося. Я відчуваю біль у шлунку, у самому низу, і це відчуття майже як емоція, але я не знаю яка, яка саме.

На уроці я сиджу, схилившись на стіл, підборіддя на руці. Мій сечовий міхур повний, і я захотів до туалету ще до сніданку, а зараз майже обід. Я хочу подивитися, як довго можу витримати, як я зможу змусити своє тіло слухатися моїх наказів. Мені подобається відчуття, печіння і тиск. Я дотерпів майже до дзвоника і потім я розумію, що терпів занадто довго. Я трясу стегнами вгору і вниз що є сили, але я от-от обмочуся, не дивлячись на власні накази і спроби дотерпіти.

Я піднімаю руку, але щось пішло не так. Мій сечовий міхур відкрився без моєї на те волі. Так, це приємно — розслабитися, і я кажу собі, що просто навмисно випускаю трохи сечі і що я зможу затримати решту.

Але я не можу зупинити потік. Гаряча сеча наповнює мої штани, моя спина мокне. Мої стегна теж мокріють і я сиджу в теплій калюжі.

Я хочу підняти руку і попроситися до туалету, але питати треба виключно ірландською. Я чекаю, поки доберу правильні слова.

— *An bhfuil cead agam dul amach, más é do thoil é?*

— Ти не міг би дотерпіти? — каже міс Колінз, стоячи спиною до класу і навіть не знаючи, хто питає.

— Ні, міс,— кажу я.— Мені негайно треба до туалету.

Вона робить вигляд, що не чує мене, бо цього разу я сказав англійською замість ірландської.

Треба якось утаїти це, але я не знаю як — після того, як сеча потекла по ногах мені в шкарпетки і черевики.

— Будь ласка, міс,— кажу я.— Можна?

Міс Колінз розвертається від дошки.

— Джоне, ти не можеш почекати до ланча?

Я встаю і сеча хлюпає мені під ноги, і запах піднімається вверх.

— Ні, міс. Мені треба зараз.

Ухил підлоги несе маленький струмок сечі до передньої частини кімнати.

Міс Колінз не помічає ані сечі, яка добігає до дошки, ані смороду, але Джиммі, рудоволосий хлопець, що сидить попереду мене, помічає.

— О міс! — кричить він.— Джон обпісявся!

Усі повернулися подивитися, що я наробив.

Моя рука піднята, наче я махаю автобусу, який проїхав повз. Міс Колінз підходить до мене з відкритим ротом, показуючи свої випнуті криві жовті зуби старої собаки.

— О господи…— каже вона.— Тобі треба до сестри Бернадетти, взяти в неї щось переодягтись.

Сестра Бернадетта поведе мене на сестринський пост, який розміщений у монастирі по сусідству. Я не хочу туди йти.

Я вибігаю з класу в коридор, повз вішалку, повз інші класи і через парадні двері і продовжую бігти, доки не добігаю до стежки, і до темноти, і самотини, і спокою ялинок, і потім моя шкіра починає пекти від натирання мокрими штаньми. Я хочу залізти в піжаму і в ліжко, і зупинити час. Я хочу, щоб я спав, а потім прокинувся від запаху чаю і ковбасок, і виявив, що те, що трапилось, стерлося.

Не думаю, що коли-небудь ще піду до школи.

Я прослизаю через задні двері і навшпиньки йду до своєї кімнати. Я знімаю свої мокрі штани і надягаю чисті й сухі. Я йду до ванної, набираю повний умивальник гарячої води і перу штани. Мама спускається сходами.

— Привіт! — кричить вона.

— Привіт,— кажу я.

Вона заходить до ванної.

— Чому ти вдома?

Я сказав їй, що мені стало погано і міс Колінз відправила мене додому. Вона спитала мене, чому не подзвонили зі школи.

— Я б приїхала по тебе.

Коли я збрехав, то відчув себе важчим і, коли я хотів піти, мої ноги немов налилися гарячою водою. Брехня заповнила кожну частину мого тіла, як хвороба.

Я кажу, що вони дзвонили двічі і ніхто не відповів. Я використовую коротші слова, на випадок, якщо вони застрягнуть у мене в горлі; мій голос, між іншим, напружений, майже писклявий.

Вона питає мене, чому я перу свій одяг, і я сказав їй, що обблював його.

— Знову? — каже вона.— Хтось іще брехав?

— Я не брехав.

— Я не кажу, що ти брехав. Ти сам це сказав.

Тепер вона посміхається і я думаю, чи впіймався я.

— О,— кажу я.

Вона бере мене за руку і торкається моєї долоні. Я не спітнів, якщо вона це перевіряє. Більшість людей пітніють, коли брешуть. Але не я.

— Посмішка зупиняє блювотний рефлекс,— каже вона.— Ти це знав?

— Батько казав мені.

— Так, він має рацію. А тобі краще піти до ліжка, якщо ти хворий.

Я сиджу на ліжку і чекаю, поки вона прийде побалакати зі мною, але вона не приходить. Я чекаю, що вона піде на кухню і приготує мені тост із шинкою або принесе мені бісквітів з какао, але вона не йде.

Я чую, як вона підіймається сходами до себе в спальню, потім я чую батька.

Вони голосно розмовляють. Щось падає на підлогу, і вони замовкають.

Я лежу під ковдрою деякий час і вигадую смішні історії, щоб розказати мамі. Я хочу, щоб вона прийшла до мене.

«Будь ласка, прийди, будь ласка, прийди, будь ласка, прийди».

Вона не приходить.

Я лежу в ліжку, але не можу читати чи спати.

Я розмовляю сам з собою десь із годину. Я розмовляю двома голосами, наче це дві людини розмовляють між собою. Я розмовляю про те, що сталося. Я сам собі ставлю питання одним голосом і відповідаю іншим голосом. Я розмовляю про те, що робити завтра.

Я краще помру, ніж дозволю батькові дізнатися,
Я краще помру, ніж піду до школи.

Я йду до ванної і чищу штани щіткою для нігтів, а потім розвішую їх на сушарці для білизни у вітальні біля вогню. Я хочу, щоб хтось прийшов і поговорив зі мною. Вже о пів на третю, а до мене ще ніхто не приходив. Я припиняю казати «будь ласка, прийди».

10

Уранці я сказав матері, що дуже хворий, щоб іти до школи, але під час сніданку задзвонив телефон і я зрозумів, що мене викрито. Вона зайшла до мене в кімнату і сказала, що це міс Колінз.

— Вона сказала, що мені треба зайти сьогодні. Дільнична медсестра у школі, і міс Колінз і містер Донеллі хочуть, щоб ти показався їй.

— Чому?

— Мені розповіли, що трапилось учора.

— Ох.

— Ти йдеш до школи негайно, і я зустрінуся з тобою біля сестринського поста об одинадцятій.

— Чому?

— Саме там мені сказали забрати тебе.

— Я не піду до школи.

— Підеш.

— Будь ласка, не кажи батькові.

— Не скажу. Але я не можу обіцяти, що він не дізнається сам.

Я вдягаюся і йду на кухню снідати, але коли я дивлюся на моє напівз'їдене варене яйце, розтріскане і надрізане в рюмці, мені не хочеться вмочати в нього свій тост.

Я встаю з-за столу і йду до школи, але не заходжу в клас. Я чекаю за підсобкою і ходжу туди-сюди, щоб зігрітися.

* * *

За п'ять хвилин до одинадцятої я йду до парадних дверей монастиря і дзвоню в дзвоник. Сестра Урсула впускає мене і повертається на місце за заґратоване скло. Всередині тепло і темно, і двум літнім жінкам сказали сісти за ріг і чекати на священика. Я стою біля вхідних дверей, і вони дивляться на мене так, немов я вкрав їхнє місце в черзі.

Прийшла мама, і ми йдемо через монастир до сестринського поста.

— Не хвилюйся,— каже мама.— За хвилину все скінчиться.

Сестра Бернадетта чекає біля сестринської. Вона помічає нас і починає швидко рухати чотки в руках, наче намагаючись стерти з них пил, потім стукає і просуває голову в двері:

— Сестро, тут до вас Джон Іган з матір'ю.

— Скажіть, нехай заходять,— каже сестра, а сестра Бернадетта йде.

У маленькій квадратній кімнаті, яка пахне пральним порошком, стоять стіл, шафа і каталка, накрита білим простирадлом. Я дивлюся на каталку, поки мама балакає з сестрою. Намагаюся розібратися, як на неї залазити, якщо мене попросять.

Я б не проти полежати на білих простирадлах, поки мені будуть міряти температуру. Висувні ніжки каталки, як леза мого швейцарського ножа, можуть легко і вправно висуватися і ховатися на місце. Я думаю над тим, щоб прикинутися хворим, схопитися за живіт і стогнати, тоді медсестра попросить мене лягти і вкриє мене м'якою блакитною ковдрою, яка лежить згорнута на краю каталки.

— Я дуже здивована,— каже мама.— Такого ніколи не траплялося раніше.

Медсестра дивиться на мене так, ніби я навмисно намочив штани. Я хочу сказати їй, що проводив експеримент, що я не обмочився випадково, як маленький.

— Ваш хлопчик хворіє на енурез? — питає медсестра.— Він обпісюється, місіс Іган?

— Ні,— каже моя мама.

Я був у медсестри лише раз. Коли я вперше прийшов до школи, через декілька днів після того, як ми переїхали з Вексфорда, в мене була носова кровотеча цілий тиждень щодня. Мені було вісім років, і медсестра посадила мене і сказала закинути голову назад, поки вона затисне перенісся, щоб зупинити кров.

Через те що я проковтнув трохи крові, я відчув нудоту, і коли сказав їй, вона дала мені коричневу миску в формі нирки, щоб я блював туди. Я намагався, але нічого не вийшло. Після моїх невдалих спроб блювати вона сказала:

— Дивись, хлопчику, не підіймай часто фальшиву тривогу.

Зараз вона, як і тоді, легенько посміхається і трясе головою, наче вона вийшла з душу і хоче витрясти воду з вух.

Я хочу вийти. Я хочу додому.

— Мій сечовий міхур вибухнув,— кажу я.— Такого більше не станеться.

— Не розумію,— каже мама.

Медсестра називає ймовірні причини: нервовість, тривожність, проблеми вдома, і моя мама заперечує кожну. Я починаю відчувати сором.

Медсестра каже, що, можливо, це через те, що я єдина дитина в сім'ї. Вона спитала маму, чи не почуваюся я самотнім.

— Він не почувається самотнім,— каже мама.— У нього є батьки і бабуся, які його дуже люблять.

— І кішка,— кажу я.

Медсестра проігнорувала мене і простягла мамі аркуш. Мама подивилася, але не взяла його.

— Вам треба прочитати це,— каже медсестра.— І, мабуть, Джону краще взяти сьогодні вихідний. Він може продовжити з понеділка.

Але тоді мені дійшло: брати вихідний — погана ідея. Це дасть більше часу моїм однокласникам для вигадування дражнилок.

Треба повертатися і поводитися так, ніби нічого не сталося, ніби мені байдуже. Більше того, цього не було. Я буду так поводитися. Цього не було.

— Я хочу піти до школи сьогодні,— кажу я.

Медсестра втягла підборіддя в жирові складки на шиї. Я дивлюся крізь неї у вікно. Джозеф Тінкер вигулює в полі свого строкатого коня. Я хочу помахати, але він мене, мабуть, не побачить.

— Як скажете, місіс Іган, це ваш хлопчик.

Дзвенить дзвоник на перерву, і мама тягнеться до моєї руки, але я не даю їй взяти її.

— Ти впевнений, що хочеш повернутися сьогодні?

— Так, я впевнений.

Ми піднімаємося виходити, і медсестра проводжає нас.

— Місіс Іган,— каже медсестра, тримаючи все той же аркуш.— Ви забули це.

Мама хитає головою.

— Нам це не потрібно,— каже вона.— Сестро... Вибачте, я забула, як вас звати.

Мама вже зустрічалась із медсестрою раніше, але вона забуває імена навмисне. Так вона принижує неприємних людей.

Медсестра дивиться на мене, наче це моя провина.

— Мене звати сестра Кармель,— каже вона.

Мати бере мене за руку, і ми йдемо коридором до класу 5-Г.

Я дивлюся на неї, коли ми підходимо до дверей. Мої однокласники стоять біля своїх столів. Мабуть, тест із правопису; я б хотів скласти його краще за усіх.

— Чому я єдина дитина? — питаю я.

— Ти мене питаєш кожного разу, коли хтось про це говорить.

— Я знову хочу знати.

— Ти єдина дитина, бо я хочу, щоб ти був єдиний. Така відповідь улаштовує?

Я чекаю, поки вона ще щось скаже, але вона розвертається і йде коридором, не попрощавшись і не поцілувавши мене.

* * *

Щойно я сів на своє місце, як почалося шепотіння і сміх. Менді, дівчина, що сидить праворуч від мене, заспівала:

— Дзюр, дзюр, дзюр по дорозі додому.

Хлопець ліворуч приєднався. Я дивлюся на Менді, доки вона не замовкає, потім хлопець також припиняє. Джиммі, рудоволосий, прикладає лінійку до матні й імітує звук сечовипускання. Я відвертаюся. За весь урок міс Колінз не викликає мене і Брендон не повертається до мене покривити смішні гримаски чи подати сигнал.

Коли однокласники дражнять мене і шепочуться про мене, я використовую новий прийом. Коли міс Колінз говорить, я тричі повторюю в голові її слова. Коли вона каже «Скеля Тускар — це небезпечна низька скеля, розташована за шість морських миль у північно-східному напрямку від мису Карншор, того, що в південно-східній частині Ірландії. Вона була вперше освітлена маяком лише 4 червня 1815 року», то я проговорюю це тричі про себе і обіцяю собі цього ніколи не забути.

Я розумію, що мій мозок — це не мозок ученого, тоді б моя пам'ять покращувалась сама по собі. Але я можу зробити себе розумним. Чому ні? Тож я практикуюсь. Коли я читаю речення в тексті, я читаю кожне речення тричі, після кожного разу заплющую очі і повторюю речення про себе. Цей прийом корисний не тільки для мого мозку, він допомагає мені не звертати уваги на дражнилки і шепотіння і позбутися поганих думок. Що більше я це роблю, то більше помічаю, що це допомагає мені в іншому також. Якщо я збираюся робити важливі речі і стати великою людиною, то гарна пам'ять, звісно, стане у пригоді.

Я перевіряю в «Книзі рекордів Гіннеса» і знаходжу, що 14 жовтня 1967 року чоловік розказав напам'ять 6666 віршів з Корану за шість годин. У цього чоловіка, Мехмеда Алі Халісі, фотографічна пам'ять, і він може запам'ятати все, що прочитав.

До того моменту, як продзвенів дзвоник на обід, я провів кілька годин не нервуючись і відкрив новий спосіб мислення.

Я беру свій обід і підходжу до столу Брендона.

— Ходімо,— кажу я.

— Я тут буду,— каже він.

— Добре,— кажу я.— Давай тут.

Він дивиться на свій стіл.

— Я маю на увазі, що буду тут сам.

— Та ну, ходімо під навіс,— кажу я.

Холодними днями, а сьогодні холодний день, ми з Брендоном зазвичай сидимо біля печі під навісом сторожки і читаємо різні поштові видання і мої улюблені комікси «Біно». Ми з Брендоном подобаємось сторожу, ми розмовляємо з ним, і він радіє нам, коли ми приходимо до сторожки, і він ходить туди-сюди, працює поруч з нами.

— Занадто холодно для сторожки,— каже Брендон.

— І що? — кажу я.— Сядемо коло печі, і нам не буде холодно.

— Мені набридло сидіти в сторожці,— каже Брендон.— Там смердить.

— Нічого не смердить,— кажу я.

— Смердить.

— І що?

— Я просто не хочу сьогодні туди йти,— каже він.— Сьогодні я хочу бути тут, у класі.

— Чудово.

Мій гнів змусив мене рознервуватися, і я не знаю, що робити, тож я йду від Брендона, не подивившись на нього.

На уроці я чекав, доки він оглянеться на мене, але він не оглянувся. Іноді я пильно вдивлявся в його потилицю, але здебільшого я читав і запам'ятовував або дивився у вікно, щоб перестати скреготіти зубами від гніву.

По дорозі додому я розказував напам'ять те, що вивчив за день; коли я не міг згадати, я зупинявся і стояв із заплющеними очима, доки не згадував. Коли я дійшов до дерева з лялькою, я зупинився і подивився на неї.

Її волосся щезло. У неї було біле волосся. Це була одна річ, яка не змінилася в неї і не згнила. Але зараз волосся немає. Тільки чорний скальп. Може, той, хто закинув її на дерево, приходив і забрав її волосся? Може, воно поступово випадало, а я не помічав? Я розізлився на людей і побіг додому. Добігши до останнього поля перед котеджем, я зупиняюся і дивлюся крізь вікно в кухню. Я бачу темні силуети мами, тата і бабусі. Вони стоять біля столу, батько ближче до печі, його темна фігура трохи рухається, рука вверх, потім вниз, потім рука мами підіймає її довге волосся і прибирає його з плечей. Я хочу дізнатися, про що вони говорять, що там відбувається, але навіть якщо я помчу через дорогу крізь ворота вниз по гравію і забіжу в парадні двері так швидко, як тільки зможу, я ніколи не дізнаюсь, про що вони говорили. Цієї частини того, що трапилось, завжди бракуватиме. І вони замовкнуть і змінять тему, тільки-но мене побачать.

Але я щасливий бачити світло у вікні і знати, що вони там, і там тепло, і за столом є місце для мене.

— Пізно ти,— каже батько.— Вже за п'яту.

— Я йшов довгою дорогою,— кажу я.

Він іде до плити і бере тарілку.

— Ось. Поїж,— каже він.— Рибні палички.

Я сиджу за столом і мама сидить також. Бабуся стоїть біля плити і мішає в каструлі заварний крем.

— Що там у школі? — питає мама, і я помічаю, що в неї почервонілі очі і скуйовджене волосся.

— Все гаразд,— кажу я.

— Хочеш, я підсмажу яйце до рибних паличок? — питає вона.

— Ні,— кажу я.— Чому в тебе скуйовджене волосся?

Батько встав з-за столу так різко, що стілець перекинувся. Усі мовчать. Ми чекаємо, що він буде робити далі. Він виходить із кухні, а коли повертається, то стає у мами за спиною і починає розчісувати її волосся.

— У тушкованій квасолі буде повно волосся,— сміється вона.

Я дивлюся, як батько розчісує мамі волосся, і бачу, що багато ковтунів і їй, напевне, боляче.

Я кажу:

— Про квасолю з волоссям можна казати «волохатий боб».

Вона штовхнула моє коліно під столом.

— Хочеш добавки?

— Ні,— кажу я, ганяючи квасолину по тарілці поміж рибних палочок.

— Доїдай палички,— каже батько.

Після чаю батько приніс велику коробку шоколадних цукерок «Cadbury Roses» і ми сидимо разом на дивані перед телевізором, беремо їх по одній, розгортаючи фольгу і папір, і їмо. Він дозволив мені довго не лягати спати і дивитися «Незнайомці в потягу» Альфреда Гічкока.

— Якщо ти зможеш помітити, коли вийде Гічкок, я дам тобі фунт,— каже він.

— Добре,— кажу я.— Можеш вважати себе збіднілим на один фунт.

— Хочеш знати одну з причин того, чому шоколад викликає залежність? — питає він.

— Так.

— Бо він починає танути, нагріваючись до температури крові.

— Може, перед фільмом ви з мамою навчите мене розв'язувати кросворди?

— Для цього потрібен цілий день. Нагадай мені в суботу.

— Ти не забув про мій подарунок? — питаю я.

— Який подарунок?

— Той, що ти мені обіцяв.

— Цей шоколад і є твій подарунок, і в мене є навіть кращий подарунок для тебе, але пізніше.

* * *

На цю мить книжка з Вексфордської бібліотеки «Правда про викриття брехні» найкраща, і я переписав тридцять п'ять її сторінок у «Ланруж Інхерб».

Я запам'ятаю стільки з цієї книжки, скільки зможу. Я вже знаю напам'ять декілька параграфів, як ось цей, який я розказав уголос по дорозі до школи.

«Більшість людей помилково вірять у те, що якщо хтось бреше, то він не зможе дивитися у вічі і буде чухати собі під носом. Ані уникнення зорового контакту, ані чухання носа не є точними ознаками брехні. Надзвичайно важливо спостерігати за групою сигналів. Також важливо порівнювати те, як поводиться людина зараз, із тим, як вона поводиться зазвичай.

Коли людина бреше, їй треба концентруватися на тому, щоб тримати в пам'яті свою історію, і тому часто вона уповільнює свою промову або стає непевною. Деякі люди намагаються контролювати міміку, але більшість не можуть утаїти своїх справжніх відчуттів, бо м'язи обличчя, які задіяні у виразі, не контролюються свідомо, особливо під час переживання сильних емоцій».

Автор «Правди про викриття брехні» також говорить, що ці сильні емоції називаються нижчими і показуються вони на долю секунди, це як мікровирази.

Із цієї книжки я також дізнався про те, що тільки маленька група людей може викривати брехню, і їх іноді називають «людьми видатних здібностей». Вони можуть помітити поведінковий сигнал, який більшість зазвичай не помічає.

Я переписав наступні чотири сторінки з «Правди про викриття брехні» собі в зошит, і потім я написав листа до «Книги рекордів Ґіннеса»:

Дорога «Книга рекордів Ґіннеса»!

Мене звати Джон Іґан, і я маю незвичайний талант. Я думаю, ви зацікавитесь у моєму таланті і дозволите мені його довести. Я можу визначити, коли хтось бреше, із вірогідністю майже 100 %.

Сподіваюся, ви скоро відповісте мені і дозволите мені продемонструвати це вам.

З повагою,

Джон Іґан

Коли я дописав листа, то почав уявляти, як мене показують по телевізору. Ґей Бірн, ведучий «Пізнього-пізнього шоу», бере в мене інтерв'ю. У своїй уяві я вже відомий і я у світовому турне, їжджу і розказую про свій талант. Я розказую йому про роботу, яку я роблю для ФБР, допомагаючи спіймати російських шпигунів. Ґей Бірн хитає головою і каже: «Неймовірно. Це просто неймовірно. Можете продемонструвати свої здібності на комусь із нашої аудиторії? Можемо ми провести живе випробування? Експеримент?»

Я подаюся вперед у своєму кожаному кріслі на колесах і кажу «Так, звичайно».

Ґей Бірн викликає чотирьох добровольців і просить кожного щось мені сказати. Перша каже: «Мене звати Бернадетта, у мене троє доньок і син, і живу я в Ґелвеї». Я потираю обличчя перед тим, як відповісти. «Брехня»,— кажу я.— «Але не все. Ви говорили

101

правду доти, доки не сказали, що живете в Гелвеї». У моїх фантазіях, коли я викриваю брехню, мене не нудить ані трішечки.

Гей Бірн і волонтери дивляться одне на одного захоплено і здивовано. «Це правда,— каже жінка.— Я маю сина і трьох доньок, але живу не в Гелвеї. Я живу в Дуліні».

Коли я закінчив із фантазіями, то почав читати про Велике пограбування потяга. 6 серпня 1963 року між 03:10 і 03:45 на потяг поштової служби Глазго напала банда злодіїв і викрала 120 мішків, у яких було більш, ніж сорок два мільйони фунтів. Одного зі злодіїв ще не спіймали, і його ім'я Рональд Біггс. Цікаво, що відчуваєш, коли крадеш стільки грошей? Якщо в мене серце вистрибувало через вуха, коли я вкрав дев'яносто фунтів з гаманця своєї бабусі, тоді Рональд Біггс мав би почуватися так, ніби в нього руки й ноги повідпадали від напору переляканої крові. Я навіть коли під матрац зазираю перевірити, чи на місці гроші, які я вкрав, мої руки тремтять цілу годину по тому. І як Рональд Біггс вирішив, що робити з грошима, коли я не можу вирішити, що робити з моєю нещасною маленькою купкою банкнот?

Мій батько вигукує моє ім'я, і я знаю, що починається фільм Гічкока.

11

Два дні мої однокласники дражнили мене. Дехто намагався напасти на мене, коли я заходив у клас. Учора рудоволосий облив водою мої черевики, коли я сидів за своїм столом, і весь час, коли міс Колінз поверталася до нас спиною, дівчинка з сусідньої парти казала «дзюр, дзюр, дзюр по дорозі додому», й, окрім одного випадку, Брендон не говорив зі мною відтоді, як це сталося.

О пів на четверту. Я сиджу за своїм столом і чекаю, доки всі вийдуть, щоб піти в коридор. Брендон гуляє сам біля вішалки. Мені не треба питати його, чому він так ходить туди-сюди по коридору. Я знаю, що він не може знайти свою куртку. Він не може її знайти тому, що під час обіду я зняв її з гачка і запхав на дно своєї сумки.

Я питаю його, чому він досі тут.

— Не можу знайти свою куртку.

— Я допоможу тобі шукати,— кажу я.

Я намагаюся поводитися спокійно, але мої руки пітніють у кишенях.

Ми шукаємо його куртку, не знаходимо, і я пропоную разом піти додому. Я даю йому вдягти свою куртку, і він не питає, чому мені не потрібна моя куртка або чому я сьогодні в двох светрах.

Нарешті ми лишаємося наодинці, і я можу розповісти йому історію про те, чому я намочив штани. Я брешу йому, щоб ми залишилися друзями, і мене не нудить. Я кажу йому, що це була спроба побити рекорд.

— Доволі безглуздий рекорд,— каже він.

— Я майже побив його. Я терпів двадцять шість годин.

— Ти терпів двадцять шість годин?

— Двадцять п'ять годин і п'ятдесят хвилин.

— Тобі треба це всім розказати.

— Можливо,— кажу я,— але вони мені, напевне, не повірять. Рекорд тридцять годин. Тож я майже побив його.

Він дивиться вбік.

— Хочеш, я прийду в неділю і ми пограємо в футбол чи ще в щось? — питаю я.

Брендон кашляє, як мій батько, коли він не знає, що сказати.

— Не знаю ще. Я можу піти на хрестини.

— Ясно,— кажу я.

Ранок п'ятниці. Після сніданку я чекаю, доки всі вийдуть із кухні, щоб подзвонити Брендону і повідомити, що я хочу провести спеціальний експеримент.

— Типу експерименту із затримкою сечі?

— Зовсім інший. Можеш залишитися у мене на ніч?

— Не думаю, що мені дозволять,— каже він.

— Це важливо.

— Можливо. Мені треба йти. У мене вівсянка простигає.

— Я дам тобі п'ять фунтів,— кажу я.

— Брехун.

— Я сьогодні принесу гроші, і побачиш.

— Де ти взяв п'ять фунтів?

— Назбирав.

— Брехун. На це б пішло сто років.

— Моя бабуся дещо виграла на перегонах і дала мені трохи. Але нікому не кажи, а якщо розкажеш, я заберу гроші назад.

— Добре.

— І принеси спальний мішок.

— Навіщо?

— Треба.

Я сказав матері, що лишуся на ніч у Брендона і що піду до нього одразу після школи. Вона не буде перевіряти, немає причин.

О пів на четверту. Я кажу Брендону прийти під навіс.

— Чому? Ми що, не йдемо до тебе?

— Просто йди за мною, побачиш.

Ми йдемо під навіс. Сторож чистить стіл металевою стружкою.

— Здоров,— каже він.— Ви щось із цього малювали?

— Ні,— кажу я.— Нам треба ключі від сторожки на одну ніч.

Сторож дивиться на підлогу, потім повільно піднімає очі на мене.

— А якщо вас піймають, ви скажете, що вкрали ключі з кабінету?

— Саме так,— кажу я.

— І ви будете використовувати мою сторожку для чогось поганого?

Я дивлюся на підлогу, потім повільно піднімаю очі — так само, як робив сторож. Упевнені люди вміють витримувати тишу і вправно використовують паузи.

Я думаю, як мені краще поводитися, і вважаю, що треба впевнено поводитися під час першої зустрічі з людьми з «Книги рекордів Гіннеса». Я буду слідкувати, у першу чергу, за своїми руками, потім за голосом і, врешті-решт, за своєю ходою.

— Типу того,— кажу я.— Довга історія.

— Помийте туалети. Коли повернетесь, сторожка ваша.

Сторож передав мені ключі. Я помітив, як мало слів йому знадобилося, щоб сказати, що він хоче. По дорозі до туалетів Брендон бере мене за руку.

— Що відбувається? Я думав, ми підемо до тебе.

— Для мого експерименту нам потрібна сторожка на ніч. Але поки що я не можу розповісти тобі всього.

— Ти повинен сказати мені. Я не лишуся, якщо ти не розкажеш.

Я відчиняю двері до туалету.

— Добре. Це тест на викриття брехні. Я хочу довести, що я є людина — детектор брехні.

— Це тупо.

— З чого ти взяв, що це тупо? Я ще не показав тобі. Це ніби я поліграф, тільки мені не потрібна машина.

— Що це — поліграф?

— Це машина, до якої підключають злочинців, щоб перевірити, чи вони брешуть, але я напевно кращий детектор, ніж ця машина.

— Що ти верзеш?

— Поліграф заміряє дихання та тиск і те, як сильно підозрюваний пітніє. Але деякі люди не відчувають провину, коли брешуть, і голка поліграфа не рухається. Ці люди — супербрехуни. А деякі невинні підозрювані так нервуються, що поліграф вважає їх винними. Але коли я викриваю брехню, я визначаю за долю секунди те, чого не помічає машина, і я фіксую безліч сигналів і речей, які називаються мікропроявами. І мене нудить, і в мене вуха горять, але вже не так, як на початку.

Він витріщається з роззявленим ротом.

— Що ти таке кажеш?

— У мене здібності викривати брехню.

— Ти все вигадав.

— Ні.

— Вигадав.

— Ні.

— А як ти тоді взнав, як це робити? Хто тебе навчив?

— А я і не вчився. Я просто зрозумів, що можу це робити. Це просто те, що я можу робити. Але потім я прочитав усі книжки, і вони допомогли мені зрозуміти, що відбувається. Книжки пояснили мені, що відбувається в моєму мозку, коли я помічаю брехню.

— А можна провести цей експеримент у тебе вдома?

Я наказую собі використовувати менше слів.

— Там немає можливості усамітнитися,— кажу я.

Я відвертаюся від нього і шваброю з відра розплескую по підлозі вже брудну воду. Брендон, притулившись до стіни, дивиться, як я прибираю, і не пропонує допомогти. Зараз він хазяїн становища, але скоро ним стану я.

— Як ти тоді розумієш, що хтось бреше? — питає він.

— На початку мене нудило і я блював, а зараз у мене горять вуха і я просто бачу це по тому, що відбувається в людини з руками і обличчям.

— Це тупо.

— Ні, це не тупо. Почекай і побачиш.

— Давай гроші, і тоді я лишуся.

Я даю йому п'ять фунтів, і він підносить їх до світла, ніби перевіряючи, чи не фальшиві вони.

І тоді я сміюся з того, що він сміється — навіть якщо я маю заплатити йому за те, щоб він зробив щось, що він і так міг би зробити, бо він мій друг.

По дорозі до навісу ми зупиняємося біля класу і забираємо наші спальні мішки і їжу, яку я взяв сьогодні вранці в коморі: два куски шоколадного пирога, шматок шинки і буханку хліба. Я також узяв запасну ковдру і подушки. Сьогодні туман, і поки ми йдемо під навіс, наші куртки намокають. Коли ми зайдемо всередину, то розстелемо наші спальні мішки на підлозі. Мені холодно, і я й гадки не маю, як запалити піч.

— Ми замерзнемо на смерть,— кажу я просто щоб щось сказати.

— Не будь дівчиськом,— каже Брендон.— Я принесу дров і розпалю вогонь.

— Добре,— кажу я.

Піч розпалена і повна дров. У кімнаті трохи потеплішало, нам добре, бо ми в спальних мішках і їмо пиріг. Але я переймаюсь через те, що якщо ми не почнемо експеримент зараз, то ми його взагалі не почнемо.

— Сторож лишив нам записку,— каже Брендон.

Любі хлопці,
Сподіваюся, ваша ніч мине добре. На полиці нові коміксі!
Сторож

Брендон пішов за коміксами, і мені звело живіт. Комікси цікавлять його більше, ніж мій експеримент.

— Але нам не треба коміксів,— кажу я.— Ми навіть не почали.

— Я просто подивлюся,— каже він.

Ми понишпорили по книжках сторожа, і серед коміксів Брендон знайшов еротичний журнал. Неможливо, щоб Брендон знав про нього, але він сказав:

— У мене було таке відчуття, що він підсуне нам дещо стрьомне. Я знав це.

Брендон заліз назад у свій мішок і почав гортати журнал. Увесь час він казав «Дідько!», й «Ото да» і «Подиви, які великі!», і він поводився тупо і неприродно.

— Подивися на це! — кричить він.

Я підсуваю свій мішок ближче і сідаю у нього за спиною, щоб роздивлятись малюнки. На деяких було по троє-четверо людей. Малюнки не мали ніякого сенсу. Мені стало зле. У животі почало тиснути і крутити. Сподіваюся, Брендон не дивиться на мене, але він занадто зайнятий — лається і вигукує. Я сиджу тихо. Все, що я відчуваю,— це сильний тиск у кишках, наче я хочу до туалету.

Без попередження Брендон сильно штовхає мою руку і кричить:

— Не сиди так близько до мене! Ти дратуєш мене!

До того як я встиг щось відповісти, він вилазить зі свого мішка і кладе журнал назад на полицю. Він стоїть, дивлячись на мене і переминаючись із ноги на ногу.

— Я піду віділлю і потім додому,— каже він.

Він не дивиться на мене, і я не дивлюсь на нього. Він виходить надвір, і я чекаю на нього десять хвилин. Він повертається і каже:

— Я йду.

— А як же експеримент? — питаю я.

Він знизує плечима.

— Скажемо нашим мамам, що вирішили не спати всю ніч,— каже він.

Я встаю, і ми мовчки збираємо наші речі. Я хочу, щоб ми поговорили. Я хочу знати, що Брендон думає про ці малюнки.

— Але що робити з експериментом? — питаю я.

— Що робити? — каже Брендон.

— Добре,— кажу я.— Роби що хочеш.

Я хочу, щоб цієї ночі сталося щось більше, але я не знаю що. Його ідея піти розізлила мене. Я хочу, щоб сьогодні вночі, в сторожці, між мною і Брендоном трапилося щось більше. Я хочу щось між нами, в темряві, вночі. Я не хочу розлучатися, не зараз, і не так раптово.

— Давай залишимося і проведемо експеримент,— кажу я.

— Забудь про це,— каже Брендон.— Це була все одно тупа ідея.

— Значить, і ти тупий, бо теж хотів це зробити.

— І що?

І ми стояли і кричали «І що?» один одному. Брендон вдавав, що розгніваний, але я відчував, що він самотній і почувається так само дивно, як і я.

— Давай вимкнемо світло і будемо спати, навіть не будемо розмовляти,— кажу я настільки тихо, наскільки дозволяє мій голос.— Ми підемо додому, як почне світати.

Брендон не відповідає.

— Будь ласка,— кажу я.— Будемо просто спати.

Брендон вимикає світло, і ми залазимо у свої спальні мішки.

Коли Брендон умостився і перестав рухатися, я підсуваюся до нього так, що наші мішки торкаються один одного.

— Добраніч,— каже він.

— Добраніч, Брендоне,— кажу я.

* * *

Я влігся у своїй звичній для спання позі, підклавши руку під скроню, але не можу заснути. Я кручуся на твердій підлозі і відчуваю, який холодний бетон у мене під ногами і руками. Я не можу позбутися думки про те, що хочу торкнутися Брендона або щоб він мене торкнувся, і я хочу побачити його тіло. Раніше я про таке ніколи не думав і нічого такого не відчував. Не те щоб мені подобався Брендон, не в тому сенсі. Я дивлюся на нього, сплячого у своєму мішку, і хочу його розбудити. Ні. Я про це тільки подумаю.

Я тільки пофантазую, як я його розбуджу. Я уявляю, як буджу його і прошу спати разом зі мною, і він погоджується, і ми лежимо удвох голі, і я бачу його тіло, і він бачить моє. Але так не можна, це гріх. Я піднімаюся і трясу головою. Я розплющую очі, і картини зникають. Я довго не можу заснути, спантеличений. Що більше часу минає, то більше я почуваюся в'язнем у полоні неспання. Я ворочаюсь і ворочаюсь, час іде, дуже повільно іде.

Моя голова, немов наповнена гелієм, занадто легка для того, щоб я міг зануритися у спокій, в темряву, в сон. Пітьма кромішня навкруги, але в моїй голові немає темряви. Там яскраве денне світло замість ночі. Думки не зупиняються, і я знаю, що вони дуже погані. Вони дуже грішні. Ось чому моя мама не хоче, щоб я лягав біля неї.

Я хочу зупинити думки, але в той самий час я хочу дізнатися, куди вони заведуть,— історії про моє тіло і тіло Брендона, і всі інші історії, яки з'являються в моїй уяві.

Я б'ю себе рукою по голові, доки мені не стає боляче. Тисну свої груди і руки, і потім б'ю себе в обличчя. Я більше не буду думати про таке.

Я встаю і вмикаю світло і сідаю в крісло біля вікна, загорнутий у спальний мішок. Я дивлюся на Брендона, який спить на своїй половині, у нього відкритий рот і язик звисає на нижні зуби. Мені подобається, що я отак можу дивитися на нього, а він нічого не може зробити, щоб зупинити мене. Я пильно роздивляюся, як рухаються його ніздрі, і на мить я хочу, щоб він прокинувся і заговорив зі мною, побув зі мною, але якщо він прокинеться, він може захотіти піти додому, і, якщо він піде, я не зможу роздивлятися його.

Коли мені стало нудно, я припинив роздивлятися і почав читати комікси, але мені все одно було нудно. Я штурхнув свій спальний мішок. *Ти не спальний мішок, ти будильний мішок.*

Через годину або більше сидіння біля лампи під холодним темним вікном я вирішую ще раз спробувати заснути. Я знову залажу в мішок на підлозі біля крісла.

Зараз холодніше, ніж було до цього, значно холодніше. Бетон під мішком наче крига. Я не відчуваю рук і ніг.

Так було доти, доки пташки не почали співати, а коли вони почали співати, мене почало хилити в сон, нарешті, і я заснув ненадовго, а потім прокинувся.

У дверях стоїть сторож.

— Підйом,— каже він, немов ми не знайомі.— Мені треба сторожку.

12

Суботній ранок, перший день пасхальних канікул, я снідаю на кухні, заходить батько.

— Привіт,— кажу я.

— Доброго ранку,— каже він.

Він у білій сорочці і блакитній куртці і смердить кремом після гоління. Знову без бороди, і я сподіваюся, що він її більше не буде відпускати. Я стою біля плити, він бере мою тарілку зі столу, підходить до мене і сує її мені під ніс.

— Ти не будеш доїдати скоринки? — шепоче він, наче не хоче, щоб його почули якісь підслухачі.

— Я не люблю скоринки,— кажу я.

— Не будь дурнем,— каже він.— Скоринки — це хліб, такий само, як і всередині.

Він каже це розгніваним тоном, і тарілка нахилилась у його руках. Скоринки з'їхали на край, от-от випадуть.

— Ні, не такий,— кажу я.— Скоринки тверді, і їх важче жувати.

Він дає мені тарілку і каже спокійно і повільно:

— З'їж скоринки. Хліб не росте на деревах, переводити харчі — гріх.

— У мене від них зуби болять,— кажу я.

Я беру тарілку і ставлю її на стіл, але він пхає її мені в руки.

— Ти, тупий довганю, з'їж, або я запхаю їх тобі в горлянку.

Я їм скоринки, а він спостерігає. Він стоїть зі схрещеними руками біля плити. Я доїв і піднімаю на нього очі. Він посміхається, не показуючи зубів, холодною стомленою посмішкою.

— Бачиш,— каже він.— Не помер від них.

Мама заходить забрати свою сумку, вона зібралась до магазину в містечко Горі, вона там зараз працює першу половину дня тричі на тиждень. Вона в рожевій курточці поверх жовтого фартуха.

— Чому б тобі не піти зі мною? — каже вона.— Побудеш у магазині до обіду, а потім підеш додому з пакетом цукерок.

— Я краще лишуся вдома,— кажу я.

Я хочу почитати свою нову книжку про брехню.

— Іди з нею,— каже батько.— Ти з дому не виходиш останнім часом.

На перехресті треба було повертати праворуч, але мама повертає ліворуч і каже:

— Треба заїхати до доктора Раяна, ненадовго.

— Навіщо?

— Щоб він оглянув тебе.

— Навіщо?

— Ти стаєш дуже великим.

— Це тому ти більше мене не торкаєшся?

— Я торкаюся тебе.

— Не так уже й часто.

Вона затуляє руками обличчя і тре лоба пальцями.

— Ти вже не маленький хлопчик.

— І що? Ти також висока. І батько. Я такий само, як ти.

— Тобі лише одинадцять, а в тобі майже шість футів і голос у тебе грубішає.

— Мені дванадцять у липні,— кажу я.

— Чому б нам просто не зателефонувати доктору Раяну? Подивимося, що він скаже.

— Хіба що ти хочеш, щоб мені зробили операцію для зупинки росту, а так я не буду показуватись докторам.

— Не треба ніякої операції.

— Тоді доктор не потрібен. Я не хворий.

— Я не казала, що ти хворий.

Я вдарив по панелі долонею. Я не розумію, чому не викрив її брехню вдома. Чому я не зрозумів, що вона брехала, коли казала, що бере мене із собою до магазину?

— Якщо хтось і хворий, так це ти,— кажу я.

Вона дивиться на мене, намагаючись зрозуміти, що я збираюсь робити. Я підсуваю руки собі під стегна, вона дивиться назад на дорогу. Але я впевнений, вона нервує: вона торкається свого обличчя і часто ковтає.

— Що це все означає? — питає вона нарешті.

— Ти сказала, що я піду до тебе в магазин. Ти збрехала, щоб я пішов з тобою.

— Ми підемо до магазину, отже я не збрехала. Просто ми спочатку заїдемо до доктора Раяна.

— Якщо ти спробуєш змусити мене йти до доктора Раяна, я тобі більше ніколи не повірю.

Я сказав це таким тоном, яким ніколи раніше не говорив. Це тон перед нанесенням удару. Мої руки стислися в кулаки, коли я це казав, і я відчув себе сильним. Я кажу те, що думаю.

— Не розумію, що тебе так засмутило,— каже вона, ледь не розплакавшись.

— Це дуже важливо — бути чесним,— кажу я майже пошепки, у мене перехопило дихання.— Ти мати. Матері не повинні брехати. Я не хочу, щоб ти коли-небудь брехала.

Вона мовчить.

— Іншим людям можна брехати, якщо їм так хочеться,— кажу я.— А тобі — ні.

Вона похмуро дивиться на мене, але вже не збирається плакати. Я розміркову, чому вона не розплакалася і чи можу я таки довести її до сліз, якщо захочу.

— До того ж,— кажу я,— брехати гріх.

Вона спокійно дивиться на мене, наче я нічого не говорив, і розвертає машину. Ми їдемо назад до перехрестя, і вона повертає до містечка Горі. Зрештою ми таки їдемо до магазину.

— Ти все сказав? — питає вона тоном, яким зазвичай говорить із моїми дядьками.

— Так.

Я сиджу в кріслі за прилавком поруч з мамою, слухаю, як вона розмовляє з покупцями про врожаї, хвороби та дітей.

Заходить жінка і каже:

— Гелен, ми думали, ти приєднаєшся до «Легіону Марії»[1] цього року!

А мама каже:

— Якби я мала час, то з радістю б приєдналася.

Жінка виходить, і мати каже мені, що легіон Марії — це марна трата часу: збіговисько домогосподарок, яким нічого робити, крім жалітися, пліткувати і знеславлювати своїх чоловіків.

---

[1] «Легіон Марії» — католицький рух, що має на меті проповідування Євангелія.

Скоро час їсти, і на полицях повно баночок і коробок з їжею, в за скляною вітриною безліч різноманітних цукерок.

Потім щось трапилось, і мій настрій все ж таки покращився.

Просто перед закриттям магазину заходить продавець у чорному костюмі. Мама каже йому, що бісквітів поки що не треба.

— Точно? Може, спитаєте у менеджера? — каже він.

— Я менеджер,— каже мама.— Точно.

Він дивиться на полиці, робить якісь записи у своєму блокноті і каже:

— Я думаю, у вас недостатній вибір бісквітів. Зараз на ринку з'явився новий сорт.

Мама підіймає перегороду і виходить із-за прилавку. Вона підходить близько до продавця.

— Дякую, що приділили увагу,— каже вона,— але мені не потрібні бісквіти.

— Зрозуміло,— каже продавець.

Мама штовхає його в спину. Її руки в борошні, і на його чорному костюмі чіткий відбиток білих долонь, менших за її, наче долоньок маленької дитини.

Вона дивиться, як продавець виходить із магазину, потім відчиняє двері, ступає на тротуар і дивиться, як він зникає в натовпі.

— Прощавай! — каже вона.

Двері зачиняються, і теленькає маленький дзвіночок. Я схоплююсь.

— Ти йому на спині відбитки залишила,— кажу я.

— Я знаю,— каже мама.— І я ніколи не забуду, яке задоволення я отримала.

Я обнімаю її, наче ми радіємо якійсь добрій новині. Вона сміється і міцно стискає мене. Відпускаючи, вона цілує мене в щоку і посміхається.

Дорогою додому вона співає і на перехресті питає мене, чи хочу я прогулятися по набережній Кортауна, і я кажу «так». Це означає ще півгодини їхати з нею туди і годину звідти додому.

Ми йдемо вздовж берега, і я їм свої цукерки. Влітку пісок жовтий, а вода блакитна. Сьогодні пісок не такий жовтий, але все ж яскравий, і вода не така блакитна, але хвилі розбиваються об берег і здіймають білу піну, і пахне сіллю і водоростями, а позаду нас дюни, вкриті зеленими кущами, наче зробленими з вовни.

Потім починається дощ, сильний дощ, але вона продовжує йти, наче не помічає.

— Мамо! Дощ! — кричу я, мене непокоїть зміна повітря, воно стало густим і пахне залізом.

— Не зважай,— каже вона.

Вона підставляє обличчя під дощ і ловить ротом краплі. Я роблю те саме, і ми сміємося, вона тримає мене за руку, і ми гуляємо під дощем з піднятими обличчями, у цей час решта людей розбігається по машинах. Не холодно. Після того як я повністю намок, дощ здається теплою ковдрою.

* * *

Ми приїхали додому мокрі, я піднімаюся по стежці, і у мене хлюпає в черевиках. На кухні за столом сидить батько і їсть суп, і мама йде до краю стола і стає поруч з ним.

— Подивись на свою жінку,— каже вона.— Промокла до нитки.

Батько посміхається, не показуючи зубів.

— Як утоплений пацюк,— каже він.

— Чи багато ти бачив утоплених пацюків, які збирають мушлі? — питає мама, висипаючи на стіл мушлі з кишені куртки.

Батько знову посміхається і прикладає одну мушлю собі до вуха.

— Доброго дня,— каже він.— Це містер Іган. Ні, старого кажана немає вдома, вона пішла грати в бінго.

Мати сміється і здається щасливою. Вона розповідає йому історію про продавця в чорному костюмі з білими відбитками рук на спині. Вони сміються так сильно, що мама притуляється до мийки і витирає сльози з почервонілих очей.

Вони сміються так голосно і довго, що жарт, мабуть, виходить за межі мого розуміння, а я б хотів зрозуміти його. Якщо я спитаю, що змусило їх сміятися так довго, батько, напевне, збреше і таким чином не дозволить мені взнати його занадто гарно, занадто добре зрозуміти, як це — бути ним. Мати, напевне, розказала б мені про головну причину сміху, але складні речі не договорила б. Думаю, вона б збрехала, щоб розмова була легшою і приємнішою, щоб не допустити занадто серйозної розмови.

— Це не так уже й смішно,— кажу я.— Чому ви так довго смієтесь?

Нарешті мама стала сміятися не так сильно, щоб можна було говорити.

— Ми так сильно сміємося, бо дуже давно, до того, як ти народився, я зробила те саме з твоїм дядьком Тоні перед тим, як усім нам треба було йти на весілля.

Батько хитає головою, його очі мокрі від сміху.

— І він на це заслужив.

— Чому? — питаю я.

Вони дивляться одне на одного, потім мама відповідає:

— Бо він був грубим зі мною, і я образилася. Ти можеш розпитувати мене до одуріння, але я не скажу тобі, що саме він сказав.

А я і не хочу знати. Головне, що вони вдвох говорять правду, вони не брешуть.

— Я йду дивитися телевізор,— кажу я і виходжу з кухні, прихопивши два пісочних печива з варенням.

Годиною пізніше я повертаюсь на кухню. Сутеніє, ми щойно увімкнули світло по всіх кімнатах, прийшла бабуся.

Вона знімає і вішає на спинку крісла біля вогню нове хутряне пальто — коричневе, з чорним оздобленням на рукавах. Батько дивиться на неї, хитає головою і виходить. Вона сідає і починає їсти суп, вмочаючи в нього хліб. Вона так низько нахилилася до тарілки, що її волосся плаває в супі. Я не можу на це дивитися.

— У мене зуб болить,— кажу я і виходжу. Ця брехня не викликає в мене ніякої реакції — можливо, тому, що я сказав це виходячи. Я запишу це в «Ланруж Інхерб».

13

Великодня неділя. Після служби ми всі зібрались
у вітальні. Я сиджу в ногах у бабусі і сміюся, коли
вона засинає і починає хропти. Мама тримає мене за
руку і посміхається, спостерігаючи, як я розбираю
подарунки і великодні яйця. Я стурбований, як кож-
ного святкового дня, через звичку тата обіцяти мені
подарунки і потім забувати про них. Немає значення,
що він приносить мені, бо це ніколи не спокутує його
обіцяних подарунків, які він ніколи не дарує. Я при-
тримав великодню листівку від тата на кінець. У ній
приклеєний скотчем один фунт.

— Дякую, тато,— кажу я.

Я посміхаюся мамі.

— Може, з'їмо трохи того шоколадного пирога? —
питаю я.

— Звичайно, я тільки домажу глазур.

Вона виходить, і, оскільки бабуся спить, можна ска-
зати, що я лишився з батьком наодинці.

У мене в руках листівка. Я відкриваю і закриваю її де-
кілька разів. Я переконуюся, що батько дивиться на
мене. Ця листівка, як і всі інші, які я пам'ятаю, вицвіла
й пошарпана, з тим самим малюнком хлопчика, який
бавиться з цуценям, і таким же написом: *«Любому
сину на Великдень»*. Мої листівки на день народжен-
ня і Різдво майже ідентичні: «Любому сину на день

народження, чи на причастя, чи на Різдво». Навкруги того квадрата, де була наклеєна ціна, брудна пилюка.

До мене дійшло, що всі мої листівки з однієї пачки. Можливо, їх сотня або більше в коробці, можливо, вони куплені на розпродажу, коли я народився. З таким успіхом він міг би дарувати ту саму листівку кожного року, забирати назад і знову дарувати.

Я дивлюсь на нього, як він сидить у кріслі, ноги схрещені, халат неміцно підперезаний мотузкою, яка звисає між його лисих колін. Я становлюсь прямо перед ним, щоб він не міг не подивитися на мене.

— Напевно, коли мені було шість,— кажу я так упевнено, як тільки можу,— ти купив коробку з мільйоном ідентичних листівок з однаковими тупими малюнками!

Він дивиться на мене порожнім поглядом. Цілковита байдужість. Але я сміливо стою і не кажу нічого, щоб заповнити тишу.

— Покажи мені цю листівку,— каже він.

Він висмикує у мене листівку, потім запихає назад мені в руки.

— Нормальна листівка,— каже він.— Нова.

Я кидаю листівку у вогонь.

Він дивиться, як листівка горить помаранчевим і рожевим полум'ям, але нічого не каже. У нього напружені обличчя і руки, він знервований. Цікаво, чи сказала йому мама про мої здібності. Я скоро дізнаюся.

— Ти байдужий і егоїстичний,— кажу я.— І мені одинадцять. Не два.

Він підводиться, і ми стоїмо, випнувши груди, але я не рухаюсь.

— Як ти смієш! — каже він, також не рухаючись.— Я купив її вчора ввечері. Це нова листівка.

— Та невже? Ти купив її вчора?

— Що значить «та невже»?

— Вона така сама, як усі інші, які ти мені дарував, вицвіла і старомодна. Що скажеш, татку?

Він іде до дверей, тягнеться взятися за ручку і промазує.

— На біса мені здалися такі розмови.

— Та невже, тату? Невже ти купив листівку вчора? Він схопився за дверну ручку.

— Звісно, купив.

— А коли ти виходив? І в якій крамниці?

— Тобі скільки разів повторити? Я купив її вчора в Горі.

Ось воно: вчора він ніяк не міг потрапити в Горі. Хіба що брав бабусину машину. Але мені вже не треба сперечатися про це з ним. Він бреше. У мене горять вуха і звело живіт.

— Тож у якій крамниці? — питаю я.— І як ти туди потрапив? На летючому килимі?

— Ти мене підозрюєш, маленький вилупку? — каже він.— Забирайся до своєї кімнати!

Бабуся прокидається, і по ній видно, що вона розуміє, що щось трапилось. Я витріщаюсь на батька і стою на місці. Я знаю, що він би мене вдарив, якби я не був таким великим. Але я не знаю, як завершити те, що я почав.

Я йду до своєї спальні.

Двері я лишаю відчиненими, щоб мені було гарно чути. Я чекав, що батько почне розповідати про те, що трапилось, мамі, але замість цього недовга тиша і потім спів: мама, тато і бабуся співають одну з улюблених татових пісень і, можливо, їдять мій кусок пирога. Ніхто не йде по мене. Я розмовляю сам із собою і читаю «Ланруж Інхерб», щоб не почуватися самотнім. Я лежу в ліжку ще декілька хвилин, але розумію, що або я зараз повертаюся, або назавжди втрачаю Великодню неділю.

Я йду назад у вітальню і сідаю на килимок біля каміна. Я дивлюся на батька. Він сидить у кріслі зі схрещеними ногами з чашкою чаю в одній руці і куском пирога в іншій.

— Ці африканські ватусі можуть дуже високо стрибати,— кажу я.— Чому вони не беруть участь у стрибках у висоту на Лімпійських іграх?

Він не дивиться на мене.

— Олімпійських,— каже він матері, шкірячись.— О-лімпійських. Не лімпійських. Лімпійські — це для люмпенів.

Я навмисно сказав неправильно, але він посміявся і повернув жарт проти мене:

— Люмп-ийські! Допетрав?

Він тупнув ногою, і всі засміялись, і я засміявся з ними, бо це одне з найгірших відчуттів — бути в кімнаті, де багато людей і всі вони сміються, а ти — ні.

14

— Д оброго ранку, учні,— каже міс Колінз.— До-
звольте вам представити нову ученицю.

Новенька стоїть рівно, ноги разом, руки по швах.

— Усім привіт. Мене звати Кейт Бреслін. Я єдина
дитина в сім'ї, і ми щойно переїхали з Дубліна.

У неї довге темно-русяве волосся, аж до пояса, і зе-
лені очі, і рівна постава.

— Мій батько отримав спадок у Горі,— каже вона.—
Ми живемо за чотири милі від школи.

Таке відчуття, ніби вона це читає. Я не знаю, що
це таке — спадок, і хочу підняти руку і спитати, але
боюся. Я відкриваю кришку парти і ховаюся за нею.

— Раніше ми жили біля отелю «Шелбурн», у якому
зупиняються всі знаменитості.

Міс Колінз посадила Кейт за порожню парту на пе-
редній ряд, поруч із Брендоном, і наказала йому
і Менді наглядати за Кейт і допомагати їй. Я уважно
спостерігаю за ними. На першому уроці Кейт нахили-
лась до Брендона і щось йому сказала. Він посміхався,
коли відповідав їй, і поправляв рукою своє волосся.

На другому і третьому уроці Кейт знову нахили-
лась до Брендона і розмовляла з ним. Я б хотів чути
те, що вона каже. На початку перерви я підходжу до
Брендона, і вони вдвох дивляться на мене, потім одне

на одного. Брендон робить такий вигляд, наче давно знайомий з Кейт.

Я виходжу з класу, йду до вікна і бачу у вікно, як Брендон проводить рукою по волоссю і дає свій зошит Кейт.

— О, дякую,— каже вона і торкається його руки.

Я хочу, щоб моєї руки так само торкнулися. Мені подобається, як це відбувається. І навіть якщо це до Брендона доторкнулися, а не до мене, я відчуваю це у своєму животі. Я продовжую дивитися.

Дорогою додому я кидаю камінці в ляльку на дереві, але не цілю і попадаю в гілки. Я закопую камінець у землю біля стовбура. Я приходжу додому, тато і мама сидять за кухонним столом, перед ними купа листів і рахунків. Коли я сідаю за стіл, батько все прибирає.

— Як там у школі? — питає він.

— Нормально,— кажу я.— Новенька сьогодні прийшла.

Я розповідаю йому про Кейт Бреслін. Він здивований, що вона прийшла посеред навчального року.

— Це через збадок,— кажу я.— Вони в нього переїхали.

Батько засміявся гучним диким сміхом, як іноді він сміється з моїми дядьками чи коли на телешоу хтось поводиться як дурень. Мати опускає очі на стіл.

— Спадок,— каже він, продовжуючи сміятись з мене.— Не «збадок».

— Я знаю,— кажу я.— Я саме так і сказав.

— Ні,— каже він.— Ти сказав «збадок».

— Ні,— кажу я.

Кріто застрибує на кухонний стіл, і, замість того щоб зіштовхнути, батько гладить її по голові.

— Кріто, ти все чула. Хіба Джон не казав «збадок»?

— Майкле,— каже мама.— Це просто обмовка. Досить! Дай йому спокій.

Ми втрьох сидимо мовчки. На плиті немає чаю, на столі немає їжі, робити нічого. Мама бере папірці з купи і роздивляється. Батько штовхнув Кріто зі столу так сильно, що вона аж вискнула.

Я дивлюсь на маму, сподіваючись, що вона розкаже мені, що це за листи, папірці і рахунки. Я хочу, щоб батько пішов, тоді б ми змогли поговорити. Тоді до мене доходить: вони вдвох чекають, доки я піду. Вони хочуть, щоб я пішов.

Я не піду.

Я піднімаю очі на маму і продовжую спостерігати, як вона риється в папірцях.

— Припини витріщатися на мене,— каже вона.

— Я просто дивлюся,— кажу я.— Що тут такого?

— Ти витріщаєшся. Я хочу, щоб ти припинив.

— Коли ми наодинці, ти ніколи не кажеш мені не витріщатися.

Батько раптом зацікавився, він відкладає книжку.

— Іди в кімнату і дай нам спокій,— каже він.— Нам треба дещо обговорити.

Мама то розгнівана, то спокійна, точно як він. Вона стала як батько, у ній двоє різних людей. Тепер їх четверо. Четверо різних людей замість двох.

Я йду до себе в кімнату і залізаю в ліжко. Я чую, як вони їдять, розмовляють і сміються. Я лежу на боці, всією вагою на руці. Я перевертаюся на інший бік. Я хочу перестати думати і заснути. У мені так сильно пульсує кров, що аж усе тіло здригається. Моя кров штовхає мене, прокачуючись у моїй руці, і її забагато. Схоже на дамбу, яку от-от прорве. І це не дає мені заснути.

О пів на дев'яту прийшла мама.

— Джоне,— каже вона,— іди щось поїж. Не можна лягати спати голодному.

— Можна,— кажу я.— Яка різниця?

— Ти занадто дорослий для того, щоб дутися. Іди на кухню, зроби собі бутерброд.

Вона зачинила двері, і за хвилину заходить батько. Він не стукає.

— Я намазав тобі хліб варенням з чорної смородини. На.

Він кладе хліб на ліжко, біля моїх ступень. Я хочу скинути тарілку на підлогу, але я бачу товстий шар масла на свіжому хлібі і я дуже голодний.

— Дякую,— кажу я.

Я хочу сказати більше, але я волію, щоб почав він. Я хочу, щоб він перший щось сказав, отже, це буде його бажання поговорити зі мною. Я дивлюся на хліб і чекаю.

— Джоне, щось не так?

— Ні. Але щось не так з тобою і мамою. Ви змінилися.

— Як змінилися?

— Ви не такі, як насправді.

— У якому сенсі?

— Не знаю. Ви зі мною дивно поводитесь.

— Може, це ти дивний.

Він розсміявся, але, коли я не приєднався, потягнув себе за чуба і продовжував тягнути, доки волосся не затулило йому праву сторону лоба і праве око.

— Вибач, сину. Я просто не розумію, про що ти. Ми хочемо, щоб з тобою все було гаразд.

— Ти впевнений? Ти впевнений, що нічого не трапилось?

— Ні, єдине, що трапилось,— це те, що ми переживаємо за тебе. Переживаємо, як у тебе справи.

— У мене все гаразд. Краще, ніж хтось може подумати.

— Приємно чути. То нам припиняти перейматися?

— Так. Припиняйте.

— Ти з'їси бутерброд, який я особисто приготував?

— Мабуть, ні.

— Тоді я віддам його Кріто?

— Ні. Залиш. Я сам їй віддам. Пізніше.

— Прислати її до тебе? Сказати, що її викликаю[ть] до кімнати хазяїна?

Він посміхається, і я не можу втриматись. Я [посмі]хаюся у відповідь і, тільки-но починаю, помі[чаю], що я щасливий. Щастя робить теплим моє тіло, [мій шлу]нок і все інше. Він сміється, і я теж.

— Зачекай, я принесу пристрій для п[итт]ня варення.

Я хочу проживати своє щастя, ск[очит]и на ноги, стрибати на місці і плескати в долон[і, я] хочу встати і бігти за ним, і не соромитися, і [про]сто затримати його поруч, цієї миті, такого, яки[м ві]н є зараз, і щоб він так само мені посміхався.

Я чекаю на нього. Але він [не] повертається одразу. Я не піду в коридор і я не [піду] у вітальню. Я знімаю свого годинника і чекаю, [кол]и секундна стрілка дійде до дванадцяти, а по[тім] почну відлік шістдесяти секунд. Якщо він не п[рийд]е за одну хвилину, я його більше ніколи не [чека]тиму. Стрілка добігає дев'яти, і він повертається [заг]ортаною в ковдру Кріто, тільки її чорно-біла мо[рдоч]ка стирчить.

— Спеціал[ьна б]андероль для хазяїна Ігана: чотирилапий друг[ваш]ий потребує варення.

Ні, каж[е] *мені мій мозок, єдине, що з нами не так,— це те, [щ]о ми переживаємо за тебе.*

— Дякую, тату.

І він виходить, і я починаю їсти хліб з варенням, тримаючи Кріто в ковдрі.

Наступного дня в школі я сиджу на перерві сам у пустому класі, читаю книгу про Гаррі Гудіні і їм шоколадний пиріг, печиво і бутерброд. Мені подобається читати про те, як Гудіні звільнився із замкненого ящика під водою, будучи там закутим у кайдани і ланцюги. Але я розчарувався, дізнавшись, що його звільнення були затяжними й болісними і що найшвидше звільнення з гамівної сорочки тривало 138 секунд. З «Книги рекордів Гіннеса» я дізнався, що це набагато довше за світовий рекорд, побитий минулого року Джеком Джентлі. 26 жовтня 1971 року на очах у 600 свідків Джентлі звільнився зі стандартної гамівної сорочки за сорок п'ять секунд.

За кілька хвилин до дзвоника на урок заходить хлопчик з синдромом Дауна. Його звати Осмонд, і він проводить тут один день на тиждень, а решту днів — у спеціальній школі в Енніскорті. Кожного вівторка він сидить сам на перервах і на ланчі, ходить навколо ігрового майданчика, розмовляючи і фальшиво співаючи. Я ніколи не наближався до його побаранілого обличчя і ніколи не говорив з ним.

Він стоїть на порозі з роззявленим ротом і переминається з ноги на ногу, посміхається мені, щось бурмоче і чекає, доки я заговорю. Я відвертаюся, але він підходить ближче, і, повернувшись до нього, я бачу, що він стоїть біля мого столу, за дюйм від моєї руки. Він мовчить, але посміхається мені і переступає з ноги на ногу. Я не хочу його так близько.

— Гарна книжка,— каже він.

Від нього смердить блювотинням. Я не хочу з ним говорити. Якщо хтось побачить, що я з ним розмовляю, це буде наче я його друг і я такий же, як він, ми обидва самотні.

— Гарна книжка,— каже він.— Гарні малюнки.

Коли він говорить, у нього з рота бризкає слина, і одна велика крапля блищить на моєму рукаві. Я закриваю книжку, щоб він перестав дивитися на Гаррі Гудіні. Але тоді він починає витріщатися на мою їжу.

— Гарне печиво. Гарний пиріг. Гарний бутерброд.

Може, він голодний? Я дивлюся на годинник: п'ять хвилин до дзвоника на урок.

— Ти голодний? Хочеш пирога? Ти можеш узяти з собою в клас. Взяти і піти в 3-Г. Як здорово, еге ж?

Він протягує свою жирну руку, і я кладу останній кусок мого шоколадного пирога йому на долоню. Він запихає пиріг собі в рота, наче бульдозер, який прибирає грязюку, потім закриває рот, рухає стиснутими губами вліво-вправо і нарешті ковтає. Він розчинив пиріг у роті без жування. Мені подобається, що я можу витріщатися на нього, він дозволяє мені витріщатися, йому байдуже.

— Гарний коричневий пиріг,— каже він.

Його голос майже як у звичайної людини, але занадто гучний і ніби здавлений, наче йому на шию сіли.

— Тс-с-с,— кажу я.— Тихіше.

Моя нога починає смикатися, і я кладу руку на коліно, щоб зупинити її.

— Гарне печиво.

— Бери,— кажу я.

Він їсть печиво у такий же спосіб, без жування, а потім каже:

— Гарна книжка.

— Книжку не можна їсти,— кажу я.

Я розсмішив його, і він почав стрибати на місці.

— Пожирач печива! Пожирач печива!

Він не тупий. Він може казати що захоче, і він просто хоче, щоб хтось із ним розмовляв. І все. Але я приставляю палець до своїх губ, щоб він замовк. Він відходить і, здається, він образився. Я дивлюсь на годинник: одна хвилина до дзвоника.

— Дивись,— кажу я.

Я відкриваю книжку на сторінці з Гаррі Гудіні в скляному боксі, його тіло закуте в товсті ланцюги.

— Гаррі Гудіні,— кажу я спокійно.— Він може робити дива.

— Дива! Дива — це кролик!

— Ти можеш говорити тихіше?

— Так,— прошепотів він.— Дива — це кролик.

— Так,— кажу я.

— Дива — це капелюх, і бубновий туз, і кролик, і нема кролика.

— Так,— кажу я. Я не знав, що він знає стільки слів. Якби в нього було нормальне обличчя, я б, напевне, захотів з ним поговорити. Я продовжую говорити пошепки і, сподіваюсь, він за мною також.

— Ти знаєш, що це таке звільнення?

— Звільнення.

— Так. Звільнитися. З ящика і скляного боксу.

Він тицьнув на Гудіні.

— Він звільнився із скляної банки!

Його голос знову гучний, та і нехай. Він правий. Він зрозумів.

Я посміхаюся йому. Навіть якщо в нього побаранілe обличчя, він краще, ніж я гадав, і в нього кращий вигляд, якщо наближаєшся до нього і приділяєш йому увагу. Я думав, вони всі схожі, як ідентичні близнюки, але зараз я розумію, що це не так. У Осмонда свій власний ніс, свої очі і міміка. Дзвенить дзвоник. Потім ми чуємо шум людей, що наближаються. Він каже:

— Гарна книжка.

Зараз його голос навіть гучніший, ніж тоді, коли він уперше підійшов до мене, наче він думає, що дзвоник усе ще дзвенить і йому треба кричати, щоб його почули.

— Тс-с-с,— кажу я.

— Гарна книжка, гарний пиріг, гарне печиво, гарний великий хлопчик. Гарний Джон.

Він простягнув руку, намагаючись доторкнутися до моїх очей.

— Ні! — кажу я.— Не чіпай! Іди звідси.

Я не хочу, щоб він знав моє ім'я. Ні, це неправда. Я хочу. Але я не хочу, щоб він промовляв його. Він припиняє посміхатися і відступає назад. На його очах сльози.

— Я йду,— каже він.

— Давай,— кажу я.

— Я йду. Я звільняюся назад. Я прибираюся з Джонової дороги.

— Добре,— кажу я.

Потім, не плануючи цього заздалегідь і розуміючи, що такого не можна робити, я знову посміхаюсь і кажу:

— Побачимось наступного тижня.

Він посміхається у відповідь.

— Велике пирогове звільнення назад з банки з печивом.

Я сміюся і коли Брендон і Кейт проходять повз мене до своїх місць, вони дивляться на мене, і вони бачать, що я сміюся, і їм цікаво, що вони пропустили. Я витріщаюся на них, доки вони не відвертаються, і потім вони шкіряться одне одному, але не думаю, що мене це непокоїть.

15

Я приходжу снідати, нікого немає. Мати лишила записку.

Любий Джоне!
Я пішла до церкви допомогти встановити декорації для шкільної вистави, а татко поїхав у місто першим автобусом. Ми вдвох повернемося на вечерю. Твій ланч на буфеті.
Гарного тобі дня в школі.
Люблю тебе.
Мама

Я вирішив не йти до школи. Коли вони повернуться, я скажу їм, що погано почувався. Я їм вівсянку і смажені яйця з тостами у вітальні біля каміна і дивлюсь телевізор. Потім їм шоколад і два банани. У мене на колінах сидить Кріто, і ми разом дивимось комедійний серіал про морське узбережжя, а потім, о пів на одинадцяту, я йду до бабусиної спальні.

— Привіт,— кажу я.

Вона сидить у великому кріслі біля каміна, обличчям до дверей, її ноги на порожньому кріслі навпроти. Вона не читає, не плете і не шиє, просто спокійно сидить. У ногах у неї лежить пісенник, тож, може, вона вивчає нову пісню, щоб співати нам з ванної.

— Привіт, Джоне. Чому ти не в школі?

— Я захворів,— кажу я.

— Ти не схожий на хворого.

— Я хворий.

— Тоді ти маєш бути в ліжку.

— Я почуваюся краще, коли ходжу або сиджу.

Від цієї брехні моє серце стиснулося, наче груди мені здавило ременем.

— Усе одно: якщо ти дійсно хворий, тобі треба бути в ліжку.

— Добре,— кажу я.— Я просто хотів з тобою побалакати.

— Чому б тобі не принести термометр із ванної, і ми подивимось, яка в тебе температура?

— Хвилинку. Спочатку в мене важлива розмова.

— Добре, тоді зайди і зачини двері.

Холодно, але в неї не горить у каміні.

— Дозволь мені зняти окуляри,— каже вона.— Так я чутиму тебе краще.

Я хочу сісти в крісло, де лежать її ноги, бо мені не хочеться сідати на її обвислий матрац, набитий кінським волосом, який смердить мокрим собакою. Я стою біля крісла, доки вона не прибирає ноги. Я сідаю.

— Що нового? — питає вона.

— Нічого такого,— кажу я.

— Який цікавий співрозмовник. Я думала, ти хочеш побалакати.

Я відкашлявся.

— Тобі казали про мене і брехню?

— Тебе спіймали на брехні?

— Ні. Але хтось казав тобі про викривання брехні?

— Ні. А повинні були?

— Ні. Просто я читаю різні книжки про викриття брехні і думаю, може, хтось тобі казав.

— Ні.

— Можна в тебе ще щось спитати?

— Так.

— Мама говорила з тобою про гроші для нашої подорожі до Ніагари?

— Ні.

— Знаєш, скільки це коштує — дістатися Канади?

— До чого ти ведеш? — питає вона.

— Ну, вона весь час обіцяє повезти мене до Ніагари після закінчення школи, але я хочу поїхати раніше. Вона каже, що ми не можемо собі цього дозволити, і я подумав, можливо, ти можеш допомогти.

Вона розсміялася.

— Хто «вона»? Про кого ти?

— Вибач. Я мав на увазі маму. Все, що я хочу дізнатися,— це чи не допоможеш ти нам грошима.

— Це тупо.

— Може, ти теж поїдеш.

— Думаєш, звідки в мене беруться гроші? — питає вона.

Вона знову розсміялася, а я опустив очі на червоні візерунки на килимі, але від них у мене запаморочилось у голові. Я підняв очі на неї.

— Ти отримала багато грошей, коли помер дідусь, так? Після того як продала всі коштовності і магазин, і всяке таке.

— І наскільки, ти думаєш, вистачить тих грошей? Вона подалася вперед у своєму кріслі.

— Надовго,— кажу я.

— Може, краще дочекатися, коли ти закінчиш школу і…

Раптом вона замовкла. Вона дивилась крізь мене кудись на двері за моїм плечем, наче мене тут немає.

— Бабуся?

— Так.

— Я дійсно сподівався…

— А я сподівалась, що ти не станеш таким, як твій батько. Ти знаєш, він вважає, що має право на мої гроші? Так. Він думає, що якби я не витрачала їх на себе, то в нього було б краще утримання.

Вона розмовляє голосно і не дивиться на мене, вона дивиться на мій лікоть.

— Але народження дітей не повинно робити з жінки мученицю. І ті, хто багато чим жертвують заради дітей, дуже часто жаліють.

Все це так, наче мене немає в кімнаті.

— Наступного року я відправлюся в круїз навколо світу. Можливо, двічі. Доки в мене голова не закрутиться!

— Але чому тато повинен працювати, якщо він готується до іспитів у Трініті?

Вона подивилась на мене так, наче я її вдарив.

— Він вчиться уже три роки. Якби він був серйозним, він би вже склав цей іспит. Якби я вірила в те, що твій батько буде отримувати ступінь, я б не чіплялась до нього з роботою, але я не вірю в це.

Вона вже майже кричала.

— Моєму терпінню залишилося дев'ять днів. Так, досить. Дев'ять днів терплю — і потім гасіть світло!

— Це несправедливо,— кажу я.

Вона показала кудись позаду мене.

— Ти не завжди такий шустрий, яким себе вважаєш, маленький Джоне Іган.

Я озирнувся назад на двері і побачив, на що вона витріщається. Крізь маленьку щілину під дверима видніється пара черевиків. Хтось стоїть за дверима, хтось стоїть за дверима весь цей час.

Я думав, що батько поїхав автобусом до міста, і не чув, щоб він повертався. Я підвівся з крісла і побіг до дверей, але бабуся встала і схопила мене за сорочку.

— Не треба, Джоне. Немає сенсу йти за підслухачем. Зовсім не треба за ним іти.

Але я не можу втриматися. Я відчиняю двері і дивлюся. Він щез.

— Сядь,— каже вона.— Я ще не договорила.

Я сідаю, і вона тягнеться до мене, щоб узяти мене за руку. Їй важко так нахилятися, але я не нахиляюся назустріч, щоб їй було легше.

— Нам треба з'їжджати? — питаю я.— Ти нас викинеш?

— Звісно ні. Я ніколи не вижену вас.

— Присягаєшся?

— Я б присягнулася на Біблії, але вона онде на туалетному столику,— каже вона.— Може, якщо я кричатиму, Біблія почує мене.

Вона жартує, але в її словах немає нічого смішного, і я не сміятимуся. Крім того, вона бреше.

У неї писклявий голос, вона не підморгує і не махає рукою, як робила раніше. Її руки мляво лежать на колінах.

— Гаразд,— кажу я.— Зрозуміло.

— І щодо Ніагари,— каже вона.— Якщо мати тобі пообіцяла, вона відвезе тебе після закінчення школи, я впевнена, що відвезе. Твоя мати не порушує обіцянок.

Може, мама забула, але тепер я знаю, що вона не питала у бабусі про Ніагару, як обіцяла.

— Піду телевізор подивлюсь,— кажу я.

Але я не дивлюсь телевізор. Я всюди шукаю батька. Я вийшов до воріт і чекаю на нього. Дуже холодно, і у корів на пасовиську через дорогу йде пара з ніздрів. Я тру руки одна об одну і підскакую на місці. Деякі корови дивляться на мене. Зазвичай я махаю їм, чи кричу «привіт», чи витріщаюсь у відповідь. Тварини добре вміють витріщатися, і вони не проти, коли витріщаються на них.

Після майже години очікування на вулиці біля воріт я йду на кухню. Я їм хліб з варенням, потім іду до вітальні і дивлюся телевізор біля вогню до половини п'ятої. О пів на шосту я чую, як мама заходить у парадні двері. Я йду до коридора привітатися з нею. Я пильно придивляюся до неї, поки вона знімає куртку. Деякий час вона стоїть і роздивляється навкруги.

— Давай чаю вип'ємо,— каже вона.

Я йду з нею на кухню і спостерігаю, як вона ставить на плиту чайник і споліскує дві чашки. Коли чай готовий, вона зачиняє двері. Вона відкриває упаковку печива «Digestives» і кладе шість штук на тарілку. Я не хочу казати їй, що не ходив до школи.

— Це все, що у нас є до чаю?

— Я добре пообідала в церкві о дванадцятій. Але я зварю тобі суп, якщо хочеш.

— Де тато? — питаю я.— Ти його бачила по дорозі додому?

— Він, напевно, пішов провідати дядька Джека, доки той у Горі.

— Чому дядько Джек у Горі? Де він зупинився? У готелі? Про що вони розмовляють?

— Твій дядько приїхав з Дубліна у справах.

— У яких справах?

— У нудних справах.

— Яких?

— У справах «не-встрявай-не-в-своє-діло».

Я не сміюся. Я встаю і ходжу навколо столу. Я обійшов його двічі. Я навіть не помічаю, що роблю це, доки вона не каже:

— Сядь!

Я сів і почухав голову.

— Ти як божевільний привид,— каже вона.— Яка тобі різниця?

Я чекав, поки вона мене спитає, але тепер, коли вона спитала, я розумію, що хотів би, щоб вона спитала не так.

— Чому я як привид? — питаю я.

Вона кладе свою руку на мою. Вигляд стомлений. Під очима мішки, майже чорні, і в неї є сиві волосини. Не знаю, коли вони з'явилися, але сьогодні вона кудлата і сиві волосини стирчать назовні.

— Вибач, Джоне. Я мала на увазі те, що ти вешта-єшся навколо. Постійно всюди швендяєш.

— Де всюди?

— Ти приходиш до моєї кімнати і не поважаєш мого особистого простору чи нашого з батьком.

— Неправда.

Вона скуйовдила мені волосся і вдавано засміялася. Я відсунувся. У неї немає вибору, окрім розмовляти зі мною по-іншому.

— Це так, Джоне. Коли я лягаю подрімати, рап-том з'являєшся ти. Я думаю, чи не роздобути знак «Не турбувати» з готелю.

Вона намагається розсмішити мене, щоб пом'якши-ти погані слова, що вона сказала.

— Добре,— кажу я.— Я дам тобі спокій.

— Джоне, дорогий, сядь, будь ласка. Я не хочу, щоб ти дав мені спокій. Я просто хочу, щоб ти сказав мені, що не так. Скажеш мені?

Вона тягне мене за руку, доки я не сідаю знову.

— Усе змінилося,— кажу я.— Ти інша, і татко, і ба-буся, і навіть Брендон інший.

— Ну, я не знаю щодо Брендона, але люди, які люблять одне одного, іноді сперечаються.

— Я не про це,— кажу я.— Зі мною всі дивно поводяться. Ніхто не поводиться так, як раніше.

Вона забрала свою руку з моєї та обхопила руками чашку.

— Ти ростеш, Джоне. Іноді речі міняються, коли ти ростеш, і треба якийсь час, щоб до них звикнути.

— Ти про що?

— Про те, що люди більше не няньчаться з тобою. Вони не панькають тебе. Порадій із цього. Коли люди бачать, що ти можеш стояти на своїх двох, вони більше не дозволяють опиратися на них. Якщо ти можеш стояти рівно і міцно,— це те, чого люди від тебе очікують. Що ти жорсткіший і сильніший, то менше вони опікатимуть тебе.

Її слова дивні, і її голова смикається вгору і вниз, наче вона намагається відігнати муху від обличчя. Це не схоже на ту брехню, що говорив батько, це біла брехня, це брехня про її почуття, про те, як змусити мене почуватися краще. Але це брехня.

Зараз я стою, я говорю голосно, і в мене з рота бризкає слина.

— Ти вважаєш мене стрьомним. Якби я був меншим, то все було б інакше. Так, як і повинно бути.

Вона ковтає і відводить погляд, боїться мене.

— Ні, Джоне. Зовсім ні.

Я прямую до дверей.

— Джоне, любий. Зачекай хвилинку. Давай доп'ємо чай з печивом, а тоді ти підеш і допоможеш мені помити голову.

Я стою біля дверей.

— Ти мені дуже дорогий, Джоне. Дуже дорогий мені.

Я ігнорую її і йду до своєї кімнати. Через декілька хвилин вона приходить до мене. В руках у неї рушник.

— Ходімо. Допоможеш мені помити волосся, бо воно вже зовсім страшне. Ти ж любиш допомагати мені мити волосся?

Вона піднімає своє довге каштанове волосся угору так, що воно затуляє її обличчя, вистромляє вперед руки, як вовкулака, і йде по моїй кімнаті, наштовхуючись на речі.

Я встаю, і ми йдемо до ванної. Я допомагаю їй помити в умивальнику її довге каштанове волосся. Мені подобається, коли вона умочає голову і її волосся заповнює умивальник, і сливе на поверхню, тягнучись, як водорості. Я розповідаю їй про Брендона і Кейт.

Вона стоїть і замотує рушником голову, потім кладе руки мені на плечі.

— Якщо твій друг не тягне тебе за руку назад і не кличе, то він тобі не друг. Твій друг має потребувати тебе так само, як і любити. Зачекай і подивись, чи прийде він і чи потягне тебе за руку.

— Як робила ти?

— Я? — каже вона.

— Так. Двічі.

— Ну, значить, я практикую те, що проповідую.

Я напишу про це в «Ланруж Інхерб». Я напишу, що людина може змінитися під час розмови, казати правду, потім брехати; бути поганою, а потім раптово стати хорошою, без жодного попередження.

16

Наступного дня після уроків Кейт врізалась у мене, коли я знімав куртку з гачка в коридорі.

— Ой,— каже вона.— Вибач.

— Нічого,— кажу я.

— Я все знаю про тебе,— каже вона.— Брендон сказав мені.

Я намагаюся вдягнути куртку, але вона випадає з моїх занімілих рук.

— Мені погано від запаху сечі,— каже вона.— Мені не подобається пити молоко. Я й так гребую пити молоко, а твій запах робить моє молоко ще гіршим.

Мені стало образливо і цікаво. До цього я ніколи не чув слово «гребувати», і воно крутиться в моїй голові.

— Ти знаєш, що означає «конфіденційний»? — питаю я.

— Ні, але можу побитися, що ти теж не знаєш.

— Знаю,— кажу я.— Це означає «секретний». Тоді, коли я обмочив штани, я намагався побити світовий рекорд терпіння перед туалетом. І я це робив конфіденційно.

У мене почало дерти в горлі, як перед неконтрольованим кашлем. Напевне, це через те, що я брешу. Було б гарно навчитися брехати без того, щоб моє тіло робило мені якусь шкоду.

— Ти? — засміялась вона.— Як весело.

— Не переймайся,— кажу я.

Я відходжу.

Але я не можу пережити цього. Мої ноги, як і руки, оніміли. Звук моїх черевиків по підлозі дивний. Один черевик шкребе гучніше за інший. Мої кроки неритмічні; крок правою ногою більший, ніж крок лівою. Я затримую дихання і розумію, що можу впасти. Я хочу на щось опертися. Я втратив здатність ходити. Я не можу дихати, доки не виходжу зі школи і не доходжу до першого дерева на початку стежки. У мене болить серце. Я йду швидко. Потім зупиняюсь.

Яскравий сонячний день, і пташки, здається, про це знають. Я озираюся і придивляюся до дерев. До хмаринок поміж дерев. Я обертаюся тричі навколо себе, як метальник диска, і щосили кидаю камінець у небо. Потужний кидок.

Я чекаю на звук камінця, але він не повертається, принаймні я не чую його приземлення, і я стою на стежці, розгублений, і думаю, де ж він міг подітися. І він так і не приземляється, і я посміхаюсь у небо.

Я прийшов додому. Я не такий сумний, як очікував. Я йду до вітальні, там нікого немає. Я йду на кухню, там теж нікого. Бабусі немає в кімнаті, але на її буфеті горить велика біла свічка. Мабуть, вона робить новену[1]. Ось що вона мала на увазі, коли казала, що залишилось дев'ять днів терпіння. Новена триває дев'ять днів. Але про що вона молиться? Про те, щоб мій батько знайшов роботу? Я скажу йому, коли він повернеться додому. Я сідаю за кухонний стіл і чекаю.

Коли мама повертається, вона йде прямо до себе нагору. Дев'ята година, і коли я бачу батька на порозі кухні, я розумію, що сиджу в цілковитій темряві.

---

[1] Новена — традиційна католицька молитовна практика, що полягає в читанні певних молитов протягом дев'яти днів.

Він підходить і кладе руку мені на голову.

— Я тобі сосисок до чаю наріжу,— каже він.

— Де ти був? — питаю я.

— Працював,— каже він, вмикаючи світло.

— Де? Що робив?

— Дай мені порізати сосиски, а потім ми разом можемо подивитися ідіотський ящик і поговорити. Добре?

— Бабуся робить новену, тож ти отримаєш роботу. Мабуть, це вже спрацювало.

Він закинув назад голову і відкрив рота і так і тримав його відкритим, а голову — відкинутою. Це в нього такий спосіб беззвучно сміятися.

— Чому ти так смієшся? — питаю я.

— Сміятися — це тепер злочин?

— Ні.

— Просто так, бо в мене такий настрій.

Він скуйовдив моє волосся і посміхнувся мені.

— Де мама? — питаю я.

— Нагорі, у спальні. Дай їй спокій.

— Я хочу поговорити з нею,— кажу я.— Мені треба сказати їй дещо важливе.

— Щось трапилось?

— Зі мною нічого не трапилось. Але хіба щось не трапилось із тобою і бабусею?

Він тягне себе за чуба, смикає густе волосся, пяльцями натягаючи його перед правим оком.

— Ми трохи поговорили і ми не згодні в деяких речах, але ми помирилися. У всякому разі, тобі ні про що хвилюватися.

— Я йду нагору,— кажу я.

— Я сказав, залиш її.

— Мені треба поговорити з нею про дещо.

— Джоне, ти можеш просто залишити маму в спокої? Побачишся з нею трохи пізніше.

Ми мовчимо, поки він готує сосиски, а потім він виходить із кухні зі своєю тарілкою і йде до вітальні. Я йду за ним. Він сідає на диван, і я сідаю поруч. У нас обох по тарілці з сосисками, у кожного по чотири.

— Якщо в тебе тяжко на душі, ти завжди можеш поговорити зі мною,— каже він.

Я беру сосиску і знову кладу її на місце.

— Брендон не розмовляє зі мною,— кажу я.

— Чого?

— Не знаю.

Він з'їв сосиску без жування, ковтнув за три відкушування. Куски сосиски такі великі, що я бачу, як вони просуваються в горлі.

— Ти питав його чому?

— Ні,— кажу я, дивлячись у свою тарілку.

— Якщо ти не спитаєш у нього, то ти цього не дізнаєшся, так?

Я не хочу говорити про той день, коли я обмочив свої штани.

— Він подружився з новенькою.

— А-а, ну, тоді тобі треба подружитися з нею.

— Але, я думаю, вона більше не хоче, щоб я був її другом.

Батько вже доїв сосиски.

— Ти будеш їсти свої? — питає він.

— Так,— кажу я.

— Думаю, тобі слід поговорити з Брендоном.

Він чухає підборіддя.

— Я думаю, тобі треба просто поговорити зі своїм другом, а не бігти до своєї матусі.

Я поставив сосиску вертикально і штовхаю нею іншу сосиску.

— Згоден?

— Згоден,— кажу я.

Я не розумію, про що він говорить. Я втомився від того, як він змінюється посеред розмови. З цієї миті він може робити що завгодно. Я знаю, чого я хочу.

— Час новин,— каже він.— Подивимось разом?

Ми разом дивимось новини, мовчки. Показують поліцейського, який говорить: «Підозрюваний, як повідомлють, розірвав нічну сорочку жертви і попросив її роздягтися, але жінка відмовилася. Наміри зловмисника зрозумілі».

Не дивлячись на мене, батько каже:

— Мені подобається, як говорять охоронці. Вони завжди намагаються вдати з себе інтелігентів, але поводяться як недоумки.

— Мжливо.

— Можливо, а не «мжливо».

Кріто заскакує батькові на коліна, і він зіштовхує її.

— Досить із мене кошачої лупи.

— Що таке «лупа»? — питаю я.

— Та фігня, яка летить від неї мені в ніс. Терпіти не можу, коли мені щось у ніс залітає.

Він розсміявся сміхом божевільного і встав дістати цигарку з пачки на каміні. Він смокче цигарку, як палаючу цукерку, наче йому треба допалити її якнайшвидше, щоб отримати винагороду. Він рідко говорить, коли палить. Він жмуриться і дивиться на вогонь. Нехай сидить. Я йду.

Мама так і не спустилася, а вже майже дев'ята. Я йду на кухню і смажу ще шість сосисок і я несу їх їй. З хлібом і пляшкою кетчупу.

Вона сидить у ліжку в кардигані поверх рожевого крамничного фартуха.

— Доставка їжі! — кажу я.

Я ставлю тарілку на ліжко, і вона сміється.

— Шість сосисок! Ти, сосиска!

— Будеш?

— Ні. Їж сам. Я так утомилася, що не можу їсти.

— Будеш лягати спати? — питаю я.

— Так.

— Де був батько?

— Коли?

— Вчора і сьогодні.

— Працював. Він знайшов собі якусь дивну роботу.

— Значить, із бабусею все владнається?

— Так,— каже вона і заплющує очі.— Вимкнеш
світло, коли будеш виходити?

Я не знав, що я вже виходжу.

Вона лежить до мене спиною і не повертається.
У кімнаті засмерділо, як від бздіння.

Мені стало соромно за неї.

17

Батько не спустився снідати. Я питаю маму, де він. Вона витирає руки просто перед моїм обличчям.

— Він поїхав першим автобусом до Вексфорда поговорити з колишнім босом.

— Знову?

— Він усе ще намагається дещо прояснити,— каже вона.

— Але вже три роки минуло відтоді, як він кинув роботу,— кажу я.

Бабуся опускає до рота шматок шинки, наче робітник зоопарку опускає кусок рибини в пащу морському леву.

— Він робить те, що роблять чоловіки,— каже вона.— Він витяг свого носа з книжок і підняв свою кістляву дупу.

Мама встає і підходить до вікна. Вона рахує до десяти, щоб заспокоїтися, так вона вчила мене. Я бачу, як на її лівій руці пальці по черзі торкаються стегна. У неї на губах рожева помада, вона в довгій вовняній рожевій спідниці і білій блузці, волосся розпущене. Вона дорахувала, повертається за стіл і посміхається мені.

— Знову чудовий день,— каже вона.— Гарний, свіжий і бадьористий.

— Хто хоче пограти в нарди? — питає бабуся.— Джоне?

— Нема часу.

— У тебе ще є десять хвилин. Тоді, може, декілька партій в блекджек?

— Добре.

Мама починає насвистувати, бабуся дістає карти з буфета і роздає.

* * *

Дорогою до школи я згадую свій сон. Мені наснилося, що Ріплі дізнався про мій талант викривати брехню і я жив з ним у його великому будинку в Америці і був начебто його сином.

Я добре роздивився його дрібні криві зуби. І я сказав:

— Навіть якщо твої зуби дрібні, криві і стирчать, ти все одно знаменитість.

І він посміхнувся і обійняв мене, і ми пішли разом по тротуару до його спортивного кабріолета.

Через те що я не можу добре вдавати американський акцент, навіть уві сні, Ріплі бурмотів, а я не міг зрозуміти, що він говорить, але я впевнений, що він казав мені, що я скоро прославлюся.

Тільки уві сні була одна неприємна річ. Дах кабріолета Ріплі був зроблений з картону, і коли ми їхали по шоссе, картон зігнуло і пожмакало, і здавалося, його от-от відірве.

Коли я сказав Ріплі, що мене непокоїть дах, він повернувся до мене і його зуби раптом стали прямими і великими. Він більше не був схожий сам на себе. Потім я прокинувся і виправдав погану частину сну шумом за вікном і криками бабусі й тата, які сперечалися.

О дев'ятій двадцять містер Донеллі заходить до нас у клас. Деякий час він прибирає на столі речі міс Колінз, складаючи їх у шухляду. Потім каже:

— Міс Колінз захворіла, і, поки вона одужує, у вас буде новий учитель. Він почне роботу сьогодні, одразу щойно дістанеться сюди. Новий учитель — це милий чоловік з Дубліна. Його звати містер Роше, і він буде заміняти міс Колінз, доки вона не одужає і не вийде на роботу.

Він кладе руки в кишені.

Я перестав слухати і дивлюся у вікно.

Містер Донеллі сказав нам погратися надворі.

— І поки не приїде ваш учитель, моліться за міс Колінз.

Ще один ясний день, світить сонце. Я йду вздовж ігрового майданчика, чиркаючи палкою по паркану. Я не повертаюся подивитися на школу чи на те, що роблять Кейт і Брендон.

Через дорогу за парканом я помічаю Йосипа з конем біля дороги. З ним якийсь чоловік. Я підходжу до воріт привітатися.

Друг Йосипа каже:

— Хочеш покататися на моєму коні? Його звати Зорро.

Я не знаю, як звати друга Йосипа, але він миліший, нижчий і товстіший за Йосипа.

— Хочу,— кажу я.— Дякую.

Кінь хворий, весь у вавках, але вже пізно відмовлятися. Коли я заліз, то відчув його ребра під литками.

Я сам їду верхи вздовж дороги, Йосип і його друг стоять жартують, а я почуваюся володарем світу. Я не нервую і мені байдуже, що Брендон і Кейт граються без мене. Мені байдуже, що я, як Осмонд, граюся наодинці. Врешті, коли я говорю сам з собою, я роблю це тихо і не махаю руками, і ніхто не бачить, що мої губи рухаються.

Згодом я відчув голод.

— Краще я повернусь,— кажу я.— Краще я пообідаю.

Я злізаю з Зорро і дивлюсь на нього. Я хочу дивитися йому в очі так само, як дивився коню Йосипа, Недді. Але Зорро не хоче цього і відвертається. Раптом я знову відчув себе знервованим і подумав: може, це через те, що я бачу лише одне око Зорро і не знаю, що робить інше?

— Дякую, Йосипе,— кажу я.— Бувай.

— До побачення, юначе Джон,— каже друг Йосипа.

— Як тебе звати? — питаю я його.

— Йосип, так само, як і його.

— До побачення,— кажу я.— Я перекажу вітання бабусі.

— Так. Бувай.

— Бувай.

Я сідаю на лавочку під вікном офісу містера Донеллі, мені добре, і я починаю їсти хліб з варенням. Треба б пригостити Йосипів печивом, і я дивлюся, чи вони ще стоять біля воріт.

Я бачу Кейт. Вона прямує до мене, тягнучи за куртку Брендона.

— Давай, Брендоне,— каже вона.— Давай заберемо в нього бутерброд.

Кейт озирається навкруги і потім кричить мені. Вона хоче, щоб її помітили. Брендон дивиться собі під ноги і притуляється до Кейт, наче він хоче зігрітися або не впасти. І рукою прикриває ніс, як він робить

152

завжди, коли йому ніяково. Кейт зупиняється біля мене.

— Ти сьогодні всцикався?

Я поклав скоринку до рота і намагаюся її розжувати, але вона велика і суха, наче у мене в роті шкарпетка. Я проштовхую її між нижньою губою і зубами, але вона застрягає.

— Сцикун, я з тобою розмовляю! — каже вона.

Мій пеніс здригнувся, наче до нього хтось доторкнувся. Я стис стегна.

— Забери в нього бутерброд,— каже вона і хватає Брендона за куртку.— Вдар його по колінній чашечці. По обох.

Брендон б'є мене по коліну, і я дозволяю йому це. Я б міг дати здачі, але не буду. Я буду поводитися так, наче їх не існує. Я буду дивитися на Брендона так, наче він картинка з телевізора.

Після того як він мене вдарив, він похитнувся і змушений був відступити назад, щоб відновити рівновагу. І він почувається ніяково через те, що я не відреагував. Він стоїть і дивиться на свої черевики.

Я витріщаюся на нього, і він б'є мене ще раз, по другому коліну, цього разу сильніше. Може, щоб показати, що йому не треба чекати наказів від своєї хазяйки. Він досить сильний, тож удар болючий. Я дивлюсь на нього. Я дивлюсь на них обох, наче мені байдуже те, що вони роблять. У мене пустий вираз обличчя. Я кладу руки на коліна, і тепло від моїх долонь допомагає вгамувати біль. Але я не показую нічого. Нічого не говорю, як сторож.

— Забери! — каже Кейт.— Забери в нього бутерброд!

Брендон забирає залишок мого хліба з варенням і, сам того не бажаючи, каже:

— Дякую.

У нього збентежений вигляд, наче він хоче передумати.

Я встаю і йду.

Я повертаюся до класу і сідаю на місце і починаю читати підручник з географії. Але через декілька хвилин, перегортаючи сторінку, я бачу на пальцях загуслу кров. Я так розчухав собі шкіру, що на маківці з'явилася вавка. Я чухаю голову вночі, коли не можу заснути, і роздираю вавку, сам того не помічаючи, доки з неї не починає текти кров. Вона не болить так, як повинна боліти. Вавка наче не належить мені.

Після обіду містер Донеллі наказав нам зайти в клас. Він стоїть біля входу в клас, але нічого не каже. В руці у нього губка для дошки, і вона здається такою маленькою, як печиво. Він поклав губку і спробував покласти руки в кишені, але туди помістилися тільки кінчики його червоних пальців, а решта стирчала ззовні — здавлені, налиті кров'ю і блискучі. Такі ж самі червоні пальці, як у мого батька, тільки товстіші.

Кейт підвелася і закричала:

— Якщо вчитель так запізнюється, він повинен отримати указкою!

Указка стояла в кутку ліворуч від дошки, і містер Донеллі на мить подивився на неї перед тим, як відвернутися до вікна.

Я теж дивлюся у вікно, на ігровий майданчик, шкільні ворота і вузеньку стежку вздовж дерев.

* * *

Майже друга година. Біля воріт із таксі виходить чоловік і прямує до нас.

Він молодий, молодший за мого батька, і, хоч і не високий, справляє враження сильного, чорне волосся по плечі. Ніколи не бачив чоловіка з довгим волоссям і не бачив, щоб біля шкільних воріт чоловік виходив із таксі.

Здається, він зроблений із міцних матеріалів, сталі і заліза, його нелегко зламати. Більшість чоловіків у нашому містечку наче зроблені з бісквіту чи надкушеної ріпи, як мої дядьки, Джек та Тоні, у яких жир висить на череві й підборідді. Їхня ряба шкіра схожа на начинку для індички.

Більшість чоловіків у нашому місті не просто схожі між собою, вони й поводяться однаково; навіть батько стає таким, як мої дядьки, поруч з ними. Але мій батько принаймні симпатичніший за них.

Чоловік наближається, і я сповнений надії: я завжди хотів мати за вчителя розумного чоловіка, хороброго і з мізками. Він зникає з поля зору, і я не можу стримати посмішку.

Містер Донеллі зніяковів, він тре стіл губкою для дошки, наче стирає помилку.

Хвилина тиші, і потім заходить чоловік і стає перед класом. Містер Донеллі кладе губку і стає поруч з ним.

Вони розмовляють хвилину-другу і разом виходять з кімнати. Проходячи через двері, містер Донеллі нахиляє голову і плечі.

Сестра Урсула прийшла приглядіти за нами. Вона стоїть біля дошки і говорить нам читати.

— Так тихо, як миші,— каже вона.

Через тридцять хвилин вертається чоловік, сам. Сестра Урсула мовчки виходить.

— Називайте мене містером Роше, не сером,— каже він.

Ми хіхікаємо, вовтузимося і витріщаємося на нього. Він ходить уздовж дошки.

— Ви живете в красивому місці. Б'юся об заклад: якщо ви будете сидіти тихо, то почуєте, як човни шкребуть об причал, і риба плещеться, і чайки кричать.

Ми сміємося, тому що пляж Кортаун і бухта розташовані за чотири милі від Горі і ми не можемо чути чайок і човнів. Це брехня, просто історія, щоб нас розсмішити, і вона мені подобається. І він мені подобається.

Я спостерігаю, як містер Роше ходить поміж нашими партами, і я відчуваю його запах. Можливо, він вступив у перегній, коли йшов через поле. Такий самий запах у фермерів, які снідають у Кілмора в місті. Він не пасує до його дорогого костюма і шикарного голосу, цей запах на його черевиках, і я гадаю, чи він помітить і витре їх.

— Тепер я хочу тихенько побалакати з кожним із вас,— каже він і нахиляється над кожною партою по черзі, шепочучи запитання.

Я з нетерпінням чекаю своєї черги, думаючи над тим, що він скоро дізнається, що я інший. Я розкажу йому про свій талант.

Містер Роше нахиляється до Брендона і цього разу не шепоче. Ми всі чуємо, як він каже:

— Ти легко підпадаєш під вплив, Брендоне?

Брендон знизує плечима, потім містер Роше нахиляється впритул до вуха Брендона.

— Добре, я буду,— каже Брендон і нахиляє голову та так і тримає її, наче намагаючись знайти щось важливе в написаному на його столі.

Містер Роше підходить до парти Кейт, але не нахиляється до неї. Замість цього він сідає на порожнє місце позаду неї, торкається її плеча і говорить:

— А ти хто така?

Кейт повертається до нього.

— Я — Кейт Бреслін,— каже вона.— Я єдина дитина, я з Дубліна, і моя родина отримала спадок.

— Отже, Кейт, я бачу, що ти розумна. Мабуть, це змушує тебе почуватися особливою?

І тут я зрозумів: містер Донеллі виводив містера Роше, щоб розповісти про кожного з нас. Теперь я впевнений: містер Роше зрозуміє, хто я.

— Та ні,— каже Кейт, її голос тремтить.

— Розумна чи ні,— каже містер Роше.— Головне, щоб труна була герметична.

Він розсміявся, і весь клас розсміявся разом з ним, бо те, що він сказав, не мало жодного сенсу. Навіть Брендон розвернувся показати мені свої усміхнені зуби.

Містер Роше виходить наперед, сідає на край столу і посміхається особисто мені. Хоч він і не підходить до мого столу, я впевнений, що він знає. Я впевнений, що він допоможе мені.

Тільки-но я прийшов додому, то зробив собі тост із шинкою, ліг на постіль і дві години писав ще одного листа в «Книгу рекордів Гіннеса». Я впевнений, що цього разу отримаю відповідь.

Дорога «Книга рекордів Гіннеса»!

Мене звати Джон Іган і я вже вам писав.

Я хлопчик зі здібностями викривати брехню. Я вже прочитав усі книжки з цієї теми, які є на Східному узбережжі Ірландії, і я протестував свій талант ще декілька разів після першого листа.

Я ще більше впевнений у тому, що мій талант рідкісний і надзвичайний, якщо не сказати більше.

Будь ласка, надішліть мені відповідь цього разу, і я організую для вас демонстрацію в Дубліні чи Лондоні, чи де вам буде зручніше. Я доведу, що можу викрити брехню з точністю 100 %.

Джон Іган

11 років

Горі, Ірландія

Мама зайшла до мене в кімнату без стуку, коли настав час пити чай.

— Чому ти не стукаєш? — питаю я.— Я не маю права на приватність?

Вона сміється і сідає на моє ліжко.

— Ну ти й грубіян! А може, я постукала, а ти не чуєш, бо в тебе повні вуха кліщів?

Вона говорить і чухає мою ногу.

— Ненавиджу обговорювати домашні обов'язки, але настав час виконати їх. Можеш робити це без нагадувань? Ти вже тиждень не пилососив і не витирав пил з каміна.

— Вибач.

— Добре. Можеш піти поїсти. У нас є відбивні і ревінь із заварним кремом на десерт,— каже вона.

І раптом, навіть два дні не бачивши батька, я щасливий.

18

П'ятниця, і я прийшов до школи раніше, щоб спостерігати, як містер Роше готується до уроків за вчительським столом. Я дивлюся на нього весь ранок. Він мені дуже подобається, особливо його голос.

Але потім, на другому уроці, я розумію, що терплю вже дуже довго і мені треба до туалету. Не можна повторювати тієї катастрофи. Я встаю, піднімаю руку і прошуся вийти. Містер Роше підходить прямо до мене, бере за руку і веде в коридор. Мені соромно, що мене так ведуть перед усім класом, але, виходячи, він дивиться на мене і посміхається мені, наче це нормально — так виходити з класу, наче я його друг.

У коридорі він пропонує мені сісти під вішалкою, і я сідаю під чиюсь вовняну куртку і намагаюся втримати сечу.

— Затримай її,— каже він.— Лише на хвилинку.

Мені вдається затримати. Потім він веде мене в туалет. Він чекає на мене, а я чекаю, поки він піде. Але він стоїть під дверима, дивлячись, як я тримаю руку на своїй застібці.

— Давай,— каже він.— Я не кусаюсь.

Я відвертаюсь від нього і розстібую ширіньку. Я пісяю. Вийшло так мало, що, боюся, прийдеться скоро знову виходити.

Я закінчив і повертаюся подивитися на нього.

— Молодець,— каже він.

Я проходжу повз нього, і він плескає мене по плечі.

— Ти хороший хлопець,— каже він.— Я тебе поважаю.

Я посміхаюся, і він посміхається у відповідь, я почуваюся добре, навіть коли ми повернулися до класу і всі розмовляли і сміялися. Але вони не з мене сміялися. Біля вчительського столу стоїть Кейт і пародіює містера Роше, розмовляючи чванливим голосом.

Містер Роше каже їй повернутися на місце. Коли вона проходить повз нього, він дає їй потиличника.

— Не можна продати свій спокій, а потім просити його повернути,— каже він.

Ніхто не зрозумів, але всі засміялись, бо Кейт оторопіла і вперше за весь її час у нашій школі нічого не відповіла. До кінця дня Кейт сиділа не рухаючись, хіба що коли містер Роше звертався до неї, і навіть Брендон не розмовляв з нею.

Після уроків, коли всі вийшли з класу, я підходжу до столу містера Роше. Він зводить на мене очі і посміхається. У нього прямі білі зуби і глибокі мімічні зморшки навколо рота.

— Містере Роше,— кажу я.— Чи не могли б ви мені допомогти знайти якісь американські книжки про викриття брехні?

Сподіваюся, він запитає мене, чому я цікавлюся цією темою, але замість цього він бере мене за руку.

— Ти мені нагадуєш про те, що мене хвилює.

— Що? — питаю я.

Він встає і підходить до вікна.

— Я просто киплю від того, що в цій школі немає бібліотеки. Бібліотека повинна бути в кожній школі.

— Так, сер,— кажу я.— Так, містере Роше.

— Немає казок,— каже він.— Значить, ніхто не читає казок.

160

— Так, сер,— кажу я.

— Немає читання казок — немає уяви. Ми всі починаємо життя з уяви, звісно, але без казок нічим годувати уяву, і вона помирає, як голодний пес.

Він пильно вдивляється в дитячий майданчик.

— І коли людина не читає, і коли у неї немає уяви, то у неї не буде винахідливості і вона проживе банальне, шаблонне житя. Життя слоганів, жаргону і кліше.

Я кивнув.

— Слабка людина лише повторює те, що вона почула, і тупіє.

— Так, сер.

Він відходить убік, а тоді підходить до мене і каже:

— І наука, і винаходи походять від уяви.

Я розмірковую, що б сказати у відповідь, і вигадую оце:

— Ейнштейн також так вважав. Тиждень тому я читав це в книзі, яку мій батько залишив на кавовому столику.

Він повертається до мене, зацікавлений.

— Ти маєш рацію, Джоне Іган. Ти не тупий. Це п'ять балів!

— Дякую, містере Роше.

Він підходить до мене і кладе руку на плече.

— А відсутність уяви означає, що ти можеш прожити тільки те життя, яке тобі судилося. І, Бог свідок, тут на декого з вас чекає, скажімо, не дуже гарне життя.

Я думаю, чи треба мені щось відповідати, але він, нічого не кажучи, пішов до дошки.

Я роздивляюсь його чорне волосся, як воно рівненько лежить на його на плечах і піджаку. Піджак, напевно, зроблений хоча б наполовину з шовку.

— Зараз о пів на третю, я відправляю тебе додому,— каже він.— А в понеділок на тебе чекатиме сюрприз.

Він має на увазі сюрприз для мене чи для всіх?

— Зараз іди додому,— каже він.— Мама вже, мабуть, чекає.

Батько ходить туди-сюди біля каміна в очікуванні чаю. Він ходить зовсім не так, як містер Роше. Його крочки маленькі й різкі, а містер Роше ступає ширше і спокійніше. І у батька голова теліпається на плечах.

— Що ти ходиш назад-уперед? — питаю я.

— У мене синдром неспокійних ніг,— каже він.— Якщо я довго сиджу, вони терпнуть і бігають мурашки.

— Чому?

— Не знаю чому. Може, це мурашки, які повипадали з моїх трусів. Також вони приходять уночі, коли я намагаюсь заснути.

Напевне, він у доброму гуморі, щоб розмовляти граючись, як мама,— так само іноді він говорить з нею, коли вони вдвох.

— Вони не дають тобі спати?

— Так, і мені треба постукати по ногах, щоб їх струсити.

— Це тому ти спиш на підлозі? — питаю я.

Він припиняє ходити і стає перед телевізором. Я очікую, що він розлютиться, але він посміхається.

— Я спав на підлозі лише раз чи два, і тільки через те, щоб мурахи не турбували маму.

— Це тому?

— Ісусе, Маріє і Йосипе і решта довбаних апостолів! О ні. Втретє. Так, сину. Я спав на підлозі, щоб твоя бідна матуся гарненько відпочила перед робочим днем. Більше ніяких причин! Задоволений?

Я переймався, що він може замовкнути і нічого не казати мені через мої здібності. Але він говорить і знову бреше. Йому знадобилось більше часу, але він збрехав. Я впевнений знову. Він збрехав.

Його голос став високим і затиснутим, а його руки і ноги мляві. У мене горять вуха, але це єдиний фізичний симптом. Викривати брехню стає легше.

— Може, треба вбити одного з мурах,— кажу я.— Потім решта прийде на його похорон.

Він сідає поруч зі мною і дивиться телевізор. Закінчився «Доктор Хто», починаються новини.

— Хороша ідея,— каже він.— У тебе завжди купа ідей.

— Це не моя ідея,— кажу я.— Я колись чув такий жарт.

Я розповідаю батькові цей жарт, незважаючи на те, що він дивиться телевізор.

— Страшна відьма упіймала ірландця, англійця і шотландця і поклала їх спати з істотами-людожерами. Ірландцю треба було спати із зубатими мурахами. Вранці відьма зайшла до кімнати, де чоловіки спали. Вона сподівалась знайти їх мертвими, але ірландець вижив. «Як тобі вдалося вижити?» — питає відьма.

«Я вбив одного зубатого мураху, а всі решта пішли на його похорон».

Батько посміхається, але не сміється.

Я більше не переймаюся. Мені тепер байдуже, що він робить чи не робить. Мені не треба подобатись йому. Мені він узагалі не потрібен.

Вихідні я просидів в своїй кімнаті, читав «Книгу рекордів Гіннеса», писав «Ланруж Інхерб» і робив уроки, щоб у понеділок знову вразити містера Роше. Я вже звикаю обходитися без ігор з Брендоном.

19

Як і обіцяв містер Роше, у понеділок уранці на нас чекав сюрприз. Наші парти зсунули одна до одної так, що між ними майже немає проміжку, і в задній частині кімнати повісили дві червоні вельветові штори на білій жердині. Штори розсунені, зібрані чорною мотузкою. Вони схожі на ті червоні вельветові штори, які відкриваються і закриваються перед екраном у кінотеатрі. А за шторами, десь за півтора фути, маленький дерев'яний стіл з коробкою книжок, за ним крісло.

— Добре,— каже містер Роше.— Сідайте на місця і дивіться уважно. Якщо ви будете сидіти тихенько, я розповім вам про штори і стіл у кінці класної кімнати.

Ми сидимо на місцях і чекаємо.

Містер Роше йде в кінець кімнати.

— Тепер поверніться,— каже він.

Він сідає за стіл, за шторами, і дістає з коробки з десяток книжок. Це «Рідерз дайджест», кожна з них. Він дістає з кишені бейдж і прикріплює його до кишені піджака: «Бібліотекар».

Він посміхається.

— Ласкаво прошу до моєї уявної бібліотеки.

Тоді він підводиться і розв'язує мотузки на шторах, штори закриваються перед ним. Із-за штори він наказує нам, що робити. Він кричить, як ведучий на сцені. Всі ми дивимося одне на одного.

— Станьте в чергу по одному, і коли підійде ваша черга, подзвоніть у дзвоник на правій шторці. Потім відкрийте штору і зайдіть в уявну бібліотеку.

— Нікуди ступати,— каже Джиммі, брат Осмонда.

— Тобі треба уявити,— каже містер Роше.— І як тільки за тобою закриються штори і ти стоятимеш біля столу, я запитаю тебе, яку книжку ти хочеш узяти.

Ідея в тому, що навіть якщо всі книжки — це «Рідерз дайджест», треба вдати, що бібліотека справжня, і попросити ту книжку, яку ми найбільше хочемо прочитати. Містер Роше буде записувати всі запити протягом декількох наступних тижнів і таки переконає школу зробити належну, більшу бібліотеку.

— Кожного дня о пів на третю ви будете ставати тут у чергу. І коли ви попросите книгу, я даватиму вам проект, базований на цій книжці. І через те, що книжка уявна, то таким буде і зміст вашого проекту.

О чотирнадцятій двадцять у мене було передчуття, що містер Роше назве моє ім'я, і він точно так і зробив.

— Джоне Іган,— каже він,— ти гарний читач. Чому б тобі не розпочати? Чому б тобі не стати першим хлопчиком, який відвідає уявну бібліотеку?

Я встаю.

— Так, сер.

— Добре. Йди до штори і чекай. Усі решта ставайте в чергу за Джоном Іганом.

Містер Роше йде до столу за шторами. Я дзвоню в дзвоник, відкриваю штору і відпускаю її, щоб вона закрилась за мною. За шторкою червоно і затишно, і тут добре ховатися.

— У мене буде книга про вікінгів,— кажу я.

Він лізе в коробку і дістає старий «Рідерз дайджест».

— О,— каже він.— У нас є том енциклопедії, якраз присвячений цій темі. Бери його додому і підготуй нам доклад на завтра вранці.

Дорогою додому я не можу думати ні про що інше. Вдома я роблю бутерброд і йду у свою кімнату і думаю про містера Роше і його чудову ідею. Я репетирую, як розповім йому про свій талант, і фантазую про те, що він скаже. Після чаю я сиджу на своєму ліжку і, навіть не відриваючись від телевізора, пишу уявний доклад про життя вікінгів. Я злукавив тільки раз, коли підглянув в одну з батькових історичних книжок.

Я поспішив до школи і весь день чекав можливості розказати про вікінгів.

О пів на другу містер Роше просить мене вийти перед класом. І я розпочинаю оповідати свою версію життя вікінгів. Я стою з руками по швах, піджимаю пальці ніг у черевиках, щоб не рухатися, і починаю.

— Вікінги любили співати, коли пливли на великому вікінговому човні, і був приз, який вручали кожного тижня вікінгу, який вигадував найсмішнішу пісню. Коли вікінги заходили в новий порт, вони завжди викрадали дівчинку (у неї мало бути довге волосся до пояса), забирали до себе на човен, змушували лежати в гамаку, а самі відрізали їй коси. Тоді вони кидали її в воду і дивилися, як вона тоне. Після того вікінги їли печиво і пили віскі і потім вони йшли до найближчого села і забирали все золото і смарагди, і рубіни, і діаманти. Іноді вони забирали котів, щоб ті жили з ними на борту.

Я не нервуюся. Ніколи в житті я не був спокійним, коли говорив перед класом. Зазвичай я знервований. Іноді я нервуюся навіть від того, що хтось знервований, як тоді, коли я був на шкільному концерті і дівчина, яка гортала ноти піаністу, так тряслася, що сторінки впали з підставки.

Коли я закінчив, містер Роше підійшов до мене і поклав руку мені на плече. Була тиша, і він говорить:

— Це було неймовірно, Джоне. Блискуче.

Я сідаю, і він довго розказує класу про вікінгів. Ми вивчаємо деякі мечі вікінгів, як-от «малюк-убивця», «мозгоїд», «розсікач людини». Я записую все і кладу цей папірець у кишеню.

Віднині свій швейцарський ніж я буду називати «батькогриз».

Заходячи додому, я відчуваю, що настрій змінився. Наче мій успіх у школі кудись вивітрився. Вдома тепло і пахне смаженою куркою. Батько, мама і бабуся на кухні, розмовляють. Мама смажить шинку з цибулею, радіо увімкнене і в печі повно дров. Батько ходить перед нею навшпиньки і вдає, ніби от-от вкраде шинку з пательні.

— М-м-м…— каже він, витираючи руки об штани.

— Не роби цього! — каже мама, але вона сміється і не сердиться. Волосся у тата скуйовджене і звисає йому на око, і він здається щасливим. У нього червоні губи і такі самі щоки. Він хапає шинку з пательні і передає мені.

— Ось, синку. Це тобі.

Я підходжу, беру гарячу шинку і відправляю її до рота.

— Немає нічого кращого за вкрадений кусок м'яса, згоден?

— Так, згоден,— кажу я і сміюся разом з ним.

Мама сміється з нього, і вони бігають навколо столу.

— Спіймай його, мамо! — кажу я.

Бабуся досмажила шинку і сміється з того, як батько повзає під столом. Мама теж полізла під стіл, незважаючи на те, що вона в гарному рожевому платті і туфлях на підборах.

Я хочу приєднатися, тож іду до столу і присідаю.

— Спіймай мене,— кажу я.— Я з вами хочу.

— Іншим разом,— каже батько.— Гадаю, ми достатньо з тобою побігали днями.

Вони виповзають із-під столу, і батько повзе позаду мами, штовхаючи її через усю кухню, доки вона не доповзає майже до дверей.

— Ах ти злодій,— каже вона, і вони знову починають бігати навколо столу.

Я хочу бігати з ними.

— Чому ти нарядилась? — питаю я маму, коли вона нарешті сіла за стіл, почервоніла і запирхана.

— Ми сьогодні збираємося на танці, а твоя бабуся буде нашим водієм.

Бабуся посміхається.

— Я лишаюся сам?

— Так, але не хвилюйся. Ми повернемося не дуже пізно. І ти можеш з'їсти весь крем.

Я лишаю їх і йду до вітальні. Вони приходять сказати «до побачення», і я майже не дивлюсь в їхній бік. Я дивлюся телевізор до одинадцятої, потім сиджу на своєму ліжку з Кріто на колінах і чекаю, доки вони повернуться. Вже після одинадцятої. Коли повз проїжджає машина, Кріто зістрибує і йде до мого вікна, потім повертається, побачивши, що ніхто не піднімається до будинку.

Я міцно тримаю її, щоб вона більше не зіскакувала, затис їй живіт, гладжу його і розмовляю з нею.

— Що хочеш роби, але не приводь більше коше-
нят,— кажу я.

Вона намагається зіскочити, коли проїжджає на-
ступна машина, і я тримаю її міцніше.

— Не треба,— кажу я.— Сиди.

Вона пручається, і я хапаю її за хвіст, посередині,
і, коли вона хоче втекти, відчуваю дивну ребристу
кістку під шкірою і хутром і смикаю щосили. Вона
вивається, але я не хочу відпускати.

Вона шипить на мене. Мені погано. Я відпускаю
її, але не йду за нею. Замість цього я витріщаюся на
стелю і фантазую про подорож до Ніагарського во-
доспаду. Я зустрінуся з двома чоловіками з «Книги
рекордів Гіннеса» в аеропорту Нью-Йорка, і вони за-
пропонують мені донести валізу. Вони скажуть мені,
що ми зупинилися на чотирнадцятому поверсі вели-
кого готелю біля Емпайр-Стейт-Білдінг, і вранці ми
поїдемо потягом у вагоні класу люкс до Ніагарського
водоспаду, у цьому потязі є вагон-ресторан, балкон
і власний оркестр. У Ніагарі біля водоспаду Хорсшу
буде знімальна група, яка зніматиме мою першу зу-
стріч з Робертом Ріплі. Я заснув до того, як припинив
фантазувати, але це дало мені змогу облишити думки
про те, коли ж вони повернуться додому.

20

Опів на третю знову настав час вишикуватися в чергу до уявної бібліотеки за шторою.

Брендон перший. Він дзвонить у дзвіночок, засуває за собою штору і підходить до містера Роше.

— Я хотів би книжку про те, як робити парасольки, тому що моя мама постійно губить наші.

— Книжку про виготовлення парасольок. А-а, ось вона,— каже містер Роше і робить наліпку на обкладинку «Рідерз дайджест», як він завжди робить, і на цій було написано: «Виготовлення парасольок».

Коли Брендон забрав свою книжку, Кейт проштовхнулася наперед черги і подзвонила в дзвіночок і пішла за червону штору.

— А чи є книжка про те, як змусити брата припинити дзюрити в ліжко? — каже вона.

— За цією книжкою я мушу йти до архіву,— каже містер Роше.

Він виходить із-за штори і йде до комори з мітлами і виходить звідти із ще одним «Рідерз дайджест». Він показово струшує пил з нього і бормоче до себе. Але хіба він не розуміє, що Кейт замовила цю книжку, щоб подражнити мене? Хіба він не здогадується, що вона збирається робити?

— Те, що доктор призначав: *«Десять кроків до сухого ліжка»*,— каже він і передає книжку Кейт.

— Дякую,— каже вона.— Це те, що треба.

Можливо, містер Роше підозрює її, але хоче дати їй шанс змінитися. Можливо, він забув, що він тут для того, щоб захищати мене. Він повертається на своє місце за шторою, Кейт бере книжку і кладе мені на стіл.

— Ось,— каже вона, закриваючи кришку парти.— Почитай це і припини обсикати штани!

Кейт сідає за свою парту, її руки схрещені на грудях, і в мене подих перехопило від спроб вигадати, що їй відповісти. Але мені не треба нічого казати: містер Роше виходить із-за штори і через те, що він бачив Кейт звідти, іде прямо до її парти.

— Де ти діла ту книжку, яку я щойно тобі дав? — питає він.

— У мене в парті.

Містер Роше заглядає в парту до Кейт і, не знаходячи там книжки, перевіряє мою. І бачить її в моїй парті. Він підходить до Кейт і бере її за волосся. Вона пручається, і рожева резинка злітає з її довгої каштанової коси і падає на підлогу. Потім він зупиняється.

— Ой,— каже вона.

Він такий злий, що навіть неспроможний говорити. Замість цього він витягує її з місця. Кейт виривається і біжить до вікна. Містер Роше стоїть біля її парти.

— Кейт Бреслін, підійди негайно. Усі сіли на свої місця!

Він аж підскакує від гніву, його шия роздулась і пульсує. Кейт вхопилася за край штори, Містер Роше йде до неї.

— Ти збрехала мені! — кричить він.— Збрехала!

— Ні.

— Так. Навіщо ти це зробила? Чому ти така жорстока?

— Що? — каже вона.— Що я зробила?

* * *

Ми зі своїх місць дивимося на містера Роше, як він підходить до дошки і становиться там зі схрещеними руками. Руки піднімаються і опускаються разом з вдихом і видихом.

— Повертаємося до орфографії,— каже він.

Коли містер Роше опускається у своє крісло, Кейт повертається до Брендона і каже йому щось, що змушує його засміятися. Містер Роше підводиться і мовчки виходить із класу. Нам чутно, як він риється в коморі, потім повертається з вугільним відром, повним води. Він розчищає місце на підлозі за фут від свого столу і ставить відро перед усім класом.

— Кейт Бреслін, ставай на коліна і пий, як собака.

— Що?

— Повзи рачки сюди і пий з відра.

— Ні,— каже вона.— Не буду.

— Давай сама, бо я змушу.

— Ви збожеволіли,— каже вона.— Я не робитиму це.

Містер Роше підбігає до неї, хватає її за волосся і тягне, потім нахиляє її до підлоги і суне головою у відро з чорною, брудною водою.

— Ти знаєш, що твоє зло робить світові? Ти розумієш, що таке причина і наслідок? Ти думаєш, зло з'являється з нізвідки?

Вона мовчить. Він тицяє її обличчям у воду.

— Пий,— каже він.

Вона п'є. Він задовольняється і витягає її голову з відра. Вода стікає по її шиї і спині, наче кров.

Я гадаю, вже достатньо, коли вона починає плакати, але він стає навколішки, тримаючи її сідниці однією рукою, і тисне другою на потилицю, знову занурюючи її обличчя у відро.

Кейт стогне, і він, нарешті, припиняє.

— Добре,— каже він.— Тепер стань позаду класу.

Вона йде в кінець кімнати, і він віддає їй свій светр, щоб вона витерлася. Вона притискає светр до обличчя.

— Через таких, як ти, чоловіки стають ґвалтівниками,— каже він.— У кожній школі країни такі переслідувачі, як ти, роблять із хлопців убивць і божевільних.

Кейт ридає.

— Будь ласка, не робіть цього більше,— каже вона.— Мені дійсно шкода. Мені треба до туалету.

Але містер Роше ще не закінчив.

— Ти нікуди не підеш.

— Будь ласка, сер, відпустіть мене додому. Пробачте мені.

Він стоїть зі схрещеними руками і пильно на неї дивиться.

Ми всі сидимо і чекаємо. Третя година, дзвенить дзвоник на закінчення уроків. Нам треба іти. Але ніхто не рухається, настільки тихо, що чути бурчання в животі. Всі мовчать, коли повз нашу кімнату проходять вчителі і діти з інших класів, забираючи свої куртки. Містер Роше стоїть біля дверей і посміхається, і махає їм рукою.

О третій годині десять хвилин біля класу проходить містер Донеллі, і містер Роше каже йому, що ми пишемо тест і доти не підемо додому, доки останній учень не здасть роботу. Містер Донеллі заглядає до нас, бачить, що ніхто не пише, відкриває рот, але нічого не каже. Він дивиться на годинник і потім іде. Ніхто не в змозі ворухнутися. Ми повертаємось назад і бачимо Кейт, яка дивиться на містера Роше. Тоді це відбувається: о третій годині п'ятнадцять хвилин Кейт обмочилася в штани.

Це наче я обмочився. Наче це моя сеча стікає по її ногах, під її ногами моя калюжа. Я відчуваю сечу на своїх ногах і мокрий жар у шкарпетках. Коли містер Роше підійшов до неї і поклав їй руку на плече, це я заспокоївся від його дотику.

— Опорядись,— каже він.— Усі решта йдіть додому.

Я стою біля столу і чекаю, доки всі вийдуть із класу. Він підходить до мене і бере за руку.

— Тобі зараз краще теж піти додому,— каже він.— Побачимось завтра.

Я злегка посміхаюся.

— Немає причин не підняти гордо голову, Джоне Іган,— каже він.— Вище голову заради мене, і покажи мені, який ти, коли сповнений гідності.

І, незважаючи на те що Кейт плаче і дивиться на мене, я гордо піднімаю голову.

— Не так високо,— каже він.— Отак.

І він узяв мене руками за обличчя і трохи опустив його.

— Отак. Ти сильний і маєш виглядати сильним.

І коли він підняв моє підборіддя догори, то пильно подивився на мене, і я відчув щось дивне і приємне в животі.

— Дякую,— кажу я.— Дякую, містере Роше.

— Тепер іди,— каже він.— Я потурбуюся про Кейт.

Я прийшов додому, у котеджі тихо і темно. Спочатку я подумав, що нікого немає, але у вітальні зсередини зачинені двері. Хтось підпер кріслом ручку дверей. У мене серце вискакує і б'є в груди. Я чую, як за дверима хтось тихо розмовляє. Я штовхаю двері, але вони не відчиняються. Я кричу:

— Хто тут?

Мама відповідає:

— Джоне, нам треба трохи поговорити. За хвилинку ми вийдемо.

— Мені не можна увійти? — питаю я.

— Притримай коней,— каже батько, і я розвертаюся і біжу до своєї кімнати.

У мене ніс свербить — коли я шкопиртаю, і поки лечу до землі, відчуваю такий самий свербіж у носі. Хочеться до туалету, але коли я туди приходжу, нічого не виходить. Я йду до своєї кімнати, зачиняю двері і лізу під матрац — перевірити, чи на місці «Ланруж Інхерб». На місці. І я перевіряю гроші, які взяв з бабусиного гаманця. На місці.

Я поклав волосину на першу сторінку «Ланруж Інхерб», тож я бачитиму, чи брав його хтось, і я поклав гроші між двома картонками, провівши на нижній картонці чорною ручкою лінію там, де повинна лежати перша банкнота. Нічого не здвинуто. Але я все одно турбуюся.

О пів на сьому заходить мама.

— Джоне, двері були замкнені, вибач. Твоя бабуся хотіла поговорити про дещо особисте.

— Нічого,— кажу я.

— Не варто турбуватися, Джоне.

— Усе в порядку,— кажу я.— Я не турбуюся.

— У нас буде тушковане м'ясо на вечерю. Допоможеш мені начистити моркви?

— Гаразд.

Мені не треба знати, про що була розмова.

21

Наступного дня Кейт не прийшла до школи, а містер Роше поводиться так, ніби нічого не сталося. Він смішить нас історіями про Дублін і пояснює нам про дроби.

Я обережно і пильно придивляюсь до нього цілий день. Я уважно слідкую за всіма його рухами, як він говорить, які слова використовує, що він робить руками і як тримає крейду і ручку. Він також на мене дивиться.

Він мені не посміхається і не підморгує, але це через обережність: ніхто не повинен знати, що те, що він зробив учора, було зроблене для мене. Це було б помилкою — дати всім зрозуміти.

Я щасливий іду додому по стежці, яку сам витоптав. Але через деякий час прогулянка здалася мені невідповідною моєму настрою, і я почав уявляти, що біжу марафон за Ірландію на Олімпійських іграх.

Я підходжу до дерева з лялькою; вона, здається, вперше заспокоєна на вигляд, наче гілка — це рука, яка підтримує її, щоб вона краще бачила світ з висоти.

Але мій гарний настрій швидко минув.

Я прийшов додому, мама і тато стоять біля машини. Двигун працює, поруч стоїть шість валіз. Одна з них — маленька, блакитна, з тонкої фанери — моя.

Я думаю: може, це сюрприз, вікенд у парку, той самий, що батько так часто обіцяв мені?

Бабусина машина стоїть біля будинку замість того, щоб бути на своєму місці біля в'їзду, і ці зміни в звичному порядку речей говорять мені, що з нею щось сталося і що не сюрприз, не вікенд у парку чекає на мене.

— Ми їдемо в Дублін на декілька днів,— каже батько.

Мені треба, щоб він говорив трішки довше, щоб зрозуміти, чи він бреше. Я не приділив належної уваги. Можливо, він склав іспит.

— Чому? — питаю я.

Він виходить наперед з розпростертими руками з наміром покласти їх мені на плечі. Я відходжу, і він опускає руки собі на стегна, наче вони там зазвичай лежать.

— Чому ми їдемо так раптово?

— Я скажу тобі в машині.

У мене звело живіт. Що буде з моїми грошима і «Ланруж Інхерб»?

Я стаю впритул до нього і дивлюсь йому в очі.

— Але, тату, де Кріто? Вона їде? Можу я піти по неї? Вона, напевне, на моєму ліжку. Я піду принесу її.

Я збираюся йти, але він хапає мене за руку.

— Припини хвилюватися через цю дурну кішку і сідай у машину,— каже він.

— Боляче. Пусти.

Він відпускає, і я відсакаю від нього. Я рухаюсь назад до дверей, до Кріто і до моїх грошей.

Виходить мама і простягає руки.

— Вибач, любий. Але нам треба виїхати засвітло. І ти не можеш лишитися.

— А як же моя «Книги рекордів Гіннеса»?

— Ми поклали п'ять із них тобі у валізу. Тобі вистачить. Будь ласка, сідай у машину.

— Які саме п'ять?

— В машину! — каже мій батько.

* * *

Декілька миль ми їдемо у тиші, і потім батько просить маму підкурити йому цигарку. Вона затягується декілька разів і віддає йому. Він тримає цигарку між великим і вказівним пальцями і смокче приплющений і мокрий фільтр.

— То ми зупинимося в тітки Евелін і дядька Джералда? — питаю я.

Мама на своєму сидінні повертається і тягнеться, щоб покласти руку мені на коліно.

— Так, на декілька днів.

— Чому? — питаю я.

Батько уповільнює машину і говорить тихим голосом. Перед нами вантажівка, і я його ледве чую.

— Я скажу тобі чому, але обіцяй мені не чіплятися більше з запитаннями.

— Обіцяю.

— З твоєю бабусею почалися деякі проблеми, і вона попросила нас поїхати.

— Ненадовго,— каже мама.

— Які проблеми? — питаю я.

Батько притискає машину до узбіччя, майже з'їхав у кювет. Вантажівка сигналить, проїжджаючи, і водій дивиться на нас.

— Я скажу це лише раз,— каже батько.— Так?

Він кидає недопалок у вікно, не загасивши його.

— Так,— кажу я.

— Тоді слухай,— каже він.— Я трохи посварився зі своєю матір'ю, і, доки все не владнається, ми поживмо в Дубліні. Ти не питатимеш, чому ми посварилися, і я не скажу тобі.

— Це через гроші?

Батько зупиняється на узбіччі і починає кричати, майже верещати, так гучно, що важко розібрати, що він говорить. Він кричить на мене, але дивиться на маму. Потім він опускає голову на руль і починає плакати. Принаймні на слух здається, що він плаче, але я не бачу його обличчя.

— Чому я не можу просто жити? — каже він.— Це все, що мені потрібно. Чому мені не дають жити?

Він каже це і ще схожі слова, повторює знову і знову, іноді голосно, іноді тихо; мама заспокоює його, поклавши руку йому на передпліччя.

— Я поведу? — питає вона.

— Ні,— каже він, його голос хриплий і стомлений.— Я поведу.

І ми поїхали в цілковитій тиші.

Ми повільно їдемо крізь дощ по сільській дорозі. Зупиняючись у містечках на світлофорах, я заглядаю у вікна машин і помічаю, що коли я витріщаюся на людей і вони мене не бачать, то часто відчувають, що я дивлюся, і оглядаються. Кожного разу, коли хтось дивиться на мене, я відвертаюся, ніяковіючи. Я б хотів навчитися продовжувати дивитися на людей і посміхатися їм, але це дуже важко. Цікаво, що змушує людей розуміти, що на них дивляться? Можливо, це пов'язано з моїми здібностями.

Після години їзди мені стало холодно на задньому сидінні.

— Я змерз,— кажу я.

— Зараз,— каже мама.— Ми зупинимося і дістанемо з багажника ковдру.

— Не зараз,— каже батько.

Уже майже стемніло, коли ми зупиняємось випити чаю в готелі біля гори Віклоу. Батько обирає столик у задньому кутку. Я не можу дивитися на нього. Я сконцентрований на навколишньому оточенні.

У готелі пахне пивом і чипсами. Столи накриті білими скатертинами, і столові прибори охайно виставлені в ряд. Склянки перевернуті догори денцями, і сільнички з перечницями наповнені доверху. Освітлення таке, що, здається, вже пізня ніч. На підлозі в центрі лежить пачка чипсів «Тайто», але ніхто не піднімає її. Потім якийсь старий таки вдарив по ній ногою, чипси гострими крихтами розлетілися по килиму.

Галаслива дівчинка стоїть і грається вхідними дверима. Вона забігає і вибігає, і, коли вона лишає двері відчиненими, люди в задній частині бару скаржаться на протяг. Кожного разу, коли дівчинка лишає двері відчиненими, її брат підводиться і зачиняє їх. Ніхто не просить його це робити, він просто робить це, лишаючи свою вечерю простигати на столі.

Я приділяю увагу кожній деталі: яка одежа у дівчинки, колір її волосся, що кричать їй люди, щоб вона зачинила двері, і що при цьому люди роблять зі своїми руками. Я проведу експеримент, подивлюся, наскільки точно зможу запам'ятати готель.

Ми поїли, батько почав розмовляти з барменом про Дублін, а мама показує на карті на стіні місце, звідкіля ми виїхали.

— Я знаю, звідки ми,— кажу я.— І знаю, де Дублін.

— Звісно, ти знаєш,— каже вона.— Я не була впевнена, що ти пам'ятаєш. Ти був там дуже давно.

Перед тим як виїжджати, мама дістає з багажника плед; я умощуюся, скрутившись на задньому сидінні, але я не поміщаюся і чіпляю колінами спинку батькового сидіння. Тоді я сідаю, обіпершись спиною на пасажирські дверцята.

Мама накриває мене пледом і підтикає його навколо мене. Батько дивиться на мене в дзеркало заднього огляду, закушує губу і заводить двигун.

— Треба їхати,— каже він.

Мама сідає на пасажирське сидіння, не кажучи йому нічого.

Я не можу спати. Думаю над тим, що зараз відбувається зі мною, у яку школу я ходитиму і чи побачу колись знову містера Роше, чи Брендона, чи Кріто. Думаю, чи знайдуть викрадені гроші.

— А що потім? — питаю я маму.— Бабуся приїде до нас у гості?

— Джоне, зараз ніяких запитань. Пізніше.

— Але що буде? А школа?

— Подивимось,— каже вона.

Я припинив питати і заснув на задньому сидінні машини. І не прокидався до самого Дубліна, доки ми не під'їхали до воріт Фенікс-парку.

Батько каже:

— Тут, у зоопарку, є лев.

— І тигри, і слон,— каже мама.

Я б сходив до зоопарку. Хочу побачити тигра. Колись я читав про сибірського тигра, який втік із кліті і бігав розлючений містом, доки йому в задню ногу не влучили транквілізатором. Я хочу побачити кліті в Дублінському зоопарку і зрозуміти, як із них можна втекти. Здається, одного разу Гудіні вдалося звільнитися з мавпячої кліті в зоопарку. Сподіваюся, вони спакували до валізи видання з цією історією.

Тітка Евелін махає нам біля дверей чотириповерхового будинку з терасою, перший поверх якого вона використовує під свою книгарню. Вона у великій чорній курточці поверх нічної сорочки, за нею мовчки стоїть дядько Джералд. Він говорить так рідко, що часто забуваєш, що він тут присутній. Якось він приїздив до нас у Горі з тіткою Евелін, і наступного дня я спитав у матері:

— Чому дядько Джералд ніколи не приїжджає?

Мама розсміялася.

— Він був у нас учора,— сказала вона.— Ти ще жартував з ним про тук-тук. Тук-тук. Хто? Дід Пихто.

Я засміявся.

— А-а, точно. Він ще тоді сказав: «Ах ти бісеня».

— Так.

— Але ж я не бісеня?

— Сущий янгол.

На довгій вузькій вулиці, де живе тітка Евелін, у жодному домі не ввімкнено світло, з готелю виходять троє чоловіків, через двоє дверей від книгарні хтось співає.

Я пам’ятаю вулицю і будинок тітки Евелін ще відтоді, коли ми зупинялися тут, мені було сім. Але я не пам’ятаю, щоб її будинок було пофарбовано в темночервоний, як загусла кров, колір.

Тітка Евелін узяла мене за руку.

— Веселіше. Маєш такий вигляд, ніби в тебе щойно новенького велосипеда вкрали,— каже вона.

— Може, й вкрали,— кажу я.

Вона тягне мене за руку.

— Ходімо, я покажу твоє ліжко.

Піднімаючись сходами, вона раптом зупиняється і обертається до мене через плече.

— Будеш у кімнаті з твоїм кузеном Ліамом,— каже вона.— Він не в гуморі зараз, але не кусається.

Ліаму п'ятнадцять, і, хоч він і мій двоюрідний брат, я його майже не знаю.

— Мені байдуже.

Ми піднімаємося на третій, верхній, поверх і повертаємо ліворуч до маленької темної спальні. Ліам лежить у ліжку на спині, всунувши руку в спортивні штани. У його кімнаті смердить кислим молоком, і в нього волосся тьмяного жовтого кольору, як мокре сіно.

— Здоров,— каже він не поворухнувшись.

Він не витягнув руки зі штанів, вона так і лежала там не рухаючись. Може, він так її грів. Опалення вимкнене, і в будинку страшенно холодно.

— Ну добре,— каже тітка Евелін.— Лишу вас наодинці. Але сидіть тихенько, бо розбудите близнюків.

Я ставлю валізу біля ліжка Ліама і через те, що він не дивиться на мене і, здається, не хоче, щоб я був у його кімнаті, спускаюся сходами до ванної на перший поверх. На сидінні унітаза і на підлозі краплі сечі, і у ванній смердить, як із коробки Кріто, коли їй підстилку давно не міняли. Я стою над унітазом і дивлюсь у воду. На дні лежить один пенс, навколо нього бронзова пляма. Я дістаю з кишені два пенси і, кидаючи їх в унітаз, кажу:

— Будь ласка, я хочу додому в Горі. Хочу додому через тиждень. Будь ласка.

Я знайшов маму. Вона в єдиній на першому поверсі спальні, на тому ж поверсі, що і ванна, кухня та вітальня.

Вона розбирає валізу на підлозі біля односпального ліжка, накритого жовтою пуховою ковдрою. Єдине, що є в кімнаті, окрім ліжка,— це маленький стіл з друкарською машинкою.

— Привіт,— кажу я.— А де тато спатиме?

Вона дивиться на мене і посміхається.

— Я зараз трохи зайнята, Джоне. Повертайся нагору і розпакуй свою валізу.

Я йду до кімнати Ліама і розбираю валізу. Він не говорить до мене. Він сидить на кроваті і їсть чипси з пакета. У валізі п'ять останніх видань «Книги рекордів Гіннеса» і майже весь мій одяг. Склавши книжки і одяг на комод Ліама, я сідаю на ліжко біля нього та він усе ще не говорить до мене. За півгодини заходить батько.

— Спускайся на кухню, поговоримо.

— Не піду.

— Підеш.

Я йду за ним сходами на перший поверх.

Мама заварила в чайнику чай, і тітка Евелін витирає підставки під тарілки смердючою ганчіркою. Стіл брудний, на ньому розкидані підручники, пакети з-під фастфуду і пляшки з-під молока. Я сідаю і розчищаю навколо себе місце; олівці падають на підлогу, і я їх не піднімаю.

— Тобі треба потерпіти,— каже мама, згрібаючи руками крихти зі столу.

— До чого потерпіти?

— Буде багато змін, і для деяких змін потрібен час,— каже вона, допиваючи з пляшки молоко.

— Змін стосовно чого? — питаю я.

Батько подається вперед і бере мене за руки. Його руки спітнілі.

— Стосовно того, де ми будемо жити,— каже він.

— Хіба ми не можемо повернутися? Ви казали, що ми просто побудемо тут трохи.

— Можливо, відтепер ми будемо дублінцями,— каже мама.

— Хіба це не чудово? — каже тітка Евелін.

Я гніваюся і не знаю, що і як сказати. Що буде з грошима і з «Ланруж Інхерб» під матрацом?

— А як же Кріто?

— Ну добре,— каже мій батько.— На сьогодні вистачить. Іди в ліжко. Завтра на сніданок вівсянка.

— І що тут раптом такого гарного у вівсянці? — кажу я.

Батько підводиться.

— Вівсянка — це завжди гарно,— каже він.

Дядько Джералд посміхається мені, але все, що я бачу,— це те, як бабуся лупить Кріто по голові совком, примовляючи «Ах ти лишайна».

Я піднімаюся на третій поверх і лягаю спати на одномісному ліжку з Ліамом, валетом. Він хропить і ворочається уві сні, наче місця повно. Я зсунувся на край ліжка, та воно старе й провисле, і тому я скотився назад, на середину матраца, й опинився впритул біля ніг Ліама.

22

Я прокинувся рано, до того як вимкнули вуличні ліхтарі, і, гадаю, Ліам також уже не спить. Я чую, як він каже «Його пред'явнику» і «Один мільйон фунтів».

— Що? — кажу я.

— Його пред'явнику один мільйон фунтів,— каже він знову так чітко, ніби не крізь сон.

Він спить на спині, рот широко розкритий. Мені хочеться щось кинути в нього типу лампочки, яка звисає з роздовбаного патрона над моєю головою.

Я встаю з ліжка о пів на дев'яту і йду в піжамі на кухню. Тут нікого немає, але світло ввімкнене. Я не хочу бути сам.

Я йду сходами вниз до книгарні на цокольний поверх. Сходи не освітлені. За стіною шкребуться пацюки, так само, як вони шкреблися в нашій старій квартирі у Вексфорді. Іноді, коли ми мовчки сиділи у вітальні, один пацюк виповзав на середину кімнати, так тихо, як пір'їнка, і роззирався навкруги, наче він на екскурсії. Потім помічав нас чи відчував наш запах і тікав назад до своєї нори.

Пацюки завжди виходили поодинці, ніколи всією сім'єю, і був один найбільший коричневий пацюк з довгим чорним хвостом. Я вирішив, що це був головний пацюк. Після того як я побачив його декілька разів, я очікував, що буду постійно його бачити.

Якщо, заходячи у вітальню, я бачив боковим зором щось коричневе або чорне на підлозі, я думав, що це пацюк і я майже підстрибував. Мені завжди здавалося, що я бачив того пацюка. Батько казав, що в мене рідкісний випадок пацюкового психозу.

— Ти одного разу побачив пацюка на підлозі,— казав він,— і тепер думаєш, що все, що менше за черевик,— це пацюк.

За кілька тижнів після того як батько це сказав, пацюки перестали шкребтися за стіною вітальні.

Я трохи постояв і послухав це шкребіння, а потім ударив раз по стіні, перед тим як відчинити двері до книгарні.

— Доброго ранку,— каже тітка Евелін.

Вона стоїть на маленькій драбині і тягнеться до книжкових полиць.

Мої двоюрідні сестри, близнючки Целла і Кей, сидять на підлозі і дивляться на мене. Їм по сім років, але на вигляд вони молодші і, як їхній батько, не говіркі. Замість того щоб розмовляти з людьми, вони ловлять їхній погляд і витріщаються. Немає значення, як ти рухатимешся, їхні очі будуть спрямовані на тебе. Але не можна сказати, що вони щось бачать. Вони не зовсім дивляться, гадаю, вони не роздивляються. Їхні очі рухаються як намагнічені, наче в них немає вибору.

— Доброго ранку,— кажу я, сідаючи біля прилавку.

Тітка Евелін злазить із драбини і сідає поруч зі мною. Вона бере мене за руки.

— Де вони? — питаю я.

— Хто? Мама і тато?

— Так.

— Вони скоро повернуться.

— Де вони?

— Вони були в забігайлівці нещодавно, це декілька дверей вниз, але зараз вони точно вже пішли кудись звідти.

— Але куди?

— Спитаєш у них, як повернуться. І геть із дороги. Ти займаєш забагато місця.

Кей і Целла, сидячи спинами одна до одної на голій підлозі, підняли на мене очі.

— Як гадаєш, скільки мені років? — питає тітка Евелін.

— Не знаю,— кажу я.— Десь так само, як і моїй мамі.

— Ні! Я старша на вісім років, але мені не даси стільки, чи не так? Я користуюся оцим кремом. Подивись! Це працює. Тож скільки років, по-твоєму, мені можна дати? Не стільки ж, скільки мені є?

— Вважаю, ні.

Вона встає.

— Тепер іди нагору, Джоне, і поснідай.

— Я не голодний.

— Голодний,— каже вона.

— Тітко Евелін!

— Так.

— Можете мені ще порозказувати про Ніагарський водоспад перед тим, як я піду нагору?

— Я зараз зайнята,— каже вона.

Десять хвилин на десяту.

Вона розставляє книжки на полиці й обслуговує єдиного покупця, який прийшов. Він старий, у нього штучне око, біле, як мармур, і в руках ціпок. Він купив збірник кросвордів за п'ять пенсів. Він виходить, і вона знову сідає.

— Добре,— каже вона.— Дай мені подумати. Отже, була одна жінка в одному з музеїв. Це було увечері, у фойє було дуже темно…

Вона кладе стіс книжок на прилавок і витирає запилені руки об фартух.

— А чому було темно?

— Бо це був музей упирів і привидів і середньовічних знарядь для тортур. Отже, у однієї жінки були довгі пофарбовані нігті, дуже довгі, помаранчевого кольору, і вони були вкриті лаком, що світиться в темряві. Уявляєш?

Я хочу продовження.

— Ще розкажи.

Вона бере найтовщу книжку з прилавка і притискає до грудей.

— Якщо тобі не подобається історія, яку я розповіла, то я більше не розповідатиму. Давай, іди гуляй. Піднімайся, будь ласка, нагору і не заважай мені працювати.

* * *

Я піднімаюся на кухню. Ліам за столом, їсть пластівці. Напихаючи повен рот, він умочає носа в молоко, а потім з'їдає те, що витяг з ніздрів.

— Уже початок одинадцятої,— кажу я.

— А тобі що з того, цяця-хлопчик?

— Нічого,— кажу я.

Він підносить миску з пластівцями до обличчя і сьорбає молоко; цей звук нагадує мені бабусю і я починаю думати про неї, як вона там, що робить, що Кріто робить і чи Брендон продовжує грати з Кейт. І про містера Роше. Цікаво, чи він питав про мене.

— До твого відома,— каже Ліам із напханим кашицею ротом,— у нас у школі дві зміни, ранкова і обідня.

— Чому?

— Бо забагато дітей.

У нього дублінський акцент і він увесь час мимрить. Я верчу в руках цукерницю, але не можу їсти. Я б не хотів сваритися з Ліамом, тому продовжую говорити, намагаючись бути привітним.

— Коли починається обідня зміна?

— О дванадцятій,— каже він.

— Що ти будеш робити до того?

— Пограю по дорозі в футбол з друзями,— каже він.— Не знаю.

Я тільки-но збирався спитати в нього, чи я можу приєднатися, як приїхали мої батьки.

Батько в костюмі з краваткою.

Я встаю.

— Привіт,— кажу я.

— Все добре? — питає мама.

— Добре,— кажу я.

Батько подивився на мене і насупився.

— Ти ще сьогодні з піжами не вилазив?

— А навіщо?

— Ти ж не захворів?

— Ні, але…

— Іди перевдягнися, будь ласка. Тоді повертайся і допоможи матері.

Коли я повернувся, батька вже знову не було; мама стоїть біля мийки і чистить картоплю. Тітка Евелін прийшла з шинкою із сусідньої крамниці.

— Сядь посидь,— каже вона мамі.— Я зараз почну готувати обід і все встигну до дванадцятої.

Мати сідає коло мене.

— Куди пішов тато? — питаю я.

— Побалакати з чоловіком стосовно собаки,— каже вона.

— Чому б тобі не розповісти мені, що відбувається?

190

— Потім, коли батько прийде.

— Нам треба повернутися в Горі,— кажу я.— Тобі треба готувати літню виставу. Ти не доробила ляльок.

— Видно буде,— каже вона, і, через те що я не люблю цей вираз, якщо він не є частиною нашої гри, я ненавиджу її за те, що вона так каже.

Ми сидимо мовчки.

Тітка Евелін швидко рухається по кухні, готуючи обід, вигляд у неї знервований. Зазвичай вона не знервована. Вона збиває чашку з буфета і вазу з серванта і встигає їх упіймати, доки вони не вдарились об підлогу. Вона рухається дуже швидко, як для жінки з фігурою Альфреда Гічкока.

— Блискавична реакція! — кричить вона.

— О боже мій,— каже мама і сміється якось дивно, затуляючи руками обличчя.

За обідом усі розмовляють про погоду, весілля і хрестини. Я не розмовляю. Мені стає нудно, і я йду до вітальні і дивлюся телевізор. Надворі злива, у кімнаті темно. Але мені невесело від телевізора, як це буває, коли я дивлюся його вдень. Я намагаюся примусити себе дивитися, ніби мені подобається, але я думаю про містера Роше і про те, як мені хочеться його побачити і як я чекаю на те, щоб скласти його перший тест на «відмінно». Я деру вавку у себе у волоссі, поки з неї не йде кров.

Майже о четвертій батько повертається додому. Від нього тхне кремом після гоління.

— Нам з мамою знову треба вийти. Декілька речей зробити,— каже він.— Займи себе чимось на кілька годин.

— Але мені нудно. Мені не можна з вами?

— Не цього разу,— каже мама.— Почитай або телевізор подивись.

Батько жбурнув у мене шоколадним батончиком «Марс», але я не встиг його піймати. Він приземлився на килим за фут від мене. Я дивлюся на нього, і батько також на нього дивиться. Я не збираюся піднімати його.

— Але куди ви? — питаю я.

— Побалакати з чоловіком стосовно собаки,— каже батько.

Мама підморгує мені.

— Це інший чоловік і інший собака,— каже вона, але мені не хочеться жартувати у відповідь.

Вони пішли, і я спускаюся до книгарні, до тітки Евелін. Сідаю біля неї в крісло за прилавком. Здається, вона мені зраділа. Вона дає мені пачку арахісу. Арахіс нагадав мені про зоопарк. Цікаво, чи може вона зводити мене? Ліам сказав, це за п'ятнадцять хвилин автобусом звідси. Я думаю, чи хтось допомагав тваринам утекти.

— Зводиш мене до зоопарку? — питаю я.

— Не зараз,— каже вона, навіть не замислившись про це.— Може, ти підеш у сусідній заклад ненадовго?

— Чому?

— Тому що мені треба дещо зробити наодинці, ось чому.

* * *

Я йду до забігайлівки і заходжу всередину. Стіни обклеєні полосатими шпалерами, червоно-жовтими, гучно грає радіо. Повно старих чоловіків і старих жінок і декілька молодих жінок попереду з колясками. Майже всі обличчям до входу, наче вони в потязі. Столи накриті жовтими цератами, на кожному стоїть по пляшці вустерського і коричневого соусу. Повіяло чипсами і ковбасками, і я відчув голод. Я б подивився в червоне пластикове меню на столі біля дверей, але тоді прийдеться щось купувати, навіть якщо я передумаю.

Жінка на касі дивиться на мене, і, хоча вона нічого не каже і не питає, я пояснюю:

— Я просто батьків шукаю.

— Ти загубився, дорогенький?

— Ні. Дякую, я піду.

Не знаю чому, але я почуваюся знервованим.

Я йду до сусідньої бакалійної крамниці, заходжу, дзеленчить дзвіночок.

Морін, стара жінка за прилавком, пам'ятає мене звідтоді, коли я зупинявся тут востаннє. Вона підбігає до мене.

— Джоне! — кричить вона.— Як ти виріс! Дорослий чоловік. Це просто неймовірно.

Вона хапає мене за праву руку біля плеча.

— А які м'язи!

Я висмикую руку.

— Іди посидь зі мною, допоможеш понаклеювати цінники.

Я сідаю з нею і починаю ліпити наклейки на маленькі кубики яловичого і курячого бульйону. Морін витягає кубики з великого пакета і продає їх штуками, незважаючи на напис на пакеті «Не для індивідуального продажу».

— Отже, що привело вас у Дублін, Джоне?

— Ми просто захотіли і приїхали.

— Ясно.

Вона відриває наклейку зі своєї зморшкуватої руки і ліпить її на бульйонний кубик.

— Набридло сільське повітря?

— Так. Набридло. І корови набридли. І бруд.

Чотири дні мої батьки були відсутні весь день і поверталися лише пізно вночі. Я лишився сам. Ліам ішов до школи в обід, і я дивився телевізор або читав «Книгу рекордів Ґіннеса».

Я читав і робив нотатки про Жана-Франсуа Ґравеле, він же Шарль Блонден, який перейшов через Ніагарський водоспад по тридюймовому канату в 1855 році. Коли Ліам у школі, я прибираю все з підлоги і наліплюю на неї тридюймовий скотч від стіни до стіни. Я йду по ньому з розчепіреними руками і намагаюся уявити, що я у повітрі на висоті 160 футів без страховки.

Я не можу утримати свої ступні в межах тридюймового скотча. Я не розумію, як це можна було зробити. Але коли я розглядаю фото Блондена, я вперше помічаю, що його ступні не стоять рівно. Щоб пройти по натягнутому канату, йому необхідно було вирівняти свої взуті ступні і ступати на канат їх боковою стороною. Що більше я про це думаю, то більше я не можу зрозуміти. Я попрошу тітку Евелін дістати мені книгу про Блондена та інших канатохідців.

Пізно ввечері мама з татом спустилися на перший поверх поговорити і подзвонити по телефону. Мама сказала мені, що батько шукає роботу і вони разом шукають нам житло.

Я спитав, чому ми не можемо жити в котеджі з бабусею, і вона каже:

— Можливо, пізніше. Ми трохи поживемо в Дубліні.

Тоді я спитав, чи можна подзвонити бабусі з телефону на кухні, але вона каже:

— Можна, однак пізніше. Просто залиш усе як є ще на декілька днів.

* * *

Це наша сьома ніч у Дубліні. Я в спальні Ліама, намагаюся зрозуміти, чи можу я пограти в «Клуедо» сам. Заходить батько і сідає на край провислого ліжка.

— Як справи? — питає він з удаваним дублінським акцентом.

— Нормально,— кажу я і кладу свій швейцарський ніж на дошку, де він може його бачити.

— Я думав, чи можна зателефонувати бабусі. Може, зараз зателефонуємо?

Він глибоко вдихнув.

— Не зараз, Джоне. Але скоро. Обіцяю, скоро зателефонуємо.

Я дивлюся на дошку «Клуедо» і на зображення мотузки і свічника. Я хочу знати, що з Кріто все добре, і що «Ланруж Інхерб» у безпеці, і мої гроші також. Я хочу знати, чи прийшла відповідь із «Книги рекордів Гіннеса».

— Не сумуй,— каже він.— Сприймай це як канікули чи пригоду.

Я витріщаюсь на нього, доки він не відвертається. Я пильно роздивляюсь його обличчя, наче це мапа, чи світлина, чи графіті на стіні, наче щось неживе.

Він встає.

— Не дивись на мене так, наче я щойно вдарив тебе по голові,— каже він.— Усе буде добре.

— Але коли ми повернемося додому?

— Ми вдома,— каже він.

— Але мама казала, що ми будемо жити в квартирі.

— Не розкисай. Нема через що сумувати. Подумай про тих бідних дітей, у яких зовсім нічого немає. Ані квартири, щоб жити, ані черевиків, щоб взутися.

— Як у тих, що в Африці?

— Так.

— Я краще не буду,— кажу я і беру мапу зі зброєю, на якій зображено мотузку, і показую йому.

Він витріщається на неї.

— І що це означає?

— Нічого,— кажу я.— Хочеш пограти в гру?

— Не зараз. Можливо, пізніше. Можемо всі разом пограти ввечері. З твоїми кузенами.

Я тримаю мапу з мотузкою перед ним і помічаю, що, незважаючи на те, що я знервований, мої руки не тремтять.

23

У понеділок ми прийшли до церкви на хрестини і сіли на передній ряд, всі на одну лавку. Я сиджу між тіткою Евелін і дядьком Джералдом, а Ліам сидить біля стіни і стукає по ній ногою. Целла та Кей витріщились на підніжжя хреста і щось шепочуть на своїй власній мові.

Коли з вівтаря виходить священик, його церковний убір ворушиться навколо нього. Ніби звір виліз з печери. Я б хотів побачити його житло, зазирнути за ризничі двері в його печеру і взнати, як воно там, усередині.

По дорозі додому батько раптом зупиняється біля крамниці, на затемненому вікні якої написано «Букмекерська контора».

— Я забіжу на хвилинку,— каже він.— Ідіть.

Він заходить усередину, і ми стоїмо на вулиці. Дядько Джералд шаркає ніяково ногами, обличчя і шия у моєї мами почервоніли.

— Букмекерська контора — це останнє місце, де йому треба бути,— каже тітка Евелін.

— Я не збираюся зупиняти його,— каже мама.— Хай робить що хоче. Хай руйнує...

Вона замовкає і дивиться на проїжджаючий автобус.

— Що руйнується? — кажу я.— Що він руйнує?

Вона дивиться у вікно букмекерської контори і потім чухає тильною стороною долоні мою щоку. Вона відкриває рота і закриває його.

— Що? — питаю я.— Що ти хотіла сказати?

— Нічого.

— Що?

Вона набирає повні груди повітря.

— Він…

— Що він?

— Він побив твою бабусю,— каже вона.

Вона дивиться собі під ноги, потім на шматок газети, який літає навколо ліхтарного стовпа біля моїх ніг.

— І зараз нас вигнали, і ми на брудній старій вулиці.

— Що? — кажу я.

— Ви не на вулиці,— каже тітка Евелін.

— Чому він побив бабусю? Коли?

Мама поклала руку мені на плече і тітка Евелін взяла мене за руку і потягла до себе, як вона робила вже, коли ми приїхали вночі. Це бридко: вони вдвох торкаються мене, одна тримає мене, друга тягне до себе. Хвиля сорому підіймається по моєму хребту аж до обличчя.

— Добре,— каже мама.— Час іти додому.

— Мені треба дізнатися,— кажу я.— Я піду всередину, я не йду додому.

Я заходжу всередину. Букмекерська контора заповнена димом і звуками кінних перегонів по радіо. Я стою на порозі декілька хвилин і роздираю вавку у себе у волоссі, доки з неї не йде кров. Я підходжу до нього.

У батька вже сорочка навипуск, і він стоїть у черзі до каси. Він стоїть позаду кривої лінії з чоловіків, у всіх у руках квитки, і кожен, як і батько, дивиться на першого чоловіка в черзі, переймаючись, чи довго той іще стоятиме.

Я стаю поруч із батьком.

— Тату? — кажу я.

Він, здається, не здивувався, почувши мій голос. Він дивиться прямо на касу, на ґрати перед віконцем каси і на те місце під склом, куди кладуть гроші перед тим, як їх забере касир.

— Що? — каже він.

— Це правда, що ти побив бабусю?

Він все ще не повертається до мене.

— То що, побив?

Він відкашлявся.

— Так,— шепоче він.— А тепер іди додому. Забирайся з цього проклятого місця.

— У нас немає дома,— кажу я.

Рука, яка звисає вільно, стискається в кулак, і червоні черв'яки-пальці ховаються під його волохаті кісточки.

— Іди додому,— каже він.

— Чому ти її побив?

Він дивиться на мене.

— Бо вона хотіла, щоб її побили,— каже він. Він знову відвертається, дивиться на касира.— Я побив її, бо вона гризла мене. Вона бачила, що я от-от ударю її, і продовжувала довбати мене. А тоді вона сказала мені забиратися з її будинку. І я вдарив її, і вона знала, що я її вдарю.

— Ти провалив тест «Трініті»?

Його кадик випнувся, і він витріщився перед собою.

— Провалив?

Він повертається до мене і в його очах сльози.

— Знаєш, а ти на неї схожий.

— На кого?

— На бабусю. Ти як та ґаргулья — сидиш і спостерігаєш за життями інших людей.

Мені соромно за нього і мені його шкода. І себе шкода. Я продовжую дивитися на нього. Якщо він заплаче, я вибачуся. Тоді, можливо, коли він закінчить справи тут, ми зможемо піти в забігайлівку біля тітки Евелін і поїсти тістечок. Але він лише відкашлявся, поклав руки в кишені і повернувся до каси.

— Іди додому,— каже він.

Я виходжу.

По дорозі до тітки Евелін я купив батончик «Марс» за ті гроші, що він дав мені вчора замість тих з вітальні, які забрав Ліам чи хтось із близнючок.

* * *

Коли я повернувся, усі сиділи за кухонним столом. Дядько Джералд сидить скраю біля туалету, поруч з ним близнюки. Він грається з ними. Він щось шепоче і посміхається, роблячи руками «Сороку-ворону».

— Сорока-ворона на припічку сиділа, діткам кашку варила,— каже він.— Тому дала, тому дала, тому дала, тому дала, а тому не дала.

Близнюки сміються, коли дядько Джералд говорить про ледара «Іди собі геть» і смикає за палець і мені від цього огидно. Він робить це знову, і, коли він каже «дров не рубав», близнючки відкривають роти і показують пожовану їжу і слину між зубів.

Ліам сидить ближче до дверей, де він завжди сидить. Моя мама і тітка Евелін сидять поруч, тримаючись за руки, у середині кімнати. Мама плаче.

Вони всі розмовляють ні про що. Про весілля і дружку, яка їла жувальні цукерки, вдавилася на це-

200

ремонії і виплюнула цукерку прямісінько на сукню нареченій.

На плиті пиріг з куркою до чаю, і, незважаючи на те, що всі голодні, мама каже, що треба дочекатися батька.

Сьома година, батька все ще немає. Ми починаємо їсти. Окрім дядька Джералда. Він не їсть, бо не любить їсти при людях, навіть якщо це його рідні люди.

Я дивлюсь на серветку, на якій намальовано мисливця, чоловіка в кепці на коні, собаку і мертву лисицю, яка звисає з паркану. Мама дивиться на мене, як я розглядаю лисицю. Вона зробила лисячі лапки і переляканий вираз обличчя.

Я посміхаюся, і вона посміхається у відповідь. Я думаю, чи це означає, що їй краще, і якщо так, то коли стане краще мені? Ліам піднімає свою тарілку і підносить до обличчя, потім, гадаючи, що ніхто не бачить, випльовує кусок пирога.

— Ліаме,— каже тітка Евелін.— Іди до себе і дай нам спокійно поговорити.

Ліам іде без суперечок, і за ним, наче цуценята, прямують близнючки.

— Отже,— каже моя мама.— Я повинна була сказати тобі, що зробив твій батько, а тепер, коли ти вже знаєш, я можу розставити все на свої місця.

Вона говорить, помішуючи свій чай, і я не чую, щоб ложка цокала об чашку. Вона говорить мені про те, що батько вдарив бабусю під час сварки і вона впала на буфет. Це був нещасний випадок, і її забрала швидка, щоб накласти шви. Я питаю, чому б татові не вибачитися, щоб ми могли повернутися додому, і вона каже:

— Він уже вибачився, але його вибачення ще не прийняли.

Вона каже мені, що ми тут не затримаємось надовго, що, можливо, ми поживемо в готелі, доки не знайдемо собі квартиру.

— У якому готелі? — питаю я.

— У дешевому,— каже дядько Джералд з іншого краю столу, біля дверей до туалету.

— Біля воріт до «Фенікс-парку» є непоганий готель,— каже мама.— Прямо біля зоопарку і слона. Можемо взяти йому арахісу.

— Тата посадять до в'язниці?

— Твоя бабуся не подавала заяву,— каже тітка Евелін.— Вона розуміє, що це був нещасний випадок.

Дзвонить телефон, і мама підбігає відповісти.

— Поклали слухавку,— каже вона.

Знову дзвонить телефон. Вона бере слухавку.

— Знову кинули слухавку,— каже вона.

Ще раз дзвонить телефон.

Я беру слухавку.

— Алло,— кажу я.

— Це тато. Мама вдома? З нею все добре?

— Так, з мамою все добре. Ми їли пиріг з куркою, а зараз п'ємо чай з печивом.

— Я скоро буду вдома. Передай їй, добре?

— Добре. Бувай.

Я стою біля телефону, очікуючи ще одного дзвінка.

— Це був тато,— кажу я.

— Чому ти розмовляв так голосно? — питає мама.

— Бо він дихав дуже гучно. Це ніби ти розмовляєш з трактором або типу того.

— Він, напевне, просто захрип і важко дихає через усі ті цигарки, що він випалив у тому бридкому місці,— каже тітка Евелін.

Я беру свій кусень пирога до вітальні.

Батька не було два дні, і весь цей час я уявляв, що він у в'язниці Маунтджой. Мені снилися кошмари про те, що він у камері з туалетом у кутку і над ним на нарах лисий чоловік у татуюваннях.

Він повернувся в четвер зранку, коли я був у книгарні з тіткою Евелін. На ньому була нова коричнева куртка з чорними хутряними манжетами і коміром, і в нього були маленькі вуса.

— Гарні новини,— каже він, доторкаючись до мене холодними червоними руками.— Тепер у нас є новий дім.

— Де? — питаю я.

— В Баллімуні. Тимчасовий притулок міститься на дванадцятому поверсі п'ятнадцятиповерхової вежі,— каже він.

— Дванадцятий поверх! — кажу я.— Ми житимемо в хмарочосі?

— Так. І басейн майже доробили, за декілька тижнів буде готовий. А з вікна своєї кімнати ти зможеш спостерігати за авіалайнерами, які пролітатимуть над нами, прямуючи до Америки.

— Коли ми переїдемо?

— Рушаємо рано-вранці.

Тітка Евелін повісила на двері табличку «Повернуся за п'ять хвилин».

— Треба починати діяти. Ходімо нагору і знайдемо Гелен.

Ми йдемо нагору і бачимо маму у вітальні, вона виструнчилась у кріслі біля вікна. Телевізор вимкнений, і вона нічого не робить.

— Гелен, у тебе є житло! Нова корпоративна квартира, і в'їхати можна вже завтра,— каже тітка Евелін.— І ти можеш узяти меблі з комори нагорі й ліжка з вільної кімнати.

Батько стоїть біля вогню і грається сірниками.

Мати киває, але нічого не каже.

— Дехто з сусідів точно дасть усяких корисних дрібниць. Але у нас мало часу. Я вже зараз піду по сусідах.

Мама спохмурніла.

Тітка Евелін підводиться з дивана і підходить до неї. Вона простягає мамі руки, наче допомагаючи інваліду підвестися. Але мама не приймає руки своєї сестри.

Вона дякує їй і виходить із кімнати.

— Не біжи за нею,— каже мій батько.

Я залишаюся і вмикаю телевізор.

24

Уранці о восьмій я стою з блакитною валізою і дивлюсь, як батько з дядьком завантажують меблі в брудну вантажівку. Мама допомагає, роздаючи накази і складаючи дрібні речі на візок. Я пропоную допомогу, але вона каже мені сидіти і чекати біля валізи на випадок, якщо потрібно буде по щось побігти.

— По що? — питаю я.

— По чай чи по воду, якщо хтось захоче пити.

Я сиджу на бордюрі з пакетом пластирів. Я наліпив один собі нижче коліна, лишив на кілька хвилин і потім здер. Приємний біль від віддирання пластиру, і мені подобається, що вириваєтся волосся і після нього лишається чистий, м'який клаптик шкіри.

Дядько Джералд бачить, чим я займаюсь. Він погрожує мені пальцем, роблячи сердите обличчя. Я посміхаюсь і у відповідь погрожую йому пальцем, і він, як завжди, не знає, що робити. Він відступає і дивиться на мене, руки по швах, тоді розвертається і йде до вантажівки, і проштовхує комод ще на декілька дюймів без ніякої на те причини.

Іноді дядько Джералд наче не сприймає життя всерйоз; він експериментує, бачить, що ніхто не помічає його, змінює курс, робить щось іще і, здається, не переймається через різницю.

Зібралась група сусідів. Декілька жінок і двоє чоловіків. Вони стоять на тротуарі перед 17 номером, скупчившись. Те, як близько вони стоять одне до одного, змушує сприймати їх як одну родину. Вони так витріщаються, ніби в них один розум на всіх. Коли хтось дивиться на мене, то всі решта теж дивляться на мене, коли хтось дивиться на маму, то інші теж дивляться на неї. Коли один повертається до дядька Джералда і дивиться, як той підпалює цигарку, то всі інші теж дивляться.

Одна з жінок тримає дерев'яну ложку, на яку налипла холодна вівсянка, інша тримає ганчірку для посуду. Вони кажуть, що прийшли побажати нам *щасливої дороги*, але очевидно, що вони прийшли подивитися на зруйновану сім'ю.

Мама дивиться на них і махає їм рукою, і раптом вони підходять до дверей вантажівки й оточують її. Вона відступає, щоб звільнити собі шлях.

— Я чула, там у кожній квартирі є центральне опалення,— каже худа руда жінка.

— І зовсім скоро буде басейн,— каже та, у якої в руці дерев'яна ложка.

Дядько Джек і дядько Тоні в кузові вантажівки разом з меблями, а я, щасливий, сиджу в кабіні між мамою і татом. Мені подобається сидіти так високо, і руки мого батька здаються такими сильними, коли він крутить руля на різких поворотах.

Ми їдемо переповненою машинами вулицею. Добре видно всі крамниці на північній окружній дорозі. Я бачу дітей, що поспішають до школи, і відчуваю себе вільним. Я тримаю маму за руку.

Але коли ми наближаємося до Баллімуна, мій настрій змінюється. Вулиці тут вузенькі, у рівчаках повно сміття. Будинки малі і сірі, і ніхто не фарбує двері чи підвіконня. І тому, коли ми в'їжджаємо на підземну парковку одного з баллімунських хмарочосів, уже стає ясно, що нічого доброго тут трапитися не може.

Батько вистрибує з кабіни, і я злажу за ним. Я відчуваю себе виснаженим і стомленим. Я бачу навколо сім веж і з десяток менших квартирних блоків, дорогу з інтенсивним рухом у кінці парку, велику школу через дорогу з інтенсивним рухом і окружну дорогу.

Мама лишається на місці, її руки на колінах. Батько випускає дядька Тоні і дядька Джека з кузова і кладе руку мені на плече.

— Кожна вежа названа на честь людей, які підписали проголошення Ірландської республіки в 1916 році,— каже він.

— Яка наша? — питаю я.

— Імені Планкета,— каже він.— Ота. Посередині.

Неможливо одночасно охопити поглядом усі сім веж. Їх багато, і від них тінь, наче ніч. Щоб побачити їх усі, треба обернутися навколо себе. Як вони можуть бути новими, якщо такі брудні й замазані? Вони як гнилі зуби, розвалені й коричневі, з плямами від смоли, зуби — вирвані з рота жахливого і брудного велетня.

— Як ми занесемо все сходами? — питаю я батька.

— Тут є ліфт, дурнику.

Ми піднімаємось до нашого нового дому. На відміну від брудного ліфта і брудного сходового майданчика, стіни нашої квартири білі і чисті, і тільки-но ми зайшли всередину, не стало запаху сечі і мокрих недопалків.

Але це маленька квартира, і в ній усе маленьке: манюсінька кухня і така ж вітальня, у якій помістяться лише диван, телевізор і два стільці. А туалет найменший із тих, що я бачив за своє життя, ванна для ліліпута. Дві маленькі спальні з вікнами, які неможливо

207

відчинити, з видом з дванадцятого поверху на парковку і злітну смугу.

Як і всі, хто живе в хмарочосах, ми повинні кидати наше сміття в сміттєпровід, а сміттєпровід нагорі сходів, біля вікна моєї спальні.

— Я не хочу спати біля сміттєпровода,— кажу я.

— Ну, більше ніде,— каже батько.

Ми йдемо до найбільшої спальні. У ній вбудований гардероб, відділений темними тонованими дзеркалами.

— Якщо я спатиму тут,— каже мама,— треба буде закрити оце.

— Спочатку треба перенести речі,— каже батько, і ми повертаємося сходами назад до ліфта.

Хоч ми ще не все занесли, батько наполягає на тому, щоб дядько Тоні і дядько Джек пішли. Але дядько Джек невдовзі повертається з п'ятьма пакетами гарячих чипсів, і ми всі сідаємо на траву біля вантажівки і їмо разом.

— Ну добре,— каже батько.— Тепер ідіть. З рештою ми самі впораємось.

Батько дає дядьку Тоні трохи грошей на таксі, і вони йдуть.

Опалення в квартирі ввімкнене на всю. Нам дуже спекотно всередині, а коли ми виходимо надвір, то відчуваємо холод, наче крижаний душ. Після кожного підйому батько підставляє голову під кран з холодною водою. Ми стоїмо в порожній кухні і дивимося, як він обливається, і махаємо на себе картонками, відірваними від коробок.

— Нічого. Ми попросимо корпорацію прикрутити опалення,— каже він.— Ми не можемо жити в тропіках.

Мама дивиться у вікно на темну багатоповерхівку за нами і зітхає.

— Я вже розмовляла з нашою новою сусідкою, місіс Макгаерн, і вона сказала, що термостат налаштований корпорацією і мешканці не можуть його змінювати.

Батько похитав головою.

— Ми звикнемо,— каже вона.— Просто треба вдягатися по-літньому.

Гнів батька наче вже був напоготові.

— Як швидко ти в темі. Звідколи ти почала так швидко здаватись? Після слів якоїсь бабці, яка лізе не в своє діло?

— Хіба я казала щось про бабцю? Чи про когось, хто лізе не в своє діло?

— Я бачив, як вона стояла і заглядала до нас у кожну коробку. Ех ти! Одне слово незнайомця — і ти скисла?

— Майкле, я не думаю...

— Я сам познайомлюсь із сусідами і з'ясую, чи є краще пояснення.

— Ти витрачатимеш свій час, щоб отримати ще одну думку,— каже мама.— Я знаю, що тобі скажуть.

Він вискочив, гепнувши дверима.

Це дивно — стояти з мамою в порожній кухні за дверима, які гепнули такою луною, стояти і нічого не робити, і так дивно, не маючи вибору, вийти мовчки в ті самі двері.

Хоч уже і стемніло, коли ми закінчили розбирати речі і розставили меблі, як нам подобається, батько каже, що нам треба прогулятися перед тим, як повечеряти і лягти спати.

— Ми трохи розвідаємо місцевість і потім вип'ємо чаю в барі. Як вам таке?

Ми зайшли в ліфт, і всю дорогу вниз я прикриваю ніс і мама робить так само. Батько натиснув кнопку, щоб нас спустило на перший поверх.

— Давайте глянемо,— каже він.

— Що там? — питаю я.

— Це розважальний центр. Такий є в кожному хмарочосі, я гадаю.

Ми підходимо, центр зачинений. На дверях табличка з годинами прийому: у суботу ввечері повинно бути відчинено. Також є табличка зі списком безкоштовних послуг. Завтра будуть уроки гри на гітарі для хлопчиків десяти–шістнадцяти років.

— Ось,— каже батько.— Уроки музики.

— Чудово,— кажу я.— Але я голодний.

— Давай трохи роздивимось навколо. Потім можемо поїсти.

Вийшовши з ліфта, я дивлюся на верхівки хмарочосів, які пнуться з бетону у височінь, вищі за будь-яку будівлю в Дубліні, прямісінько в небо, наче відчайдушно намагаються напитися з білих хмаринок чи вмитися дощем.

Ми ходимо поміж них, усі їх стіни вкриті темносірими плямами, наче ранами. Єдиний колір — це зелена фарба на облуплених підвіконнях і червоно-чорні графіті на стіні першого поверху. Бетонні балкони завішані мокрою білизною, довгі коридори і сходові майданчики завалені старими речами, які люди повикидали геть. Немає дерев, тільки одна вузенька смуга трави на задньому дворі. Вздовж краю трави високий паркан з колючого дроту, який відділяє квартири від муніципальних будинків.

Багато людей роблять стільки шуму, скільки я не чув у своєму житті, люди з пластиковими пакетами ходять туди і сюди темними проходами і темними сходами.

— Тут усі огидні в порівнянні з мамою,— кажу я. Вона зупиняється.

— Не дуже добре таке казати.

Батько продовжує йти, на відстані декількох футів від нас він зупиняється і повертається до неї.

— Ти правий, Джоне. Твоя мама дуже гарна. Вона робить їх усіх огидними.

Вона нахиляє голову, і ми продовжуємо йти. Ми йдемо через парковку в напрямку школи, яку батько хоче показати мені, і проходимо повз бар. Від запаху смажених чипсів у мене тече слина.

— Я голодний як вовк,— кажу я.

— Притримай коней,— каже батько.— Давай завершимо екскурсію.

— Ні,— каже мама.— Нам треба поїсти.

Ми йдемо в «Черевичок», один із трьох барів за дві хвилини від хмарочосів. Усередині шумно, музика, чоловіки і жінки розмовляють, на стінах фотографії аеропланів. Я питаю в батька, скільки двигунів у Боїнга 747, і він каже:

— Достатньо.

І ми з ним сміємося.

25

Наш перший день минув за розкладанням речей по шухлядах і шафах і міркуванням про те, як краще розставити меблі. Другий день — за закупівлею харчів. Треба купити все з нуля; сіль, перець, заварний крем, манну крупу; каструлі, лампочки, акумулятори, інструмент для полагодження різних поламаних речей, які нам навіддавали люди.

У супермаркеті тато розбив пляшку томатного соусу, краплі потрапили на мамині білі штани.

— Майкле! — закричала вона.— Якби я не знала тебе, я б сказала, що ти навмисне.

— Що ж,— каже батько, відходячи від розбитої пляшки.— Ти не знаєш мене, і це ні для кого не секрет.

— Як ти смієш так говорити зі мною! — кричить вона, зовсім не переймаючись тим, що дві літні жінки біля холодильника витріщаються на неї.

— Я говоритиму так, як вважаю за потрібне,— каже батько.

Мати схрестила руки на грудях і свердлить його поглядом.

— Я на грані терпіння, Майкле. Тож я була б тобі вдячна, якби ти знайшов вологу тканину, щоб почистити мої штани.

Батько посміхається їй теплою посмішкою, вона посміхається у відповідь, наче все вибачено. Я не знаю, чому вона це робить. Що це було між ними? Як вони розуміють одне одного? Чому мама дивиться на нього таким теплим поглядом?

Батько пішов на пошуки вологої тканини, і коли він повернувся почистити їй штани, вона вже не сердилася на нього. Вони поцілувались у губи довгим поцілунком біля каси, і потім ми заплатили за харчі.

На ранок нашого третього дня в Баллімуні я прокинувся із зубним болем. Болить дуже сильно, коле наче склом у ліву частину щелепи кожного разу, коли я вдихаю.

Мама наказує мені вдягнутися.

— Поведемо тебе до дантиста,— каже вона.— Я відведу тебе в громадський центр.

Громадський центр за рогом, сусідні двері торговельного центру. Ми йдемо через аркаду з блакитно-червоними смугастими стінами. Тут світло і чисто, і, порівняно з квартирами, в яких немає ані сонця, ані світла ні всередині, ні між ними, ні за ними, ні за сто футів від них, торговельний центр — це як інша країна. Навіть терплячи зубний біль, я відчуваю себе наче на канікулах. Усередині торговельного центру світло, смачно пахне донатсами з пекарні.

У торговельному центрі є доктор, дантист і фармацевт. Кімната очікування заповнена людьми. Вони читають журнали.

Мама каже жінці за столом, що в мене приступ болю, і ми чекаємо лише п'ять хвилин.

Дантиста звати доктор О'Коннор. Він високий, широкоплечий, на ньому темний костюм з червоною хусткою в нагрудній кишені.

Я розповідаю йому про свій зуб, і він дивиться мені в рот за допомогою палички з дзеркальцем на кінці.

Потім, без попередження, він відвертає мою губу і встромляє голку мені в ясна.

— Це від болю. Тепер розслабся тут, у кріслі, на хвильку, поки я вирву цей зуб,— каже він.

У нього на стелі велика картина, і я дивлюся на неї, поки він вириває мені зуб. Він каже мені, що це робота Брейгеля. Я запам'ятаю. Я запам'ятовую обличчя селян, жінок і дітей, одягнутих у коричневе, збирачів картоплі на снігу. Ані рукавичок, ані шарфів, ані шапок.

— Немає сенсу витріщатися на білу стелю,— каже доктор О'Коннор.— Краще дивитися на того, кому гірше, ніж тобі.

— Я нічого не відчув,— кажу я, коли він закінчив, він довго тисне мені руку і посміхається.

— Хороший хлопець. Я хвилювався, що тобі буде потрібен додатковий укол.

Він мені подобається, і я думаю над тим, що було б, якби у мене був інший батько.

Вдома я лягаю на диван. Мати порається на кухні. Де батько, я не знаю.

Тільки-но мені знову можна їсти, мама робить запіканку з грибами і ковбасками, і ми їмо і слухаємо радіо на достатній гучності, щоб заглушити звуки гепання дверей і сварки в сусідній квартирі.

О пів на п'яту заходить батько.

— За два дні я виходжу на роботу,— каже він.

Мама гладить його по плечі, він дивиться на її руку.

— Я не помираю,— каже він.— Це ще не кінець.

— Що за робота? — питаю я.— Ти пройшов до «Трініті»?

— Ні. У мене стипендія на металургійному заводі.

— Але ти збираєшся складати іспити до «Трініті»? — питаю я.

— Не зараз,— каже він.— Зараз треба заробити на хліб.

— У якому сенсі? — питаю я.

— Подумай сам,— каже він.— А поки думаєш, піди до крамниці і купи молока і пачку рожевого «Silk Cut».

— Скільки ти зароблятимеш на тиждень? — питаю я.

— Іди принеси цигарки, і тоді, можливо, я тобі скажу.

Я встаю, і мама через те, що може читати мої думки, каже:

— А давайте завтра підемо в місто. Побудемо туристами один день.

Батько бере маму за руки і цілує їх по черзі, а тоді вертає так, ніби це щось, що він брав у борг; коли вона опускає їх до кишені фартуха, я бачу, як вони тремтять.

Я йду до крамниці купити батькові цигарок, і, коли повертаюся, ліфт знову не працює. Я підіймаюся сходами, які смердять сечею.

Над Дубліном світить сонце, тепло. На батькові сонцезахисні окуляри, схожі на лобове скло, на мамі рожева сукня до колін і білі туфлі. Вони знову схожі на кінозірок.

Ми повільно йдемо широким тротуаром з О'Коннел-стрит до Графтон-стрит, яка в кінці завертає до парку Стівенс-Грин і ринку Денділайон. Вулиці переповнені людьми, які їдять і купують; сотні автобусів, один за одним, як слони, з десятками маленьких очей всередині, кожен стежить за світом.

Люди в дорогому одязі сідають у таксі, виходять з таксі, люди з валізами заходять і виходять із готелю. Кожен чимось дуже зайнятий.

Ми пообідали в «Bewley's» і потім пішли гуляти парком Стівенс-Грин. Ми зупинилися поїсти морозива і їли його, спостерігаючи за качками, яких годують малі діти. Посутеніло, і ми пішли назад по Графтон-стрит. Світять круглі вуличні ліхтарі, схожі на мариновані цибулинки. Проходячи Мур-стрит, ми переступаємо через рівчак з мильною водою, якою змили залишки овочів після сьогоднішньої торгівлі на ринку. Я б хотів, щоб ми могли жити тут, у центрі, поруч із цими ліхтарями і вуличними музиками, які співають за гроші.

Я тримаю маму за руку, батько щось насвистує, ми підходимо до початку О'Коннел-стрит. Ми проходимо повз кінотеатр, і я зупиняюся.

— А можна піти в кіно? Може, подивимось, що показують?

Батько знизує плечима.

— Не бачу жодних причин, щоб не піти.

Показують «Буч Кессіді і Санденс Кід», але до шістнадцяти років вхід заборонено.

— Просто зайдеш за мною,— каже батько.— Зайдеш, і все.

Мама погоджується. Ми купуємо квитки і даємо їх білетеру, і, незважаючи на те що фільм почався дванадцять хвилин тому, я сиджу між мамою і татом у сьомому ряду, і це кращий фільм, який я коли-небудь бачив.

Після фільму ми їмо рибу і картоплю фрі на лавочці у дворі коледжу Трініті. Хоч зараз посутеніло і похолодало, студенти сидять на своїх куртках на траві, гуляють і катаються на велосипедах по вимощених бруківкою стежках.

Незважаючи на те що батько не знає цих студентів, він посміхається їм, коли вони проходять повз нас. Він повертає голову подивитись, як вони йдуть сходами біля нашої лавки, як заходять і виходять із будівлі позаду нас, як беруть велосипеди і їдуть на вулицю.

— Одного дня ти будеш серед них,— кажу я.

— Дуже сподіваюся,— каже він.

Мама цілує його в щоку і бере за руку.

— Смачна риба з картоплею,— кажу я.— Але пахне ще краще. Я б хотів, щоб можна було їсти запах.

Вони розсміялися.

— Час іти додому,— каже мама і, встаючи, намагається підняти і мене. Але я занадто важкий для неї, і в неї не вийшло, і вона втратила рівновагу. Я спіймав її перед тим, як вона впала.

Батько засміявся.

— Дивна парочка,— каже він.

Ми їдемо додому в автобусі на верхньому поверсі. Заходять чотири п'яні чоловіки і з криками підіймаються сходами. Я обертаюся подивитися на них. Вони ледь тримаються на ногах. Вони викрикують, лаються, співають і б'ються об сидіння, ідучи до передньої частини автобуса. Проходячи повз нас, один з них впускає на підлогу склянку. Мама мовчки чистить свої штани спреєм з рідиною.

Чоловіки сідають на сусідній ряд перед нами і деякий час обговорюють свій вечір. Потім один з них повертається подивитися на нас. Він занадто довго витріщається на маму. Мама схрещує руки на грудях, її коліна смикаються нагору-вниз.

Мама встає, і я теж.

— А це що за родина велетнів? — каже п'яний.— Подивіться, яка гарненька велетениха.

Встає батько, другий п'яний каже:

— Зібралися на баскетбол? Як називається ваша команда? «Каланча»?

— Давайте,— каже батько.— Ходімо вниз.

Спускаючись, він штовхає мене в спину і каже йти швидше. Ми сідаємо внизу біля водія, який повертається до нас і каже:

— Трохи неспокійно нагорі. Кожну ніч те саме.

Ми киваємо на знак згоди, і він посміхається нам у дзеркало заднього огляду. Хоч п'яні й нагорі, запах алкоголю такий сильний, наче віскі з пивом течуть зі шкіри чоловіків просто на підлогу.

Без попередження батько дає мені запотиличника.

— Заради бога! — кричить він.— Припини роздирати собі голову.

— Вибач,— кажу я, але не відчуваю себе винним. Його розлютили п'яниці, а не я. Мама дивиться у вікно. Якби з нами не було батька, вона б притулилася до мене чи хоча б щось сказала. Але вона хитає головою, наче кажучи: «Як тупо». Але кого вона засуджує? Мене чи його?

Це наша друга субота в Баллімуні. Вже більше тижня тут. Я повертаюся з крамниці з двома пляшками молока, фунтом цукру і двома хлібинами.

Наближаючись до нашого блоку, я бачу одну з баллімунських банд. Хлопці-підлітки, трохи старші за мене. Вони палять, притулившись до стіни, лаються, сміються і підждидають людей, щоб сказати їм якусь гидоту. Незважаючи на те що ніхто з них не вищий за мене, я, ігноруючи неприємний запах, прямую до ліфта, щоб уникнути їх.

Я чекаю ліфт. Я знаю, що стіни знову будуть вкриті блювотинням і сечею. Декілька днів тому з них змили смердючий бруд, чи то собаки вилизали дочиста.

Сеча завжди в кутку біля ліфта. Вона густа і липка, тому не розтікається навкруги. Я ніколи не бачив такої помаранчевої сечі, такої густої і липкої.

Приїжджає ліфт, я беру покупки і заходжу всередину. У ліфті дівчинка, вона присіла на підлозі, наче збирається помочитися. Вона мого віку, десь одинадцять-дванадцять років; вона дивиться на мене і посміхається. Я очікував, що вона встане, надіне труси і вибіжить, але вона так і сидить навпочіпки.

Піднімаючись на дванадцятий поверх, я дивлюся на її білі труси з коричневими плямами, натягнуті збитими колінами. Цікаво, чи знає вона, що я побачив плями на її трусах і мені стало соромно; і ще соромніше, бо їй ні.

Вона встає і посміхається мені, натискаючи кнопку. Я посміхаюся у відповідь. Вона вибігає з ліфта на одинадцятому поверсі, лишивши маленьку чорну купку гівна.

Мама в ліжку, хоч ще і не час спати, ще не стемніло. Вона не спить, лежить на спині і дивиться в стелю. Я стою біля дверей і розказую про дівчинку в ліфті.

— Яка вона на вигляд? — питає вона.

— У неї сніжно-білі зуби,— кажу я.

Але я думаю, що зуби були такі білі через те, що губи занадто червоні.

— Ясно,— каже мама і заплющує очі.

Ми п'ємо чай і чуємо швацьку машинку нагорі. Три молоді жінки живуть у квартирі просто над нами, і одна з них шиє на машинці з п'яти вечора до пізньої ночі, до того часу, коли я вже ліг спати.

Батько сміється і каже:

— Це та трійця нагорі. Вони майже сліпі.

— Сліпі? — питає мама.

— Так. І вони сестри. Вони ледве бачать кінчик свого носа.

— Але якщо вони майже сліпі, як вони шиють на машинці? — питає мама.

— Це та, що бачить краще за решту,— каже він.— І вона шиє тільки скатертини, багато уміння не треба.

— Звідки ти знаєш? — питаю я.

— Зі мною працює чоловік, він розповів мені про них,— каже він.— Їх тут усі знають. Кажуть, що їхні батьки були рідні брат і сестра.

— Як вони заробляють на життя, якщо вони сліпі і незаміжні? — питаю я.

— Звідки я знаю? — каже батько.— Як узагалі жінка виживає в цьому світі, який, як кажуть, належить чоловікам?

Мама вдарила ложкою по чашці, і він відкашлявся.

— Жартую,— каже він.— Просто жартую.

Але пізніше, коли ми чули шум від них, батько називав їх трьома сліпими мишами і співав колискову про мишей, дивлячись на стелю.

* * *

Наступного ранку, снідаючи, ми почули жінок нагорі,— здавалося, що вони стукають мітлами по підлозі.

— А-а, три сліпі миші бродять із ціпками,— каже батько.

Але я точно бачив учора, як вони виходили з ліфта. Три молоді жінки десь приблизно двадцяти років, з темним волоссям і темними очима, від них сильно віяло парфумами. Ніяких темних окулярів і ціпків. Як на мене, вони нормальні на вигляд, дві з них на високих підборах.

Я насупився. Мама припинила їсти.

— Вони сліпі неофіційно,— каже він.— Якби вони були офіційно сліпі, тоді б вони жили в будинку для інвалідів із собаками-поводирями.

По обіді я з батьком біля нашої квартири, і я знову бачу на сходах трьох жінок. Ми фарбуємо наші вхідні двері. Я стою на цераті і допомагаю йому, тримаючи банку з фарбою. Він зупиняється і бере мене за плече.

— Три сліпі миші о дванадцятій годині,— каже він.

— Що? — кажу я.

— Он там,— шепоче він.— Три сліпі миші в кінці коридора.

Батько насвистує мелодію з «Трьох сліпих мишей», і жінки йдуть до інших сходів на протилежній стороні вежі.

— Ходімо за ними,— кажу я.

Одна з них почула мене і повертається. Вона не роздратована; вона весела і вона зупиняється на мить. Я дивлюся на батька. Він продовжує насвистувати і витріщатися на неї, доки вона не відвертається і не йде разом з іншими. Він дивиться на них, поки вони не щезають із поля зору.

Тітка Евелін прийшла нас провідати. Вона принесла коробку з тістечками і постер для коридора.

Вона пильно роздивляється квартиру і все, що в ній, а потім підходить до весільної фотографії моїх батьків, яка стоїть на буфеті біля дверей на кухню.

— Бачу, ви прихопили з собою чарівність минулого,— каже вона.

— А в тебе хіба весільне фото не на виду? — питає мама.

— Ні. Навіщо дивитися на двох привидів?

Тітка Евелін поклала руки на стегна. Без сварки вона не піде.

— Шпалери дуже милі, з цими відтінками рожевого і трохи жовтого і з цими… стирчаками.

— Тичинками,— кажу я.— Це називається «тичинка».

Ми йдемо на кухню і сідаємо за стіл, на столі чайник з чаєм. У батька на колінах книжка «Наука розуміння депресивного мислення». Вона лежить як підставка, просто як місце, куди він може покласти руки. Я не бачив, щоб він щось читав відтоді, як ми переїхали. Мама позіхає, тітка Евелін продовжує говорити:

— Ти чула, що минулого тижня помер доктор Бехан? Відійшов до Господа нашого. Він завжди поважав скромність щодо своїх пацієнтів. Він ніколи не оглядав дівчину до шістнадцяти років без супроводу її матері, те ж саме з маленькими хлопчиками.

Мати мовчить і замість того, щоб щось казати, позіхає знову.

— Джоне, припини роздирати собі голову,— каже батько.

Доносяться крики із сусідньої квартири; кричить жінка, тітка Евелін дивиться на маму.

— Якщо звикнути до такого шуму, то тут мило,— каже вона.— Можливо, трохи спекотно з теплою підлогою, але загалом тут дуже затишно. Я думаю, ви гарно влаштувалися.

Я бачу за спохмурнілим обличчям мами, що вона розуміє, як і я, що тітка Евелін бреше.

Я вперше замислився, а що, як я успадкував свій талант від мами, яка бачить те, що і я: тітка Евелін знизує плечима в середині промови, «тут дуже затишно», і мова її тіла не збігається з тим, що вона каже.

Я починаю відпрацьовувати свою майстерність, відточувати її. Коли я помічаю брехню, мене кидає в жар, особливо палають вуха і горло, але мене не нудить. Зрештою я стану чарівником. Я запам'ятав ще більше параграфів із книги. Ось мій найулюбленіший:

«Більшість людей ніколи не розпізнає знаків і виразів обличчя брехуна. Ці вирази і жести є мимовільними, вони з'являються і зникають дуже швидко, тому ви помітите їх, тільки якщо у вас дуже гострий зір, інстинкт, талант, якщо ні — ви ніколи не побачите їх і не викриєте брехню».

Тітка Евелін продовжує говорити, і її, здається, дуже цікавить робота мого батька на заводі, де все, чим він займається,— це носить комбінезон і паяє докупи куски заліза.

— Це добре як для тимчасової роботи,— каже тітка Евелін.— Просто щоб протриматися на перших порах.

Батько встає.

— Ще ніхто не вмирав від ручної праці,— каже він.— Ти так кажеш, ніби робота на металургійному заводі — це щось типу гнійної фістули.

— Що це в біса таке, «фістула»? — питає тітка Евелін.

Усі дивляться на батька, але ніхто нічого не каже. Я біжу, хапаю словник з кавового столика і приношу на кухню.

— Зачекайте, я зараз скажу.

Я один раз читаю значення, закриваю словник і притискаю його до грудей, і повторюю напам'ять:

— Фістула — це дірка в прямій кишці, яка стікає кров'ю і смердить гноєм і випорожненнями весь час,— кажу я.

Батько розсміявся і не може зупинитися.

— О, у такі моменти я тобою пишаюся,— каже він.

Тітка Евелін зашарілася. Її обличчя і шия такі червоні, як мікстура від кашлю.

— О,— каже вона,— я не мала показувати свою зацікавленість, і тепер ви на мене напали.

— Я знаю,— каже мама.— Не хвилюйся.

Тітка Евелін набирає повітря; вона ще раз постарається довести до сварки, за якою прийшла.

— Знаєш, Гелен, це благословення, що ти більше не можеш. Я маю на увазі те, що в тебе він лише один, так?

Мама насупилася.

— Про що ти говориш?

— Добре, що в тебе є лише Джон і не треба піклуватися про інших дітей. Я маю на увазі, тут, у квартирі, та і взагалі.

Мама встає з-за столу і йде до умивальника і там, стоячи спиною до тітки Евелін, вона пере білизну на пральній дошці. Я про себе рахую разом з нею. Вона тре білизною об дошку рівно десять разів.

Батько мовчки виходить із кімнати. Знову всі мовчать. Тітка Евелін смикає чайну ложку і крутить свою пусту тарілку. Якщо за годинником на підвіконні, то тиша триває лише три хвилини, але відчувається так, ніби ніхто на землі більше не заговорить, і моє горло забите сухим пилом.

— Ну що,— каже мама, повертаючись до сестри,— час пити чай.

Тітка Евелін дивиться на свій годинник.

— Боже мій! Як летить час.

— З ним завжди таке трапляється,— каже мама.

— Побачимося в неділю? — питає тітка Евелін, поки мама показує їй на двері кухні.

— Так, у неділю.

Стукнули вхідні двері, і я залишився на кухні з мамою наодинці.

— Чому вона сказала «Як добре, що в тебе більше не може бути дітей»? Я думав, ти просто хотіла лише одного.

— Вона не має права таке казати. Вона розлютилась на твого батька і не могла розважливо мислити.

— Але все ж, кажучи це, вона мала на увазі щось жахливе.

— Мені байдуже.

Вона розводить руки, я підходжу до неї і ми обніstatic маємося.

— Добре. Тепер іди помий руки перед тим, як пити чай.

* * *

У новинах показують голодних дітей Африки.

— Який жах,— каже мама.— Коли ці бідні дітки помруть, їх просто вивезуть візками.

— Хочеш, я вимкну телевізор? — питаю я.

— Ні,— каже вона.— Хай буде.

Новини закінчилися, ми сіли за кухонний стіл пити чай. Деякий час ми сидимо в тиші, потім батько каже:

— Слухайте. Прийшли три сліпі миші.

Зверху чути швацьку машинку, і за мить хтось іде по кімнаті на високих підборах.

— Ціпки,— каже батько.— Слухайте.

Він починає насвистувати мелодію «Три сліпі миші».

— Знову. Чуєте? — каже він.

— Мишку на фарш,— каже мама, її очі мокрі.

— Що ти кажеш? — питаю я.

— Не будеш питати, не треба буде брехати,— каже батько.

— Але ти брешеш,— кажу я.

Він не звертає уваги — я не можу в це повірити,— і мама вмочає чипс у жовток смаженого яйця. Ненавиджу, коли він ігнорує мене; кров приливає до моєї шиї і пульсує, стає важко ковтати.

Щось не так, і я хочу з'ясувати, що саме. Я встаю з-за столу, лишаю свою їжу. Вони не сварять мене, і я не дивуюся. Я йду до своєї кімнати і пишу ще одного листа в «Книгу рекордів Гіннеса». Коли я дописав, то почав хвилюватися, а що, як вони докорятимуть мені через баллімунську адресу? Я дописав такі слова:

P. S. Я вказав нашу тимчасову адресу в Дубліні, у Баллімуні, де ми житимемо декілька місяців, поки мій батько не збудує нам новий дім в Доннібруці.

Неділя, ми були на службі разом з тіткою Евелін, дядьком Джералдом, близнючками і Ліамом. Ми пообідали і зараз ми з мамою на кухні, самі, слухаємо радіо.

— Мамо, а можна мені радіо в кімнату?

— Навіщо?

— Щоб заглушити звук сміттєпроводу. Я ненавиджу цей шум і запах.

— Ти як багатії, які вимагають житло з навітряної сторони, щоб до них не доходив дим з заводу,— каже вона.

Батько заходить на кухню у мене за спиною. Він, мабуть, лежав на дивані. Він не був на службі.

— Ми не можемо дозволити собі ще одне радіо,— каже він.

— Але я ненавиджу цей шум і сморід, і я не хочу більше там спати.

Він дивиться на маму.

— Добре,— каже він.— Спатимеш з мамою, якщо хочеш.

— А ти де спатимеш?

— Я спатиму на дивані. Я вже звик до нього.

— Гарна ідея,— кажу я.

— Ніхто не спатиме на дивані,— каже мама.

— Добре,— каже тато і чухає бороду, яка відросла, ще густіша і темніша, ніж до цього.— Поки ми не знайдемо собі будинок, ти спатимеш з мамою, а я спатиму в кімнаті, де смердить сміттям.

Він привітно підморгує мені, але мама не погоджується.

— Чому б нам це не обговорити? — каже вона.— Трохи пізніше.

— Нічого складного,— каже батько.— Я спатиму в маленькій кімнаті, а ви вдвох — на великому ліжку.

— А може, краще, якщо хтось спатиме на дивані? — каже вона.

— Я не спатиму на дивані,— кажу я.

— Я теж не буду,— каже батько.

Мама виразно і прохолодно подивилась на батька.

— Заради бога, Майкле! Ти щойно казав, що звик спати на дивані.

— Я пожартував,— каже він.

— От і все,— каже вона, виходячи з кімнати.— Ніяких жартів.

Минулої ночі батько таки спав на дивані, і тепер перед сніданком ми втрьох стоїмо у вітальні в піжамах і дивимось на безлад з ковдр і подушок, обгорток і цукерок, який він лишив на підлозі.

Мама нагадує йому, що треба прибрати і скласти білизну. Він каже:

— Яка в біса різниця, прибрано буде в цій халупі чи ні?

Мама хитає головою і намагається посміхнутися.

— Не така вона вже й погана,— каже вона.— Є й гарні сторони.

— Де вони? — питаю я.— У цієї вежі є п'ята сторона, про яку я не знаю?

Батько плеснув мене по плечі, наче кажучи «молодець», мама зітхнула.

Я минулої ночі спокійно спав у ліжку з нею. Там тепліше, і через те, що вона весь час спала на своїй половині і не ворочалась, я міцно спав усю ніч. І мені подобається спати з нею, бо ми розмовляємо до того, як вона вимикає світло, і коли вона сонна, її голос м'який і ніжний.

Батько прийшов з роботи, і я питаю в нього, як там на заводі.

Він знизує плечима.

— Це тримає мене подалі від неприємностей,— каже він, і це зовсім не схоже на ті речі, що він зазвичай говорить.

— Сподіваюся, ти хоч в автобусі можеш почитати,— кажу я.— Можеш готуватися до іспитів в Трініті.

— Саме так я і роблю,— каже він.

Але це брехня. Я перевірив його сумку, поки він був у ванній, там немає книжок. Може, він читає вночі, коли ми з мамою лягаємо спати, але не думаю. Найпевніше, він дивиться телевізор.

Я протримався до півночі, щоб не заснути, вийшов зі спальні і йду подивитися, де батько. Його немає в спальні. Він у вітальні, сидить на дивані і дивиться телевізор.

— Чого не спиш так пізно? — каже він.

— Не можу заснути.

— У тебе нічний скакун?

Я засміявся.

— Ні, просто не хочу спати.

— Сідай зі мною, подивись це.

— Але ж нічого не показують.

Опівночі телебачення завершує трансляцію «Янгольським дзвоном».

— Я знаю, але коли я витріщаюсь на порожній екран, це допомагає мені думати. Між іншим, Кріто подобається дивитися на своє віддзеркалення в чорному склі.

Я зіскакую з дивана. Я не можу в це повірити.

— Кріто? Кріто тут? Хтось приніс її?

— Ні, сядь. Немає тут Кріто.

— Тоді чому ти говорив так, наче вона тут?

— Я уявляв її тут,— каже він.— Ось. Дивись.

Батько починає гладити повітря між нами, ніжно, загинаючи руку, ніби гладить кішку, немов Кріто сидить тут. Потім він торкається свого коліна, наче запрошує її туди. Він каже «Ух», коли вона заскакує йому на коліна і продовжує гладити їй спину, цього разу повільніше і ласкавіше.

— Бачиш, вона немов з нами.

Я двічі ковтнув, щоб горло знову стало сухим, і подивився на штору.

— Це божевілля, тату. Я не знав, що ти такий сновида.

— Тобі час у ліжко. Ти ж не хочеш заснути у школі.

Я встаю.

— Я ще навіть не почав ходити до школи. Мама не хоче, щоб я пішов до Баллімунської школи.

Мама хоче знайти мені місце в гарній монастирській школі типу тієї, що біля книгарні тітки Евелін, яка оточена високою цегляною стіною, і в ній є грот, і статуя Діви Марії, і фонтан зі святою водою в саду.

— Так, звичайно. І все ж таки тобі треба поспати. Побачимось завтра.

— Добраніч, тату.

— Добраніч, Джоне.

Він жартома цілує мені руку, і я сміюсь.

Ми в Баллімуні майже два тижні, і я хочу піти до школи. Я хочу знайти нових друзів, і мені набридло вештатися квартирою. Я прочитав усі свої книжки і мені нічого записати в мій новий «Ланруж Інхерб», і я навіть зробив нову сцену лялькового театру для мами з коробки з-під яблук. Більше робити нічого, і я піднімаюсь по черзі на дах кожної вежі, і коли я стомлююся підніматися і спускатися сходами, я спостерігаю за життям Баллімуна з вікна або лежу на маминому ліжку і читаю. У нашій спальні зараз краще — після того, як вона закрила тоновані коричневі дзеркала залишками шпалер.

За три дні я побачив чотири швидкі і вісім поліцейських машин. Іноді потерпілий сидить у швидкій разом з кривдником. Іноді жінки травмують чоловіків, іноді жінки травмують одна одну, й іноді п'яні чоловіки травмують жінок після довгого крику, але жінки кричать більше, ніж чоловіки.

Я бачу непритомну жінку, яку на ношах заносять у швидку. Дверцята відчинено, лікар у білому налаштовує носилки, вирівнюючи їх, щоб вони легко ковзнули всередину. Він схожий на шеф-кухаря, який на листі ставить страву в піч.

Я бачу мокру білизну, яка впала з мотузки, натягнутої на балконі першого поверху, і якщо б вона не впала або її не здуло вітром, то її б украли діти. Ніхто не хоче квартиру на першому поверсі, тому половина з них пустує із забитими вікнами.

26

Лист, отриманий учора, повідомляє, що я повинен іти до Баллімунської національної школи через дорогу. Я дойду туди менш ніж за дві хвилини, і з мого класу, напевне, буде видно вежу Планкета. Я починаю завтра, отже, сьогодні мій останній вільний день. Я встав пізно і прийшов на кухню снідати. Мама ще спить, але хтось лишив два нові підручники на столі. Я беру ніж із шухляди і відрізаю шматок шпалер з рулону, який стоїть між шафою і холодильником, і шпалерами обгортаю книжки. Потім я помічаю записку, яка впала зі столу. Це від батька, і до неї приклеєні скотчем п'ять фунтів.

Любий сину!
Гарного тобі завтра першого дня у школі. Це тобі трохи грошей, купиш собі подарунок. Сподіваюся, це тобі трохи допоможе.
Люблю тебе.
Тато

Я перейшов через дорогу і потім униз на два будинки до крамниці іграшок у великому торговельному центрі. Я ніколи не був у такій великій і світлій крамниці іграшок. Я роздивлявся десь із годину, потім обрав гоночну машину на дистанційному керуванні, вона називається «Джонні Спід», найкраща гоночна машина усіх часів від «Топпер Тойз». Я перевернув коробку і прочитав кожен дюйм на ній, і я цілу вічність роздивлявся велике кольорове фото на упаковці.

Машина — яскраво-червоний «Ягуар ХКЕ» з відкидним дахом; на передньому сидінні — маленький бежевий пластиковий водій, і машина їде вперед і назад, і колеса повертаються, тож вона може розвертатися. Ні в кого такої не буде, і я можу їздити нею за будинком, і якщо люди зупинять мене спитати, я можу їх навчити. Якби в мене були гроші, які я взяв у бабусі, я б іще міг купити дещо з аксесуарів. Я б міг купити гоночний трек, піт-стоп механіка в комбінезоні і кепці, трибуну для глядачів і чоловічка з фінішним чорно-білим прапорцем.

Моєї решти достатньо, щоб купити батарейку, батончик «Марс» і пляшку «Фанти». Я сідаю на велику лавку в теплому торговельному центрі і починаю читати інструкцію. Коли я зрозумів, як працює машина, я дістаю її і пульт керування з пінопластової упаковки і роблю свій перший тест-драйв на сонячній рівній підлозі торговельного центру.

Машина їде, і їде швидко! Дві жінки підходять подивитися. Пульт керування і «Ягуар» з'єднані дротом, але він тридцять футів завдовжки, тож машина може від'їхати достатньо далеко.

— Хіба це не диво? — каже одна жінка.

— Вона неймовірна,— кажу я.— Я щойно отримав її у подарунок на день народження.

— З днем народження.

— Який гарний подарунок.

— Дякую, мені дуже подобається,— кажу я.

— Ну що, бувай,— каже одна жінка.

— Нам треба дещо купити,— каже інша, і вони йдуть.

Я б хотів, щоб іще підійшли люди подивитися. Я скеровую «Ягуар» навколо лавки. Дріт заплутався, але я розплутав і пробую ще. З другого разу вийшло.

Я повертаюся до вежі.

Хлопці з банди скупчилися біля ліфта. Я вирішую піти сходами. Якщо хтось із них зі мною заговорить, я зроблю паузу і глибоко вдихну, щоб не було чути, що я нервую.

Я доходжу до другого поверху, один з хлопців біжить позаду мене. Я продовжую підніматися вздовж балконів, але він наздоганяє.

— Геть із дороги! — каже він.

Я не на його шляху, тож продовжую підніматися по лівій стороні сходів.

— Я сказав, геть із дороги! — кричить він.

Я продовжую підніматися до третього поверху і потім звертаю праворуч, вдаючи, ніби я тут живу. Вся банда йде позаду мене.

Я зупиняюсь і повертаюсь. Я кажу з дублінським акцентом:

— Привіт. Я щойно переїхав з Горі.

— Я тобі покажу Горі,— каже найвищий з них.

Я рахую їх — п'ятеро, а не десяток, як я уявляв.

— Скільки тобі років? — питає один з них.

— Одинадцять,— кажу я.

— Тоді чому ти не в школі? — питає хлопець зі сходів, у якого одне око блакитне, а друге каре.

Тепер ми всі стоїмо на балконі біля 29 квартири. Я сподіваюся, що як щось станеться, люди всередині почують нас.

— Не захотів,— кажу я.— А ви?

Вони сказали, що теж не захотіли. Цікаво, як їм удається уникати неприємностей, але я не питаю.

Їм усім на вигляд тринадцять-чотирнадцять років. Вищих за мене немає, і я вже не так боюся бути побитим, як раніше, але я все ще хочу, щоб вони дали мені спокій і я зміг піти додому зі своєю новою машиною.

— Що в сумці? — питає найвищий хлопець, у якого біле волосся на маківці і маленькі брудні хвостики на потилиці.

— Покупки,— кажу я.

— Не схоже на покупки.

— Схоже на велику кольорову коробку.

Я трохи відступаю назад, до балконної стіни, і розумію, що цим їх тільки дражню.

— Це машинка з дистанційним керуванням,— кажу я.

— Діставай,— каже хлопець із різнокольоровими очима.

— Добре,— кажу я.— Але спочатку дайте мені приготуватися. Я покажу вам.

Я дістаю машинку з коробки і намагаюся зробити так, щоб вони не помітили, що в мене тремтять руки. Я вставляю батарейку і думаю над тим, що робити далі. Я їду машинкою вздовж балкона, від краю до краю, і повертаю нею, коли вона доїжджає до сходів. Вони дивляться.

— Дайте цигарку,— кажу я.— Я щось покажу.

Хлопець із брудними хвостиками дає мені цигарку, яку я кладу на пасажирське сидіння машини, і потім, десь із десяти футів, я веду машину до нього.

— Дідько,— каже він.— Це доставка цигарок.

— Так,— кажу я.— Дідько.

Я б хотів, щоб я цього не казав. Вони витріщилися на мене і потім сказали мені вести машину вниз на другий кінець балкона. Я витяг з машини цигарку і поклав собі в кишеню і переконався в тому, що вони це бачили.

Вони позвали мене.

— Хочеш з нами? — питає хлопець із хвостиками.

— Можна,— кажу я.

— Але доведеться віддати машину,— каже нижчий хлопець.— На зберігання. Це буде членський внесок.

Я присів запхати мою нову машину назад у коробку. Я намагаюся зберігати спокій і я тягну час, упустивши батарейку, щоб утриматися і не розплакатися. Я ковтнув декілька разів перед тим, як підняти очі.

— Ваша банда має назву? — питаю я.

— Так,— каже хлопець, який притулився до балконної стіни з цигаркою за вухом.— Ми звемося «Ікло».

Вони всі розсміялися, і я також, навіть розуміючи, що вони сміються з мене. Вони не називаються «Ікло». Я віддав їм свою нову машину, і ми потисли руки.

Вони сказали мені, як їх звати. Головні — це Марк, найвищий з брудними хвостиками, і той, у кого різнокольорові очі.

— Ще одне,— каже Марк,— ти повинен виконати завдання, щоб стати повноправним членом.

— Яке?

— Ти повинен піти в нову квартиру і принести нам новий умивальник.

— Так,— каже Колмен.— І до п'ятої завтра.

Вони попросили мене заприсягтися, що як мене піймають за чимось, я скажу, що не знаю їх, і вони пообіцяли сказати, що не знають мене.

— Звичайно,— сказав я, і ми знову потисли руки.

Моя рука не мокріша за їхні.

Вони спитали мене, в якій вежі я живу і номер моєї квартири. Я сказав їм про вежу, але дав номер квартири місіс Макгаерн. Треба було дати їм випадковий номер з іншого поверху.

— Але вам краще не приходити,— кажу я.— Моя мама глуха і сліпа, і вона не любить сюрпризи.

У мене вже краще виходить брехати. Моє обличчя не горить і моє тіло не тремтить. Я впевненіше стою на ногах і я став сильнішим. Марк розповідає мені, як працюють будівельні об'єкти. Спочатку приходить інспектор, потім копають траншеї і потім їх заливають бетоном.

— Хтось застрягав у вологому бетоні? — питаю я.

Вони засміялись і переглянулись.

— Ми, мабуть, пішли,— каже Колмен, і за його сигналом усі розвертаються і йдуть.

За кілька хвилин повертається Марк.

— Дивись не забудь,— каже він.— Завтра о п'ятій біля сходів.

Моя нова машина в коробці в нього під пахвою.

Я їх не боюся. Я тільки боюся, що вони будуть принижувати мене. Я зроблю те, на що погодився. Я вкраду умивальник з порожнього будинку, який нікому не належить.

Я йду через дорогу до нового будинку і коли будівельник пішов, починаю бродити недобудованими кімнатами. Я приготувався і пішов на задній двір одного з нових будинків і заліз у вікно, яке було мокрим від свіжої фарби. Мої руки і штани вимазані у фарбу, яка пахне марципаном, і я починаю дихати ротом, щоб мені не вдарило в голову.

Я йду до вітальні і сідаю на новий м'який килим. Такий чистий вільний простір. Я лягаю на спину і деякий час катаюся по підлозі. Я знімаю штани, щоб перевірити, як килим відчувається моїми голими ногами, і потім знімаю труси, щоб перевірити, як новий килим відчувається моїми сідницями.

Я вдягаюся і йду до ванної і сідаю на нову підлогу і граюся перемикачами крана, вони зроблені у формі дельфінів. Це гарний, великий будинок. Я б хотів жити в будинку, у якому ще ніхто не жив.

Я смикаю за умивальник, але він вмонтований у стіну болтами. Я йду. Темніє, і пробиратися крізь траншеї — це як виходити з лабіринту. Я пишу на вологому бетоні і зриваю мотузку, якою будівельники намітили, де будуть кімнати в новому домі. І в цей час я злегка сподіваюся, що банда дивиться на мене.

Я уявляю, що живу в одному з цих нових будинків, більшому і чистішому за нашу квартиру, з більшими вікнами. І в ньому є сходи. Я сумую за сходами в бабусиному котеджі, які вели до кімнати, де спали мама з татом.

Уже майже шоста година, і я не знайшов умивальника. Я голодний і стомлений, тож я йду додому. Дістану умивальник завтра.

Мама на кухні. Вона сидить на підлозі зі схрещеними ногами, руки на колінах. На підлозі скалки розбитої тарілки. У неї такий вигляд, ніби вона плакала. Пасмо мокрого волосся прилипло до її обличчя.

— Що сталося? — питаю я.

Вона обдивляється мене з ніг до голови.

— З тобою що сталося?

— Нічого.

— У тебе всі штани у фарбі.

Я хочу розказати їй. Я хочу все їй розказати, про новий будинок і банду, але не зараз. Я хочу дізнатися, чому вона плакала.

— Я просто допомагав пофарбувати стіну внизу. Людям з громадського центру.

— Тобі треба замочити одяг.

— Але чому ти сидиш на підлозі? Чому ти плакала?

— Сідай, я розкажу тобі,— каже вона.

Вона, напевне, мала на увазі, щоб я сів за стіл, але я відгрібаю осколки тарілки і сідаю на підлогу.

— Я витискала лимон, і він був такий сухий, що я, поки здобула трохи соку з нього, почувалася так, наче я когось придушила.

Я уважно дивлюсь їй в очі, вона відвертається.

— Я розлютилася без причини. Розлютилася через дрібницю. Я взяла тарілку, яку твій батько вранці лишив на серванті, і жбурнула нею в стіну.

— Хочеш, я щось зроблю? Допоможу тобі?

Вона бере мене за руку.

— Так. Ти можеш допомогти. Ти можеш старанно вчитися, добре скласти іспити, стати пілотом, чи дантистом, чи кимось корисним, одружитися з жінкою, у якої є мізки, і мати щонайменше четверо дітей. І заспівати «За молоді літа» на моєму похороні.

— Але я не вмію співати.

— Тоді ввімкнеш запис,— каже вона.

— Магнітофон не влізе в труну.

Потім ми мовчимо, поки вона не каже:

— Я люблю тебе більше, ніж треба. Неважливо, що ти робитимеш, я любитиму тебе, і це дещо, що ти ніколи не зрозумієш.

— Зрозумію,— кажу я. Я зігнувся і поклав голову їй на коліна.

— Вставай, Джоне. Я піду в ліжко. Я дуже втомилась.

— Знову? Ти завжди втомлена і сонна.

Вона встає, позіхає, і я дивлюсь на неї, як вона виходить.

27

Мій перший день у Баллімунській національній школі. Мама провела мене до пішохідного переходу і показала на сіру будівлю школи. Ми всього за п'ятдесят футів від дому.

— Он вона,— каже мама, посміхаючись і махаючи своєю довгою худою рукою.

Цей її жест, коли вона вказує на бетонну будівлю так, наче вона розкішна, нагадав мені день, коли ми з нею відвідували будинок в Горі.

— Я б і сам знайшов,— кажу я.

— Я знаю,— каже вона.— Але я хотіла тебе провести.

— Добре, бувай.

Раптом її обличчя перекосилося, наче вона плаче без сліз, і вона пішла, не сказавши «до побачення». Я перейшов дорогу.

Учителька поставила мене перед класом і представила:

— Ось новенький хлопчик, про якого я казала вам вчора. Його звати Джон Іган і він приїхав до Дубліна аж із Горі. Сподіваюся, ви привітно приймете його.

— Доб-ро-го-ран-ку-Джо-не-І-ган,— сказали вони байдужо і в унісон.

Я нічого не кажу. Я б хотів, але якщо я не можу вигадати нічого хорошого, то краще я промовчу. Я дивлюся на них і дозволяю їм дивитися на мене.

Клас більший за мій клас у Горі, і, поки вчителька розповідала їм, де розташований Горі, я порахував їх: десять дівчат і сім хлопців. У середньому ряду є вільне місце, і парта вичищена від написів.

Я сідаю на своє місце і сиджу перші декілька уроків сонний. Є маленьке віконце, у яке можна дивитися, але в кімнаті дуже спекотно. Моя нова вчителька — низька товста жінка з обрізаним каштановим волоссям, чоловіча зачіска. Вона в окулярах, і коли б вона не запитувала про щось, вона знімає їх і теліпає ними, тримаючи у своїй товстій руці.

Єдине, що мені подобається в тому, що я в її класі, так це ловити її на брехні. Вона ходить між рядами і заглядає в наші зошити.

Коли вона бреше учням, її голос стає нижчим.

Вона каже повільному хлопчику з сусідньої парти, який постійно робить грубі помилки, що він «чудово працює», і її голос такий низький, що його ледве чути.

На перерві до нашого класу принесли три ящики з маленькими пляшками молока і ящик з бутербродами з варенням. Молоко тепле, варення сухе і крихке. Я залишився в класі, читаю.

На обіді я видивляюся, до кого б сісти, і я бачу двох хлопців, обидва в окулярах, які сидять під вікном, їхні голови нахилені, вони дивляться в їжу. Я підсідаю до них.

— Привіт,— кажу я.— Можна до вас?

Вони посунулися, хоч місця і так було вдосталь. Я сів, і вони поклали свої бутерброди на коліна і витерли об штани руки. Вони, напевне, низькі на зріст, бо їм доводиться витягувати шиї, щоб дивитися на мене.

Я питаю в них про школу і великодні канікули. Я легко впіймав одного з них на брехні. Він сказав, що був у Лондоні на Великдень і що батько катав його на дядьковому червоному MG. Він сказав, що вони їхали сімдесят миль за годину і в його мами злетів капелюшок. Він не брехав про те, що був у Лондоні чи про спортивну машину, але він збрехав про маму. Її або не було в машині, або вона була без капелюшка.

Я пам'ятаю, як написано в одній книжці. «Одне з найважчих у викритті брехні — це коли тільки частина твердження містить у собі брехню. Відрізнити брехню від правдивої частини речення може бути дуже складно».

Я помітив, що коли хтось бреше, то його обличчям наче щось пробігає — як хмаринка; а сам він зникає з виду поступово, стає менш реальним, менш схожим на людину, яку ти звик бачити. Важко сказати, що саме трапляється. Але що б це не було, я це бачу.

У кінці дня вчителька сказала всім, що наступного тижня у школі буде дезінфекція. Ми всі вишикуємося в лінію (хлопчики і дівчатка в окремих кімнатах) у самих трусах, і нас будуть пшикати речовиною, яка вбиває вошей і гнид, а також перевірять на глисти.

Після школи в мене лишається півтори години до зустрічі з бандою, куди я повинен принести умивальник, як я обіцяв. Після півгодини ходіння між новими будинками я вирішив, що не піду на зустріч. Мені до них байдуже.

Я йду темними вулицями Баллімуна, повз гуртожитки із зеленими дверима і маленькими вікнами, і повз жаристі вогнища у полях, обгорілі залишки від матраців і колясок, і я запам'ятовую назви вулиць і номери машин. Для мене мій талант важливіший за друзів.

Я приходжу додому і роблю собі бутерброд із шинкою. Батька немає вдома, і, хоч ще не стемніло, мама спить. Я не буджу її. Я з'їдаю половину бутерброда з шинкою, вдягаю піжаму і йду в ліжко. Я читаю розділ про втечі з тюрми в «Книзі рекордів Гіннеса». Мені подобається слава Джима Келлі, який втік із Бродмуру 28 січня 1888 року за допомогою ключа, який він зробив з каркаса корсета. Келлі був на волі тридцять дев'ять років — у Парижі, у Нью-Йорку, в морі. У 1927 він повернувся в Бродмур і попросився довідбути покарання за вбивство дружини.

Я думаю про те, як привернути увагу «Книги рекордів Гіннеса». Може, цього разу треба послати їм аудіозапис експерименту. Я можу провести експеримент із мамою. Можливо, вони відповіли мені на адресу в Горі. Після години міркувань я вже не можу більше терпіти тишу. Я торкаюся маминої руки, щоб розбудити її.

— Я сплю,— каже вона.— Посунься назад на свою половину ліжка. Ти мене роздавиш.

— Як мені забрати свою пошту? — питаю я.

— Яку пошту? — каже вона, позіхаючи і прикриваючись тильною стороною долоні.

— Я чекаю листа з «Книги рекордів Гіннеса»,— кажу я.

— Якого листа?

— Я вже казав тобі. Я написав їм про свій талант до викриття брехні.

Вона сідає і кладе собі під голову подушку.

— Зроби мені чаю, а потім розкажи ще раз.

Я заварив чайник чаю і приніс їй на таці разом з упаковкою печива «Digestives».

Я сідаю на край ліжка і розповідаю їй. Вона не забуде це знову.

— А-а, так,— каже вона.— А ти не думаєш, що ця брехня нешкідлива? Хіба ти не бачиш, що це за брехня? Це біла брехня. Твій батько просто соромився зізнатися, що купив листівки гуртом на розпродажу. А бабуся брехала, тому що іноді це неввічливо — обговорювати гроші. Окрім того, гроші — це слизька тема зараз.

Неввічливо обговорювати гроші? Вона говорить правду, але мені не подобається, що вона справді так вважає, і ще більше мені не подобається, що вона сказала це наче робот. У неї лише губи рухалися, все обличчя нерухоме.

— Мені байдуже, чому вони брехали! — кричу я.— Ти не зрозуміла? У мене є талант.

Ліжко смикнулося, і бутерброд з шинкою з'їхав з тарілки і розвалився, шинка прилипла до пухової ковдри.

— Джоне, не треба кричати. Я думаю, можливо, ти просто чутливіший за інших хлопців твого віку, і це добре, це дійсно добре. Але, може, треба об'єктивно оцінити ситуацію? Навіщо бути слоном у посудній лавці?

Я зіскакую з ліжка і підбігаю до нічного столика, щоб бути ближче до неї.

— Гадаєш, мені треба припинити і бути як усі інші?

У той час, коли я кричу на неї, я хапаю книжку і махаю нею навколо себе. Я б хотів, щоб у мене в руках було щось іще, але мені нічого більше схопити, і нічого мене не може заспокоїти. Я почуваюся спустошеним і хочу щось тримати і чогось торкатися. Я хочу, щоб у мене в роті щось було.

— Хочеш, щоб я вдавав, що в мене немає таланту? Вона сіла на ліжку й обхватила коліна руками.

— Заспокойся.

— Ні! — кричу я.— Ти тупа дурепа. Тупа, тупа. Тупа!

— Будь ласка. Заспокойся. Не треба кричати на мене. Я не глуха.

Вона знервована.

Я хочу знати, чому вона не сприймає мене серйозно, але я більше не хочу говорити. Вона сама побачить.

Я йду до дверей.

— Піду подивлюсь телевізор.

— А що до мене? — питає вона.— Ти практикувався на мені?

— Так. Ти червонієш, навіть коли кажеш білу брехню.

— Он як, сержанте Іган?

Якщо я не заспокою своє тіло, якщо я не втримаюсь і розізлюсь, я зроблю щось погане. Я повинен зупинитися і заспокоїтися. Я ковтаю і намагаюся посміхнутися.

— Так,— кажу я.— Вибач, я кричав на тебе.

— Іди сюди,— каже вона, і я йду до неї.

Вона щипає мене за щоку.

Цілуючи її, я помічаю дірку на лікті її нічної сорочки та іншу, більшу дірку під пахвою. Мені видно її шкіру і частину грудей у дірку. Я відвертаюся.

— Я можу прославитись,— кажу я.

Мій голос точно як батьків, і я думаю, чи не дивно це для неї. Я думаю, а що буде, якщо мій голос стане ще грубішим. Коли говорить батько і говорю я, це наче одна людина говорить.

— Можеш,— каже вона байдужо.

— Я зароблю достатньо грошей, і ми зможемо разом поїхати на Ніагарський водоспад,— кажу я.

— Заробиш.

Вона зовсім не їла печиво, тож я розломив одне навпіл і передав їй. Вона жує його так, ніби воно дерев'яне. Я беру другу половину і вмочаю в чай. Тепер печиво м'яке, і вона їсть його так, ніби в неї немає зубів, ледь відкриває рота, щоб між губами утворилась маленька щілина, і через неї їсть плямкаючи.

— Як ти доведеш свій талант? — питає вона, врешті проявляючи зацікавленість.

— Вони проведуть експеримент і випробування.

Вона посміхається.

— І тоді вони заплатять тобі золотом, і ми полетимо першим класом до Америки.

— Ти що, не віриш мені?

— Це дивна річ. Трохи складно перетравити, ось і все.

Вона не впевнена; вона думає, що я дурний. Ну що ж, це лише питання часу.

Вона побачить.

Я не можу змиритися з цим, я не можу лишити все як є.

— Ходімо їсти.

Це все, що вона сказала.

Я ненавиджу, що люди їдять, що б не трапилося.

Ми йдемо на кухню і вона смажить картоплю і яйця, ми деякий час мовчимо, але це не має значення. Батька немає вдома, і вона нічого не каже про це. Вона каже, що збирається поволонтерити в Баллімунській національній школі. Вона хоче допомогти з доставкою молока і робитиме бутерброди з варенням. Я кажу їй, що варення сьогодні було занадто сухе, і вона погоджується класти більше масла.

— Я помахаю тобі, коли проходитиму повз ваш клас,— каже вона.

— І я помахаю у відповідь,— кажу я.

Ми знову замовкаємо. Ми їмо яйця і смажену картоплю і слухаємо радіо, а потім ідемо у вітальню і разом сідаємо на диван. Вона обіймає мене, поки ми їмо наші тістечка і дивимося фільм, і щастя, яке я відчуваю, дуже дивне, і я сприймаю кожну частину мого тіла так, наче вона з рідини.

Коли вона цілує мене в щоку, я тричі вибачаюся, тому що я тричі назвав її тупою. Вона каже мені, що я хороший хлопчик і щоб я не хвилювався.

— Просто я засмучений,— кажу я.— Тому що ми зараз невдахи, а в Горі ми були крутими.

Вона сміється, не затуляючи обличчя руками. Це добре.

Ми чекаємо, коли батько повернеться додому, але він знову запізнюється, бо працює, і він приходить, коли «Пізнє-пізнє шоу» майже закінчилося. Він посміхається, коли бачить, як ми сидимо разом на дивані під ковдрою. Він скуйовджує мені волосся.

— Все гаразд? — каже він.

— Так,— кажу я.

— Чаю? — каже мама.

— Я сам зроблю,— каже він.

— Голодний? — питає вона.

— Ні. Я з'їв стейк у кафе.

Я йду до своєї кімнати і беру нову сцену з яблучної коробки зі шторами з одного боку.

Батько вмостився на дивані з чашкою чаю. Я підхожу до нього.

— Тату! Я хочу показати лялькову виставу. Це займе лише п'ять хвилин.

Він посміхається. У доброму гуморі сьогодні.

— Добре, сину. Давай, показуй.

— Тобі потрібно спочатку вимкнути телевізор.

— Не розмовляй з таким акцентом,— каже батько.

Я встановлюю сцену на кавовий столик, накриваю голову чорною тканиною і присідаю.

— Леді і джентльмени, ласкаво просимо на унікальну лялькову виставу. Вона називається «Лялькові філософи світу». Ви побачите по черзі чотирьох замаскованих філософів, і ви повинні здогадатися, хто це. Якщо ви вгадаєте, то отримаєте приз — шматочок шоколаду.

Я розпочинаю виставу. На сцену вивішую аркуш, на якому написано «Голландські квіти» і намальовано троянду і мімозу. На руці в мене біла шкарпетка з намальованим обличчям. Шкарпетка підходить до квітів і розвертається спиною.

Я запитую:

— Чи може хтось із славетної аудиторії вгадати, який це філософ?

Батько сміється і кричить:

— Я знаю! Я б упізнав цю жирну шкарпеточну морду будь-де!

Він так голосно кричить, наче думає, що я погано чую з-під чорної тканини або що лялька не зрозуміє.

— Це Спіноза! — кричить він.

— Ага,— кажу я.— Гарне застосування дедукції. Спіноза, це ж голландський філософ.

Я зобразив ще трьох філософів, включно з Вольтером, якого показав за допомогою батькового вольтметра. Батько вгадав двох, мама одного.

Я з передсмаком і задоволенням показую останнього філософа — я знайшов його ім'я, як і всіх інших, у батьковій енциклопедії.

Останній філософ замаскований під чоловічка Lego, біля якого лежить колода карт. Чоловічок лягає спати. Потім прибігає лялька-шкарпетка і забирає карти. Чоловічок прокидається і починає їх шукати.

— Хто може вгадати цього останнього філософа? — питаю я.

Немає відповіді.

— Потрібна підказка? — питаю я.— Він шукає карти.

Тиша.

— Ну ж бо, леді і джентльмени! — кажу я.— Ви не можете здогадатись? Просто подумайте. Відповідь у вас під носом.

— Здаюсь,— каже мама.— Скажи нам.

— Ні,— кажу я, і мені стає спекотно під чорною тканиною.— Це не складно! Вам треба подумати. Просто ще подумайте. Думайте!

Батько вмикає телевізор.

— Почекай,— каже йому мама.

— Я вже подумав, забагато для одного вечора,— каже він.

Я вилажу з-під чорної тканини.

— Це Декарт,— кажу я і штовхаю коробку через усю кімнату.— Де карти?

Батько відриває погляд від обличчя Гея Бірна в телевізорі і посміхається мені.

— Дуже хитро,— каже він.— Візьми останній шматочок шоколаду.

Я йду до своєї кімнати, тож вони не побачать мого розчарованого обличчя.

28

Наступного дня після школи я зустрічаю банду біля сходів на першому поверсі. Вони скупчилися над візком із супермаркету, наповненим харчами, і риються в ньому.

Я розвертаюсь і обходжу навколо будинку декілька разів і коли повертаюсь, їх уже немає.

Мама сидить у вітальні і штопає шкарпетки, на ній одна з найкращих її суконь, рожево-чорна, в якій вона ходила на службу у Великодню неділю. Вона гарна, штопає і слухає радіо.

Я кажу «привіт» і йду до себе в спальню і лягаю на живіт. Мені треба подумати про банду і що мені з цим робити.

Час пити чай, вона заходить і питає, що я роблю. Я кажу їй, що обдумую дещо з «Книги рекордів Гіннеса».

Її волосся зібране в хвіст.

— Час пити чай.

— Можна я не піду? Я не голодний.

— Як хочеш.

Вона йде, і я починаю розчісувати вавку у себе у волоссі, яку я постійно розчісую. Але я знову не зупинився вчасно, і на моїх пальцях кров. Я витираю кров об штани. Я продовжую думати і розчісувати і потім заплющую очі.

За кілька хвилин мама повертається з бутербродом з шинкою і сідає на край ліжка.

— Ось, поїж трохи.

Я беру тарілку, але не їм бутерброд.

— Все гаразд?

— Все чудово.

Я б їй розповів про банду. Про те, що винен їм умивальник, і про те, як мені доводиться щовечора уникати їх по дорозі додому.

Вона підводиться і дивиться на мою голову.

— У тебе кров!

— Я не помітив.

— Я зараз оброблю деттолом.

Вона повертається з пляшкою і ватою і сідає біля мене на ліжко і починає обробляти мою вавку на голові.

— Тебе щось турбує? — питає вона.

— Ні, я просто замислився. Я багато думаю.

— Знову парк розваг? Той, про який ти мені говорив?

Хоч щось вона пам'ятає.

— Так.

Потім ми лежимо на ліжку, дивимось у стелю і обоє чуємо це: на посадку до дублінського аеропорту заходить літак. Він летить низько, ревуть двигуни. Я йду до вікна.

— Я можу розгледіти край крила,— кажу я.— Він дуже низько.

Мені стає радісно, коли я це кажу, навіть якщо я брешу. Мені не видно літака. Зараз я вже кращий брехун, ніж був у Горі. Схоже на те, що я стану великим викривачем брехні і в той же час талановитим брехуном. У мене немає ніякого наміру брехати зі злим умислом, і я не стану злочинцем чи шахраєм, але це буде другим вирішальним етапом моєї майстерності успішного проходження тесту на поліграфі. Звісно, ця комбінація талантів принесе більше слави.

Я продовжую дивитися в небо — там немає нічого, крім сірих хмар. І я кажу:

— Я бачу літак, мамо!

Я уявляю, що я сиджу в тому літаку, у мене на колінах мій обід, поруч ковдра, щоб спати. Я кажу мамі про навушники, капці і маску для сну — все, що видають у літаку пасажирам першого класу.

— Ти багато знаєш про те, що відбувається в літаку, як для людини, що ніколи не літала.

— Це тому що я знаю, що полечу. А не те що деякі на зразок тата — я знаю, що зроблю ті речі, які дійсно хочу зробити, це не просто балачки.

Вона натягує ковдру до підборіддя.

— Джоне, якщо ти не можеш сказати щось хороше, то краще не кажи нічого.

— Навіть якщо це правда?

— Це неправильно. Гадаю, тобі варто повчитися толерантності. Вчиняй з людьми так, як ти хочеш, щоб вони вчиняли з тобою.

Біблія! Я не можу говорити, тож починаю гучно і довго гарчати, як пес.

— Джоне, який ґедзь тебе вкусив?

У Горі вона так не говорила. Вона читала книжки і використовувала мудрі і цікаві слова, і розповідала про те, як робити ляльок, а зараз вона сумна і стомлена без причини.

— Як ти не розумієш, як тупо ти стала говорити? — кричу я.— Ти раптом стала дурепою! Тупою бабою з голосом старої карги з вокзалу. Чому ти мені весь час говориш ці приказки? Ти дурепа!

— Це несправедливо,— каже вона і заплющує очі.

— Ні, це справедливо, бо це правда. З того часу, як ми переїхали, ти схожа на зомбі.

Вона розплющує очі.

— У нас зараз дуже складні і напружені часи.

Я не знаю, що сталося, але я раптом опинився на ліжку, стоячи навколішки, моя рука заткнула мамі рота, наче кляп, щоб вона замовкла. Щоб вона перестала бути слабкою, повторювати те саме і тупішати.

— Замовкни, замовкни, замовкни! Нічого не кажи більше.

Я не можу перестати кричати на неї, щоб вона замовкла. Вона пручається, це мене лякає, але я сильний і тримаю руку на її губах, поки вона намагається щось сказати і прибрати мою руку зі свого обличчя.

— Стули пельку! — кричу я.— Мовчи!

Коли вона нарешті затихла, я забираю свою руку з її губ і сідаю біля неї на ліжко. Вона відсовується від мене, але не підводиться з ліжка. Вона дивиться на мене. На обличчі жодних емоцій, нуль. Порожньо.

— Просто не кажи нічого,— кажу я.— Мовчи.

Вона дивиться на мене. Ні сліз, ні страху. Порожнеча.

— Не роби так. Не витріщайся на мене. Я хочу, щоб ти просто замовкла.

— Я мовчу,— каже вона.

Вона заплющує очі, наче чекаючи.

Я також мовчу, моє серце вже не калатається, але в роті дивний присмак, наче бруд, наче земля. Я хочу, щоб вона розплющила очі.

— Я йду дивитися телевізор,— кажу я.

Вона розплющує очі і знову витріщається на мене.

Я виходжу зі спальні.

Я не відчуваю провини за те, що зробив, тільки здивування, наче я був десь чи засинав на кілька хвилин; наче це фільм чи вистава.

Я заходжу до вітальні, батька там немає, і мені байдуже, де він.

Я поїв печива і сиджу за кухонним столом з блокнотом і ручкою і складаю нового листа до «Книги рекордів Гіннеса».

О десятій на кухню заходить мама. Вона ніяково зупиняється на порозі. Гадаю, вона сподівалась, що мене тут немає.

— Вибач за те, що сталося,— кажу я.— Можна мені марку?

Вона напружена і знервована, сутула, її зіниці збільшені і чорні. Вона наче понижчала, і її рот зменшився, міцно стиснутий, і він не такий червоний, як завжди.

— У мене є гарна ідея вдарити тебе,— каже вона, її голос тонкий і тихий.— Я декілька годин намагалася заспокоїтися, щоб не вдарити.

Я підходжу до неї.

— Давай. Удар мене.

Вона не вагаючись замахується і сильно б'є мене по обличчю. Біль такий же, як від футбольного м'яча, коли він б'є мені по ногах холодного дня.

Вона підходить до столу і сідає.

Я йду за нею і також сідаю.

— Ніколи більше не піднімай на мене руку, Джоне. Ніколи.

— Вибач, я більше не буду. Обіцяю.

Ми сидимо, кожен дивиться на кухонний стіл.

Вона йде до холодильника і бере звідти солонину. Вона нарізає її і потім варить брюссельську капусту і моркву. Я дивлюся на неї. Вона пропонує мені бутерброд. Я кажу їй, що не голодний.

— Марка тобі потрібна для листа «Книзі рекордів Гіннеса»?

— Так.

— Я думаю, треба забути про цю справу з викриванням брехні. Так?

— Ти кажеш так кожного разу, коли ми про це говоримо. Ти не розумієш? Я вже двічі тобі казав, і обидва рази ти кажеш те ж саме. Ти взагалі нічого не розумієш?

— Я втомилася,— каже вона.— Я дуже втомилася.

Вона лизнула марку для мене, її язик розпухлий, занадто товстий і червоний.

— Дякую,— кажу я.

— Я йду спати зараз. Скажи батькові, коли він прийде, що його чай на плиті.

29

Два дні по тому, сонячний день. Вихідний, але я не можу вийти через банду. Вони, напевне, все ще чекають на мене. Вони, мабуть, хочуть мене побити. Але я все ще більше боюся бути приниженим, ніж побитим. Я не хочу, щоб із мене сміялися і ганьбили мене. Я лишаюся в квартирі і кажу мамі, що погано почуваюся. Вона питає мене, чи не хочу я піти в зоопарк, перевіряє, напевно, чи я брешу про те, що захворів.

— Ні,— кажу я.— Я захворів.

Вона пропонує поміряти температуру. Я кажу їй про це не турбуватися.

— Ну,— каже вона,— я збираюсь проїхатися автобусом по Сан-Стівенс-Грін-парку, а потім погуляти і подихати свіжим повітрям. Може, навіть подивлюся фільм.

— Де батько?

— Працює. Сьогодні він підробляє з дядьком Джеком. Він повернеться вечеряти.

Я лежу на дивані і їм тости з яйцем пашот. По телевізору фільм про школу для хлопчиків в Англії, і приємний голос актора, який грає вчителя, змушує мене думати про містера Роше.

Після фільму я вирішую спробувати знайти номер телефону містера Роше. Я пам'ятаю, як директор сказав, що містер Роше з Дубліна, тож я пошукаю в дублінському довіднику. Дуже багато людей мають прізвище «Роше», і я не знаю його імені. Замість цього я знаходжу номер національної школи Горі. Я не очікував, що у школі хтось є в суботу, але після двох гудків відповів жіночий голос.

Я кажу їй, хто я, що я колишній учень містера Роше і що я хочу поговорити з ним.

— Ти син Гелен Іган? — каже вона.

— Так, це я.

Вона дає мені номер телефону містера Роше в Горі. Я дякую їй і вона питає:

— Як там мама?

— Чудово,— кажу я.

— Тобі пощастило застати мене тут. Я вже збиралась іти. Перекажеш їй від мене вітання?

— Так, перекажу,— кажу я.— Мені треба йти. До побачення.

Я вішаю слухавку і декілька разів глибоко вдихаю перед тим, як набрати номер.

Я чую його м'який голос, він повільно каже: «Так, Девід Роше слухає»,— і я починаю нервувати. У мене пересихає в роті і тремтять руки. Я не мав наміру розіграти його — не знаю чому, але так сталося.

— Так,— кажу я.— Це містер Роше.

Він каже:

— Це містер Роше.

Я кажу:

— Я думаю, я ваш дальній родич, і я думав, може, ви запросите мене до себе на чай.

Він поклав слухавку.

Я не розумію, чому я так вчинив. Я одразу набираю ще раз.

Якщо я загаюся, то втрачу свою сміливість. Я кажу дуже швидко:

— Доброго дня, містере Роше. Це Джон Іган, сер. Я був у вашому класі в національній школі Горі.

Довга пауза. Я чую, як шелестять папери. Він починає говорити, і я чую, що у нього в роті їжа.

— А-а, той хлопчик, який зник пізно вночі?

— Так,— кажу я, задоволений тим, що він пам'ятає. Може, усе ще й налагодиться між нами. Він допоможе мені робити те, що мені треба робити, щоб стати відомим. Він допоможе мені привернути увагу «Книги рекордів Гіннеса».

— Ми переїхали в Дублін, у Баллімун, сер.

Ще одна довга пауза, моє серце калатає.

— Ти дзвонив на цей номер декілька хвилин тому? — питає він.

— Ні,— кажу я.— Ні, я дзвоню зараз уперше.

Ця брехня була сказана погано.

— Хто б це не був, але він дуже схожий на тебе.

— Ні, сер, це не я. Це, мабуть, хтось інший. Це, мабуть, якийсь збіг.

Я помічаю відчуття, які викликала брехня: що робиться з моєю температурою, моїм голосом і моїм тілом. Я помічаю, що моя ліва рука затиснута в кулак, але незрозуміло, що було б із правою рукою, якби вона не тримала слухавку. Також я помічаю, що говорю швидше, ніж звичайно.

— Ти зараз живеш у Баллімуні.

Я не впевнений, це питання чи твердження.

— Так,— кажу я.— Тут добре, коли звикаєш.

Він точно їсть. Я чекаю, поки він прожує і ковтне.

— Сподіваюся, ти ніколи не звикнеш. Сподіваюся, ти поїдеш звідти при першій нагоді.

— Так,— кажу я.— Це точно і…

— Ну що ж, юний Джоне, пам'ятай про те, що треба бути добрим, і, що більш важливо, щасти тобі.

Він повісив слухавку.

Я ніколи не розмовляв по телефону з людиною, яка не зволіла сказати «До побачення». Я кажу «До побачення» гудкам у слухавці і ніяково озираюсь навколо себе.

Деякий час я ходжу туди-сюди біля дивана у вітальні. Потім знову набираю його.

— Сер,— кажу я,— це знову я.

— Так.

— Я забув сказати вам, що у мене є дар.

— Не думаю, що є необхідність у посиланні мені дарунка.

— Не дарунок, сер. Дар. Талант. Я талановитий.

Він тяжко зітхає, не кажучи нічого.

Я чекаю.

— Який талант?

Йому, здається, нудно. Я вже не впевнений, чи слід йому говорити.

— Поки що не можу сказати. Але це справжній дар, і я думав, може, ви допомогли б мені з листом, який потрібно…

— Навіщо згадувати цей дар, якщо ти не можеш мені сказати, що це?

Чому я не сказав того, що збирався? Чому я не можу контролювати те, що я кажу і як я це кажу? Як мене могло так занести? Ненавиджу себе.

— Знаєте, сер, одного дня я збираюсь прославитися. Я думаю, я людина — детектор брехні. Я впевнений у цьому, але мені потрібна допомога з…

Він відкашлявся.

— Так, продовжуй.

Я розповідаю йому про брехню тата і бабусі. Я розповідаю про «Ланруж Інхерб» і книжки, які я читав.

— Продовжуй,— каже він.— Поясни це мені.

Зараз у мене є шанс довести, що у мене є талант, і показати щось із того, що я вивчив.

— У мене є інстинкт, і я знаю, що брехня викликає емоції, які є мимовільними, і я знаю, що ці емоції неможливо приховати.

Я продовжую. Він припинив їсти.

— І я помічаю емоції на обличчях людей і те, як рухаються їхні тіла, що роблять їхні руки і таке інше. Я навіть можу сказати, коли досвідчений брехун бреше, тому що «один з найважливіших доказів обману — це розбіжність між тим, що людина говорить, і тим, що демонструють її обличчя і тіло».

— Це досить плутано. Ти точно добре підготувався. Але чому ти вважаєш, що цей талант не є просто відчуттям, як біль чи сором? Емоції, які ти переживаєш, коли вважаєш, що твій близький тобі бреше?

— Бо є докази. Я перевірив на Брендоні і зробив запис у «Ланруж Інхерб».

Він розсміявся.

— Поки це на зайшло далеко,— каже він,— хочу тобі з радістю заявити, що Брендон — один з найневдаліших юних брехунів, яких я зустрічав, при всій повазі до кількості брехні, яку він каже, і тривожній нестачі її правдоподібності.

— О,— кажу я.— Але...

Я розгніваний, мені стає важко дихати, наче я щойно бігав. Я намагаюся не подавати виду, що розгніваний.

Він знову починає їсти.

— Тобі треба протестувати твій талант на тих друзях, які є більш досвідченими брехунами.

— Ну,— кажу я,— я тут зустрів банду. Можу попрактикуватися на них. Може, наступного разу я зможу...

Він голосно закашлявся, перебивши мене. Це трюк, щоб завершити нудну розмову? Він хоче, щоб я замовк? Якщо я нічого не зроблю, щоб зупинити це, я занадто розізлюся для того, щоб говорити. Я глибоко вдихаю і рахую до десяти.

— Ну, Джоне. Ти мене заінтригував. Якщо цей талант збережеться до того моменту, коли ти закінчиш школу, будь ласка, зв'яжись зі мною.

— Добре, сер.

— Я саме це маю на увазі, Джоне, я б хотів, щоб у тебе було щось, що триматиме тебе окремо від того гадючника.

Він сказав це останнє речення з теплом, і це було так раптово і сильно, що мені різко захотілося плакати, сміятися і плескати в долоні. Він не ненавидить мене.

— Я теж,— кажу я.— Я теж сподіваюся на це.

Я йду до буфета і беру чорний перманентний маркер, яким мама підписує мій новий одяг. Я знімаю піджак і пишу номер телефону містера Роше всередині лівого рукава, під пахвою; якщо номер щезне після прання, я напишу його знову. Номер буде завжди зі мною.

30

Середина тієї ж ночі, і мій батько стоїть біля дверей спальні і шепоче моє ім'я. Я вдаю, ніби не чую його, але він навшпиньки підходить до ліжка і трясе мене за плече.

— Вставай,— каже він.— І не розбуди маму.

Він у тому самому жовтому аранському светрі, який він не знімає з того часу, як ми переїхали до Баллімуна.

— Я дуже хочу спати.

— Вставай,— каже він.— Треба поговорити.

Я надіваю халат і йду за ним до маленької спальні, яка раніше була моєю. Сморід від сміттєпроводу дуже сильний, і він грюкоче.

3:15 ночі, і годинник на стіні біля ліжка має дивний вигляд: стрілки разом, притулені одна до одної, як одна товста чорна стрілка.

Він лягає, я сідаю на край ліжка. У нього на скроні пульсує артерія в ритмі годинника, блакитний черв'ячок смикається щосекунди. Я відвертаюся і сподіваюся, що коли я повернусь до нього, його чуб впаде і закриє це.

— Ти повністю прокинувся?

— Так, я прокинувся.

— Добре, бо треба буде сконцентруватися.

— Чому?

— Тому що я мушу тобі сказати, щоб ти трохи попустився. Мама сказала, що ти повівся зухвало.

— Ні, це не так.

— А я чув, що так, і я той, хто повинен тобі це сказати.

— Чому?

— Бо я твій батько.

— Ясно,— кажу я.— Це все?

Він закидає руки за голову.

— Вже пізно, і твій татко трохи п'яний. Просто хотілося подивитися на своє єдине дитя.

Артерія на його скроні пульсує швидше. Два черв'ячних смикання за секунду.

— Де ти був? — питаю я.

— Ходив випити кілька кухлів пива після роботи в сусідній бар.

— З ким?

— З приятелями з роботи.

Він бреше.

— Де ви були? — питаю я.

— У «Терміналі».

— А як це ви так затрималися? — питаю я.

— Нам треба було багато чого обговорити. Наш бос дістав нас. Такого падлюку ще пошукати треба. Сьогодні він змусив нас мити кухню; п'ять чоловіків рачки терли підлогу.

Його обличчя знервовано-напружене необхідністю вигадувати.

— А ти як, риб'яча морда?

— Не називай мене риб'ячою мордою.

Він мій батько, і він повинен вважати, що я красивий, навіть якщо я некрасивий.

— Ти риб'яча морда,— каже він, нечітко вимовляючи, так, що виходить «рипча морда».

Він кладе руку мені на коліно, і я дозволяю йому це.

— Вибач, риб'яча мордо, ти не схожий на рибу. Я тебе так називаю, бо ти їси багато рибних паличок.

— Ти також їх їси,— кажу я.

— Та не хвилюйся ти так.

Ми сидимо мовчки. Він заплющує очі, а я лишаюся там, де я сидів — на краю ліжка. Він кладе руку за голову, і я відчуваю його парфум.

— Тату, а як так сталося, що ти став кепкувати з тих сліпих жінок, що живуть над нами? Ти знайомий з ними?

— Ні,— каже він.— Я просто люблю кепкувати.

— Але ти знайомий з ними?

— Ні. Чому б це я був знайомий з ними?

Його обличчя як маска, немов паралізоване. Тепер я пограюся в детектива.

— Ти справді не знайомий з ними?

— Ні. Я бачив їх тоді з тобою. Але я їх не знаю.

— Інші квартири такі ж, як і наша?

— У місіс Макгаерн така сама. Тож, гадаю, вони всі плюс-мінус однакові. Просто трохи більші чи трохи менші.

— Ти був колись на тринадцятому поверсі?

Він нахиляється вперед, простягає руки і торкається мого обличчя.

— Ні, синку. Мені нема чого туди підніматися.

Він ніколи не називав мене «синку» і він ніколи не торкався мого обличчя.

— Ти справді ніколи не був у їхній квартирі? — питаю я.— У квартирі трьох сліпих мишей?

— Чого ти причепився до мене? Чому саме це питання?

— Здається, ти багато чого знаєш про цих жінок.

Він замислився. Тягне час.

— Моя відповідь «ні». Мені нема чого там робити.

Він бреше. Я впевнений, що він бреше. Він збирається встати з ліжка.

— То ти не піднімався?

— Піднімався, до Марка на чашку чаю після роботи. Він живе на п'ятнадцятому. Отже, так, я піднімався.

— Можна ще одне важливе питання?

— Звісно можна, синку. Ти можеш питати мене про що в біса завгодно.

— Ти робив з ними щось непристойне?

Він встає. Підходить до мене впритул і його ноги майже торкаються моїх. Його обличчя червоне, він важко дихає. Напевне, зараз він відшмагає мене ременем. Але я не боюся. Правда на моєму боці. Я знаю, що він був там з тими жінками. Його брехня сказала всю правду.

Але замість того щоб ударити мене, він ударив двері, і я хвилююся, що він розбудить маму. Я очікую, що він зараз вибухне, але він повертається до мене, розслабивши руки, наче чекає чогось. Я мовчки дивлюся на нього, він відкриває рота, але ніяких звуків. Він двічі сходив до стіни і назад, з похиленою головою.

— Здаюся,— каже він.— Здаюся.

Потім, нічого не кажучи, він виходить.

Я повертаюсь до мами в ліжко, підсуваюся і лягаю впритул до неї. Незважаючи на те що я хочу лежати саме так і заснути, притулившись грудьми до її теплої спини, я відповзаю на свою половину двоспального ліжка і засинаю там.

Увечері, замість того щоб дивитися телевізор, я йду на вулицю. Кожного вечора, п'ять разів, я кажу матері, що йду на перший поверх на урок гітари.

Замість першого поверху я йду нагору, до тієї квартири, що над нами, у якій живуть три сліпі миші. Я чергую біля їхнього входу і ходжу туди-сюди по коридору до дев'ятої і трохи довше. Коли батько виходитиме, я спіймаю його.

Але він не виходить, і мені не чути його крізь двері. О десятій я спускаюся в нашу квартиру.

На п'ятий вечір я вирішую чекати біля початку сходів на балконі дванадцятого поверху. Я сідаю на першу сходинку і дивлюся. І коли я побачив його, я не міг у це повірити. Він спускається сходами з тринадцятого поверху, на ньому його огидний синій комбінезон, у руках чорна сумка, з якою він ходить на роботу.

— Здоров,— каже він, побачивши мене, наче нічого такого не відбувається.

Я берусь за поручень і дивлюся на нього.

— Де ти був?

— Це тебе не стосується,— каже він.— Але я був у Марка, заходив чаю випити.

— Ні. Я бачив, як ти вийшов з тринадцятого поверху.

Він промайнув біля мене, копнувши ногою мене по коліну.

— Це твої проблеми, якщо ти бачиш те, що хочеш побачити.

Він заходить, я трохи чекаю і потім теж заходжу. Я забігаю до ванної вчасно і блюю, поки стає нічим блювати. Мене давно вже не нудило, його брехня напевно найгіршого типу, якщо вона викликає таку реакцію. Я чую, як він на кухні розмовляє з мамою, звичайним невинним тоном, і в мене серце вискакує від гніву.

Наступний день після того, як я спіймав батька на гарячому. Час вечеряти. Його немає вдома. Я на кух-

ні, варю манку, мама за столом, сушить волосся фе-
ном, який з'єднано з пластиковою шапочкою. Мама
ввімкнула цей винахід, і пластикова шапочка напов-
нилася гарячим повітрям і роздулася, як повітряна
кулька, на її голові.

— Що ти про це думаєш? — питає вона.— Що ти
думаєш про цей старомодний фен?

— Я думаю, він нормальний,— кажу я.— У нього
є характер. Просто як ти.

Вона розсміялася і зняла пластикову шапочку і по-
клала її на коліна.

— Одного разу моя мама сушила курча цим феном.
Ти знав про це?

— Ні.

— У неї були курчата, і якось одне курча впа-
ло у велику калюжу, і вона вирішила викупати його.
Курча прийняло ванну, потім вона принесла його до
вітальні і висушила оцим дирижаблем.

— Вийшло?

— Почекай,— каже вона.

Вона повертається за декілька хвилин з чорно-
білою фотографією, на ній цей фен і голова та дзьоб
курчати стирчать із пластикової шапочки.

— Отже,— каже вона,— тобі буде про що подума-
ти. Можеш додати це до свого парку розваг.

— Дякую,— кажу я.

— Поцілуй мене,— каже вона.

Я цілую її в лоба і почуваюся при цьому так, наче
я її чоловік.

— Мамо! Мені треба сказати тобі дещо дуже-дуже
важливе.

— Припини роздирати собі голову.

— Можна говорити?

— Так.

— Я почекаю, поки ти приготуєшся уважно мене слухати.

— Кажи. Я уважно тебе слухаю.

— Здається, батько ходить розважатися з тими, з квартири над нами.

— Заради бога!

— Ні, мамо, послухай. Думаю, тобі треба це знати. Просто послухай хвилинку.

Я розказав їй про те, що батько прийшов до кімнати о 3:15 ночі, і він був п'яний, і він брехав про те, де він був. Я розказав їй, що він був нагорі з тими.

— Яка маячня,— каже вона.— Що ти верзеш?

— Я кажу правду.

— Ні, цього разу ні. Твій батько ніколи б не зробив такого. Ніколи в житті. Може, він і прибрехав про те, де він був, але я впевнена: він не ходив до жінок нагору.

— Як ти можеш не вірити мені? Чому б тобі просто не вислухати мене?

— Мені зовсім не подобається ця розмова.

— Якщо ти не віриш мені, чому б тобі не піднятися нагору і самій не поговорити з жінками? Спитай у них, чи приходив батько.

Вона встає.

— Я не буду цього робити. А тобі треба рота милом помити.

Я заперечував і благав її повірити мені.

Вона опустила голову собі на руки.

— Добре. Сьогодні ти йдеш спати у своє ліжко. Такий брудний хлопець, як ти, може стерпіти сморід від сміттєпроводу.

— Я не брудний. Я інакший! Я знаю правду!

— Ти не був брудним у Горі, а зараз трохи є.

Я беру свою куртку і йду вниз.

Сподіваюся, я наткнуся на банду. Зараз мені байдуже, що станеться, і мені хочеться, щоб зараз сталося щось драматичне і неприємне, те, чого я чекав і не отримав від матері. Але я не бачу банди, тож я сам іду до новобудівлі і ходжу навколо неї по бетонних траншеях. На одній зі свіжозалитих бетонних плит відбиток гумового чобота.

Я прийшов додому, батько з мамою за кухонним столом, їдять солонину, моркву і картопляне пюре.

— Твоя порція там,— каже мама.

Моя тарілка стоїть зверху на каструлі з гарячою водою, щоб не простигло.

— Де ти був? — питає батько.

— Ходив на перший поверх подивитись, чи не відбувається чогось цікавого.

— Щось було? — питає мама.

— Так, щось малювали, і малі діти робили зміїв з яєчних лотків.

— Цікаво,— каже батько.— Я був унизу не так давно, і все було зачинено через прибирання. На дверях табличка з оголошенням про це.

Мене піймали. Але відпустили.

— У всякому випадку, ти вже завеликий для зміїв,— каже він, посміхаючись і плескаючи мене по плечі.

— Гадаю, так.

— Пам'ятаєш, Майкле,— каже мама,— як Джон любив ті розмальовки за номерами? О, і ту гру для малят, з фетровими фігурками. Пам'ятаєш, як він любив це?

— Я не любив фетрові фігурки. Я їх ненавидів.

Вони розсміялися.

— Я знаю, що мені подобалось і що не подобалось. Ви мене, мабуть, із кимось сплутали.

269

Вони продовжували сміятися, і мама намагалася мене розвеселити, лоскочучи мені під пахвою.

— Не треба!

Не розумію, як можна бути такою щасливою після того, що вона почула.

Я виходжу одразу після того, як усе з'їв, і йду до вітальні дивитися телевізор. Я прикручую гучність, щоб чути, про що вони говорять.

Вони розмовляють про опалення, про те, що в квартирі занадто жарко, про те, що холодильник завжди смердить, про ціни на паливо, про те, чи закінчаться запаси нафти, про розмір Фенікс-парку і чи найбільший це парк у світі.

Я знаю, що найбільший.

— Що у нас на десерт? — кричу я.

— Арахіс! — кричить батько, і вони вдвох сміються.

Я повертаюся на кухню.

— Наступного тижня мені знову треба до стоматолога,— кажу я.— Ще один зуб болить.

Я хочу їхнього співчуття. Але я не отримую його.

— Ісусе,— каже батько.— Ти єдина дитина у світі, хто проситься до стоматолога.

— Я не проти,— кажу я.— Мені подобається стоматолог.

— Думаю, йому сподобався доктор О'Коннор, бо він у дорогому костюмі і говорить приємним голосом,— каже мама.— Він наче адвокат, який дає поради зубам.

Вони розсміялися з маминого розумного жарту, і я вдав, ніби також сміюся. Я ніколи не буду людиною, яка лишається осторонь.

— Так,— кажу я.— Адвокат, який дає поради зубам і змушує платити через ніс.

Батько посміхається і простягає мені руку, щоб я потис. Я простягаю свою, і ми довго тиснемо один одному руку. Дивна річ, я не помічав цього раніше: його шкіра така ж ніжна, як і мамина.

Я йду до спальні, де смердить сміттям. І лягаю на ліжко. На живіт, на бік, на спину — не проходить. У животі сумна слабкість, коли я думаю про Брендона і я скучив за ним і уявляю його з Кейт, як вони сміються, з мене сміються, і я не можу зупинитися. Я перевертаюся на спину, але думки ті ж самі знову і знову… У темряві, тузі і чорноті на спині… У темряві, тузі і чорноті на спині…

Я перевертаюся на живіт, і в двері стукає батько. Я кажу йому, щоб він увійшов, і він прослизає навшпиньки, наче злодій-домушник. Він тихенько зачиняє за собою двері і сідає на край ліжка.

Я закриваю підручник і сідаю. Схрестивши ноги. Він сідає поруч зі мною, ноги на підлозі.

— Гей, риб'яча мордо,— каже він.— Ми вже давно не розмовляли. Як у тебе справи?

— Що? — кажу я.— Ми ж уночі розмовляли.

— Ну, вибач мені. Я випив тоді, а ти ж мене знаєш. Я не вмію пити. Вибач, що розбудив. Не треба було.

— Все нормально.

— Я цього разу не забув про подарунок.

Я не бачу ніяких ознак присутності подарунка.

— Але я хочу, щоб після того, як я тобі його вручу, ти вибачив мені всі мої забуті подарунки минулих разів. Домовились? Тепер, коли я не забув, вибачиш мені?

Я думаю, вже пізно, але дай мені подарунок, і я подивлюся, чи сподобається він мені.

— Добре,— кажу я.

Він витягає з паперового пакета пару величезних коричневих шкарпеток.

— Ну, синку, ось, бери! Ці прекрасні шкарпетки для тебе, і ти можеш зробити з них ляльку чи що завгодно.

Він такий задоволений, що аж шкіриться.

Я беру коричневі шкарпетки. Вони величезні, на пальцях декілька дірок і велика дірка на п'ятці; ступні протерті, тонкі, що аж світяться.

— Я не розумію.

Він говорить повільно:

— Ці шкарпетки належали найвищому чоловікові, який коли-небудь жив. Ці шкарпетки носив найвищий чоловік у світі.

Я приголомшений. У мене відкритий рот і на очах виступили сльози.

— Роберт Першинг Водлоу?

— Так, саме він. Вони на 37АА розмір ноги, вісімнадцять із половиною дюймів[1] завдовжки,— каже він.— Він носив їх в останній рік свого життя. Їх знайшли серед його майна, і зберігались вони у його батька.

Я сідаю рівніше, щасливий і приголомшений, але більше щасливий. Піднімаю шкарпетки і роздивляюся їх. Ступня однієї шкарпетки завдовжки з мою руку від ліктя до кінця вказівного пальця. А вся шкарпетка така ж, як моя рука від плеча.

— Ну, що скажеш? — каже батько.— Вони старі, трохи зношені і затоптані. Але це доказ того, що вони автентичні.

Моє щастя розлетілось на друзки. Я не помічав цього раніше. Я був зайнятий своєю радістю. Але

---

[1] Дорівнює 47 см.

я помічаю зараз: він бреше. Я занадто сумний, щоб тестувати його. Не можу повірити, що він зробив це знову. Я хочу піти в ліжко, залізти під ковдру, заснути і щоб він пішов.

— Так,— кажу я, видавлюючи з себе посмішку.— Чудовий подарунок.

— Нелегко було дістати, але, як я вже казав, дірки і поношеність доводять, що вони справжні.

У мене є вибір: розплакатися чи подумати. Буду думати.

Для брехуна звичайна справа — підтверджувати свою брехню виразами типу «клянуся честю скаута», «присягаюся життям» і «мамою клянусь». Батько каже, що поношеність шкарпеток доводить, що вони справжні, і це є прикладом того, про що йдеться в книжках: так звана «контрольна присяга».

— Як ти їх дістав? — питаю я.

— Я полював на них декілька місяців. І зрештою я зустрів на роботі чоловіка, який знає ще одного чоловіка з Америки, який купив їх на аукціоні в Іллінойсі декілька років тому.

Батько збрехав не один раз, а декілька разів за коротку розмову — це як безконтрольне чхання, коли тобі до ніздрів потрапляє перець.

Я розлючений, і мені соромно.

— Вони, мабуть, дуже дорогі,— кажу я.

— І так і ні. Я хотів роздобути його черевики. Але вони б мене по світу пустили до кінця життя.

— Шкарпетки мені більше подобаються,— кажу я.— Дякую.

— На здоров'я, любий сину.

Цього разу треба бути обережнішим, щоб не зіпсувати постановку, тому що детектор брехні не повинен створювати атмосферу, яка змусить брехуна проявляти більше ознак стресу. А ознаки стресу легко переплутати з ознаками брехні. Детектор брехні повинен бути нейтральним і терплячим.

Я не повинен дати йому жодного натяку на те, що знаю, що він бреше. Я облишу підроблені шкарпетки і перейду до дечого іншого. Я кладу шкарпетки.

— Я радий, що вони тобі сподобалися,— каже він.— Не буду заважати твоїм урокам, добре?

Я сідаю, під голову кладу подушку.

— Зажди, татку. Я спитаю щось про школу.

— Давай.

— У тебе в школі був найвищий IQ у класі? Наступного тижня ми складаємо тест на IQ, і вчитель каже, якщо ми дізнаємося IQ наших батьків, то це дуже йому допоможе.

— Так,— каже він.— Я нокаутував усіх суперників так швидко, що жодної пилинки на арені не піднялося. Просто як Мілон Кротонський. Я був переможцем без пилу й шуму.

Я посміхаюся йому, щоб він не здогадався.

— Але який твій IQ? Який IQ у тебе повинен був бути, щоб пройти до «Менси»[1]?

— Ти це знаєш. Ти був присутній, коли я отримав звістку.

Він чухає ногу так само, як і тоді, коли він брехав про великодні листівки.

— Просто скажи мені. Я забув, а мені дійсно цікаво знати.

— Сто сорок п'ять,— каже він, його голос різкий і хриплий.— Більший, ніж сто сорок, це точно. А для «Менси» було потрібно лише сто тридцять три.

---

[1] «Mensa» — організація, що об'єднує людей, які мають високий коефіцієнт інтелекту.

У нього не вистачило розуму замовкнути, зрозуміти, що я готую йому пастку.

Невже він не розуміє, на що я здатен?

— Я дуже давно перевіряв,— додає він.— Уже, напевне, час перепровірити.

Це внесення поправок і уточнень, доки брехня не виявлена.

Мені не віриться, наскільки він не вміє брехати. Я зовсім не розумію, як він збирається викручуватися з цього і чому він не зупиняється. Я не розумію його. Напевно, він вважає мене тупим.

Бути в кімнаті з ним — це все одно що бути на самоті, але не так спокійно.

— Дякую, татку. Піду вип'ю молока.

Я встаю з ліжка, він іде за мною в коридор, як робила Кріто.

— Ти молодець, синку,— каже він, плескаючи мене по плечі, але його обличчя сумне і стомлене.

Я боюся, що він скаже, що любить мене.

31

Коли наступного дня я не побачив маму у школі, то відчув, що сталось щось жахливе. Зазвичай вона проходить повз вікно нашої кімнати о пів на одинадцяту, разом з іншими мамами, вони несуть ящики з молоком і бутербродами з варенням, і я завжди махаю їй зі свого місця.

Я п'ю молоко. Свій бутерброд з варенням я розгорнув, але не їм його. Я вирішив, що піду додому і подивлюся, що з нею трапилося.

Урок математики. Я не піднімаю руку, а просто йду до вчительки і кажу:

— Міс, мені зле і мені треба додому.

До того, як вона встигла відповісти, я виходжу з класу. На жаль, вона спіймала мене, коли я збирався виходити надвір.

— Юний Джоне Іган! — каже вона низьким чоловічим голосом. — Ти не можеш просто отак узяти й піти зі школи. Негайно повертайся і покажися медсестрі.

Я відвертаюся від неї і згинаюся навпіл, наче я вмираю від болю, і встромляю собі в горло палець, викликавши достатньо сильний блювотний рефлекс.

Я здивований тим, як багато хліба в моєму блювотинні, при тому що сніданок був ситний.

— Мені треба йти! — кричу я і тікаю від неї щосили.

— Бережи тебе Господь! — кричить вона мені неочікувано спочутливо.

* * *

Я прийшов додому, двері відчинені навстіж, мама сидить на підлозі в коридорі. Телефон стягнутий зі столика на підлогу, він лежить біля її ніг, слухавка лежить окремо.

На ній нічна сорочка, та, що з дірками під пахвою і на лікті, волосся скуйовджене. Вона піднімає на мене очі, коли я підходжу, але нічого не каже.

Я відчуваю холод в обличчі.

— Що ж,— каже вона,— ти казав правду і тепер у тебе немає батька.

Я застиг. Кров відлила від мого обличчя і пульсує в руках. Мої руки отерпли від плеча до кінчиків пальців. Це пульсування крові мене лякає — відчуття таке, ніби в мене руки повідпадають на підлогу.

— То тепер ти мовчиш? — каже мама з божевільним виразом обличчя.— Нарешті язика проковтнув?

Мені страшно, я хочу це припинити. Я хочу сісти на підлогу і зробити щось, щоб вона заспокоїлася. Я ковтаю і намагаюся намочити свого сухого рота, щоб мати змогу щось сказати.

— Що сталося? — питаю я.— Де тато?

Вона витирає ніс рукавом нічної сорочки.

— Я телефонувала йому на роботу.

Вона розповіла мені, що дзвонила на завод і бригадир сказав їй, що кличе людину з заводу тільки у випадках крайньої термінової необхідності. І вона повинна була сказати, що це крайня необхідність.

— А ти сказала що саме? Яка крайня необхідність? — питаю я.

— Не має значення, що саме. Я була вимушена щось вигадати і потім чула, як бригадир кличе твого батька в гучномовець: «Майкле Іган, Майкле Іган. Підійдіть в офіс до телефону. Терміновий виклик». Потім підійшов твій батько, дуже захеканий, і я сказала йому те, що ти сказав мені учора. Знаєш, що він відповів?

— Ні.

Я не хочу, щоб вона отак сиділа на підлозі. Я хочу, щоб вона встала. Вона не повинна сидіти на підлозі у рваній нічній сорочці.

— Він сказав: «Тоді роби те, що каже хлопець, якщо ти йому віриш. Піди сама спитай у них». І він поклав слухавку.

— І що? — кажу я.

Вона стукнула кулаком по підлозі, через килим звук вийшов глухим.

— Отже, я пішла нагору. Я пішла туди в нічній сорочці. Коли жінка відчинила двері, я відчула запах алкоголю. І я спитала в неї про твого батька, і знаєш, що вона сказала?

— Ні.

— Вона розсміялася і сказала: «Він гарний жеребець, твій чоловік!»

Я ледь не впав. Вона не повинна була мені це казати. Вона не повинна була казати це. Я позадкував назад до дверей, щоб утекти від її злого, жахливого, розпачливого голосу. Я боюся того, що вона збирається сказати.

— Я йду назад до школи,— кажу я.

— Ти не підеш до школи! Ти теж у цьому візьмеш участь. Іди і збери татові речі. Він о третій прийде за валізою.

— Чому?

— Чому?

Ми мовчимо. Дитячий плач у сусідній квартирі стає гучнішим і більш переляканим. Я дивлюсь на телефон біля мами і чекаю, поки він задзвенить. Я хочу, щоб жінка згори сказала, що вона пожартувала. Я хочу, щоб це закінчилось. Я хочу, щоб я мав рацію, і я хочу, щоб я помилився.

— Чому? — питаю я знову.— Чому я повинен пакувати його валізу?

— Тому що я попросила його піти. Ти хотів, щоб я повірила тобі, і зараз я вірю. Ти повинен радіти. Тепер, коли все по-твоєму.

Мені треба до туалету.

— Я просто хотів, щоб правда вийшла назовні.

— А ти думав, що станеться після того, як правда вийде?

— Я не знаю,— кажу я, бажаючи, щоб ми могли нормально поговорити, сидячи на кухні, а не на підлозі в коридорі.

— Ти не знаєш? — каже вона.— Ти не знаєш?

— Мені шкода.

— Тобі шкода?

Ми знову сидимо мовчки, і хтось буцає порожню пляшку, йдучи по коридору.

— Іди пакуй валізу татові і валізу для себе, якщо ти так хочеш.

Вона піднімається з підлоги, йде до спальні і зачиняє за собою двері.

Я йду до туалету і потім деякий час ходжу по квартирі. Весільної фотографії на буфеті більше немає, на її місці коробка з клаптиками тканини. У мене й досі відчуття, що якщо я захочу, я можу все повернути назад, як було раніше, можу все повернути. Я думаю, чи не зателефонувати бабусі і не запросити її пожити деякий час з нами. Вона помириться з батьком або дозволить нам повернутися в Горі.

279

По дорозі ми можемо зупинитися на ярмарку або заїхати в цирк Даффі. І там, мабуть, буде міні-потяг, і катання на поні, і люди, перевдягнені у тварин. Я б не хотів звідти їхати. Усі вчотирьох ми можемо зупинитися в цирку і поїсти солодкої вати, і подивитися на приборкувачів левів і канатоходців, і я зможу сісти між бабусею і татом. Коли вони покладуть руки мені на коліна, я зроблю так, що замість цього вони візьмуть за руку одне одного.

Я йду до телефону і набираю номер бабусі в Горі. Ніхто не відповідає. Я затуляю руками очі і прихиляюся до умивальника. Я трохи заспокоююся і йду коридором і зупиняюся біля дверей до маминої спальні і думаю, невже вона хоче, щоб я пішов з батьком. Я йду до себе і сідаю на ліжко і б'ю себе кулаком по ногах так, що завтра матиму синці.

Коробка з-під яблук для лялькового театру щезла. Я мчу на кухню подивитися, чи вона не в кошику для сміття, і так, вона там, а на столі записка татові від мами, написана на конверті:

Майкле, бери свої речі і йди. І коли ти знайдеш місце, де зупинитися, не забудь сказати про це сину.
Гелен

Я беру записку і йду до своєї кімнати. Дитячий плач у сусідній квартирі став ще гучнішим. Я встромляю пальці у вуха і лягаю на ліжко обличчям униз. Я хочу піти і також хочу залишитись. Я хочу бути в двох місцях: тут, із мамою, і там, із татком, і я хочу подорожувати з ним, куди б він не йшов. Можливо, ми можемо повернутися разом до Горі і я знову зможу побачити містера Роше.

Я заплющую очі і фантазую про те, як я буду жити з батьком у тому готелі біля воріт до Фенікс-парку, що біля зоопарку. Або ми вдвох зупинимося в дорогому готелі типу «Шелбурн»; готель із консьєржем у фраці, і я можу коли завгодно спускатися до нього і ставити йому питання. Ми можемо замовити обід прямо в номер і їсти на колінах у великому ліжку, і нам привезуть сніданок на візку, і піти увечері вниз посидіти в барі, поїсти чипсів, я вип'ю червоний лимонад, і там ми подивимось великий телевізор.

Але хіба це не через нього? Хіба не він винний? Так, ця біда з вини мого батька, і я не піду з ним. Я лишуся тут, де я є, з моєю мамою. Вона не винна. Він повинен піти сам і більше не завдавати нам клопоту.

* * *

О третій прийшов батько. Я чув його ще до того, як він відчинив двері, він говорив з кимось. Я встаю і йду його зустрічати. Він з дядьком Джеком і дядьком Тоні, вони всі в синіх комбінезонах. Мені не подобається бачити батька в комбінезоні, мені більше подобається, коли він у чорному костюмі і білій сорочці. Без костюма втрачається якась частина його особистості, тому що він не може навмисне неправильно застібнути ґудзики і не може один рукав закотити, а другий — ні.

— Ти тут,— каже він.— Хіба ти не повинен бути в школі?

— Мені було зле,— кажу я.— Відпросився раніше.

— Вічно він хворий, так? — каже дядько Джек дядькові Тоні, наче я пес, якого треба попустити.

— Я не вічно хворий,— кажу я.

Батько виходить до спальні. Дядько Джек підходить до мене і обіймає мене. Я дивлюсь через його плече на дядька Тоні, який ставить телефон на місце, на столик.

— Ходімо на кухню, заваримо собі чогось міцного,— каже дядько Джек.

— Добре,— кажу я.

Я сідаю за кухонний стіл. Коли дядько Джек закінчує з приготуванням чаю, він підходить і стає біля мене. Він кладе свої руки мені на плечі і дивиться на мене згори вниз. Ненавиджу, коли люди отак наді мною нависають. Він міг просто сісти поруч.

— Відійди! — кажу я.

— Тихіше,— каже дядько Тоні.— Він лише намагається допомогти.

— Не треба мені допомагати. Я знаю, що відбувається. Це я розказав мамі правду.

Вони дивляться один на одного. Вони знають мою роль у тому, що відбувається. І вони, мабуть, знають про мій талант викривання брехні.

— Отже,— каже дядько Джек, умощуючись на маминому місці,— нам не потрібно все пояснювати тобі на пташках і бджілках.

— Ні,— кажу я.— Я все знаю.

— Я так розумію, ти лишаєшся тут,— каже дядько Тоні, видивляючись у шафі, що б такого з'їсти.

— Так. Але я можу передумати і піти з батьком, якщо захочу.

— Звісно, можеш,— каже дядько Джек.

— У цьому домі взагалі є печиво? — питає дядько Тоні.

Гримнули двері. Мама пішла.

Майже потемніло, батько заходить на кухню. Ніхто не увімкнув світло, він здається старим і сумним, куточки його рота посунулися вниз, очі зменшилися.

— Ну що,— каже він.— Час іти.

— Оцю річ не забудь спакувати,— каже дядько Тоні.

Батько посміхається і нахиляється до мене. Він цілує мене в щоку і шепоче:

— Все добре.

У нього смердить із рота. Я посміхаюся йому у відповідь, але я хочу, щоб він відійшов. Я ще ніколи не відчував такого смороду. А що, як це останній раз, коли я цілую його? Що, як я бачу його востаннє і мої останні спогади будуть про його смердючий подих?

— Де ти будеш жити? — питаю я його.

— У дядька Тоні і для тебе завжди буде місце, якщо захочеш мене відвідати. То, може, не будемо робити сентиментальне прощання, бо насправді ми не прощаємося, ми просто…

— Просто що? — кажу я.— Ти маєш на увазі, що ти підеш не попрощавшись?

Батько відходить і роздивляється мене з ніг до голови.

— Ти дивна суміш маленького хлопчика і дорослого юнака, так, ти. З ким із них я зараз говорю?

Я схиляю голову, почуваючись ніяково через те, що почуваюся ніяково. Я хочу, щоб він пішов.

— Який у тебе буде номер телефону? — питаю якомога грубішим тоном.

— Це буде мій номер телефону,— каже дядько Тоні.

— А-а, точно,— кажу я.

— Ну що…

— Ну…

— Бувай, Джоне.

Вони виходять.

Я йду до себе в кімнату і залажу під ковдру і чекаю, доки повернеться мама. Я чую її, вона йде одразу до себе.

Я заварюю чай і йду до неї.

Вона сидить на ліжку, радіо ввімкнене, гучність на всю.

— Він пішов? — питає вона, знаючи, що він пішов.

— Так.

— Ну і що тепер?

— Не знаю,— кажу я.

— Не думаю, що батько дав тобі якісь гроші.

Мені почулося «дідько» замість «батько», я зніяковів і не відповів одразу.

— Залишив?

— Так. Він дав мені десятку, і дядько Джек і дядько Тоні по п'ятірці. І бабуся може трохи прислати, хіба ні? Тож ми не будемо бідувати.

— Бідувати — це останнє, про що треба хвилюватися.

— Тоді добре, так?

Вона знизує плечима і ледь помітно посміхається.

— Піди купи собі щось поїсти у фастфуді, я не буду готувати.

— Добре. Що тобі взяти?

— Просто йди. Коли поїси, займися своїми обов'язками.

Вранці мама зателефонувала директору школи і сказала, що в мене температура і мене не буде декілька днів.

— Сиди вдома, але тихенько, я піду полежу,— каже вона.

— Але ти щойно прокинулася.

— Я не спала всю ніч.

Я йду за нею до спальні і зупиняюся біля її ліжка.

— Ти знаєш, якщо не спати одинадцять днів поспіль, то помреш,— кажу я.

— Так,— каже вона.— Без сну ти помреш швидше, ніж без їжі. Більшість людей може витримати дванадцять тижнів без їжі.

Вона не схожа на себе, її голос рівний, її обличчя зморщене навколо рота.

— А без води скільки днів? — питаю я.

— Не знаю.

Вона знімає халат і заплющує очі. Її голова обвисає, вона скреготнула зубами.

— Ти ледь не заснула щойно. Стоячи!

— Мені краще лягти.

— Може, мені треба знову спати тут з тобою, ти краще спатимеш?

— Гадаю, краще я буду сама в ліжку.

— Ти приймеш батька назад, якщо він вибачиться?

— Я зараз занадто стомлена для такої розмови, ти й так уже забагато знаєш.

— Але скажи мені, що буде далі?

— Досить, Джоне. Будь ласка, залиш мене. Я спробую поспати.

32

Опівночі мама підходить до моїх дверей. Четверту ніч поспіль вона підходить до моїх дверей і кожного разу говорить майже те саме:

— Я не хотіла будити тебе. Просто прийшла перевірити, як ти. Просто прийшла подивитися, чи в тебе також проблеми зі сном.

— Я міцно спав.

— Вибач. Засинай тоді.

Перші дві ночі я вставав разом з нею і йшов на кухню, ми гріли молоко, а на третю ніч ми десь із годину грали в нарди, доки вона не сказала, що вона вже захотіла спати, і не пішла до себе.

Але сьогодні по-іншому. Вона вмикає світло і притуляється до одвірка, наче не може стояти.

— Мамо, що з тобою?

— Я просто хвилююся. Я скучила за Майклом.

— Хочеш, я прийду і спатиму в твоєму ліжку? — питаю я.

— Якщо хочеш.

— Добре,— кажу я.

Я встаю з ліжка і йду з нею до її спальні. Мені подобається запах її простирадл після того, як пішов батько. Вони пахнуть так, як земля після дощу.

— Я лишу світло, трохи почитаю. Тобі не заважатиме?

— Ні,— кажу я і швидко засинаю.

Вранці вона мене не будить. Я приходжу на кухню о пів на десяту, вона там, сидить за столом з листом в руках.

— Це від твоєї бабусі,— каже вона.— Твій батько повернувся в Горі.

— Коли ти отримала його?

— Вчора.

— Чому не прочитала одразу?

— Боялася.

— Але ж це від бабусі. Треба було відкрити його. Це від бабусі.

— Я добре знаю, від кого. Не треба мені казати.

Вона не злилася на мене відтоді, коли я прийшов зі школи і побачив її на підлозі в коридорі.

— І яка різниця, коли воно прийшло? Я прочитала його зараз, тут ідеться про те, що Майкл повернувся до своєї матусі. Хіба ти не цього хотів? Хіба ти не хотів, щоб він повернувся?

Я не бачу в цьому сенсу і починаю тремтіти від гніву. Якщо хтось і був повинен повернутися в Горі, так це ми, а не він.

— Чому він повернувся в Горі? — питаю я.

Я майже не можу дихати.

— Твій батько пообіцяв бабусі, що продовжить працювати. Вони помирилися.

— Отже, ми можемо повертатися?

— Підійди на хвилинку,— каже вона.— Присядь.

— Не хочу.

— Сідай.

Я беру листа зі столу і читаю його.

— Але бабуся пише, що хоче нас побачити. Хіба це не означає, що ми також повертаємося?

— Не знаю.

— Але що вона мала на увазі?

— Чому б тобі не зателефонувати і не з'ясувати? А потім я хочу, щоб ти пішов до школи.

— Але я вже запізнився.

— Ти не сильно запізнився.

Бабуся довго не бере слухавку.

— Так, місіс Іган слухає,— каже вона.

— Привіт, бабусю. Це я, Джон.

— Привіт, Джоне. Як у тебе справи?

— Добре.

— А у мами? Як вона?

— Також добре.

— Чудово.

— Як Кріто?

Я уявляю, як Кріто сидить на моєму ліжку, дивиться у вікно на дерева і вилизує лапку, сопучи.

— У Кріто все добре. Вона зараз спить біля вогню, я чую, як вона муркоче.

— Татко в тебе?

— Так, авжеж. Він приїхав у суботу ввечері.

— Але він казав, що житиме у дядька Тоні.

— Ну, він приїхав сюди, з ним усе добре, і це головне.

Моє дихання уривчасте і неглибоке. Щоб вона не чула, що я захеканий, я повинен говорити повільніше, одне слово на один видих.

— Але… він… сказав… тобі… як… він… учинив… зі мною… і мамою?

Вона зітхає.

— Це ти з татом обговориш.

Я не можу говорити. Світ перевернувся. Я хочу, щоб вона заповнила тишу, хочу одне просте запитання, запитання типу «Ти в порядку?», але вона мовчить, і я слухаю своє дихання в слухавці.

Я відчуваю, що вона хоче прощатися. Я кажу:

— Хіба ти не знаєш, що це я сказав мамі правду? Хіба ти не знаєш, що я можу сказати, коли людина бреше?

— Ну, досить, не нам про це балакати. Це не мильна опера, де люди вивалюють усе коли їм заманеться.

Я чую чоловічий голос.

— Це тато? Що він каже?

— Так, це твій тато. Він покликав мене до листоноші.

— Він хоче поговорити зі мною?

— Зараз спитаю, зачекай.

Вона кличе батька і щось йому каже, щось про Дублін, усе ірландською, тож я не розумію.

Я все чекаю і чекаю, але в телефоні тиша, і я думаю, чи не поклала вона слухавку. Я чекаю ще трохи, і нарешті вона повертається, захекана.

— Він попросив сказати, що любить тебе.

— Хіба він не хоче привітатися?

— Він хоче, але він дуже зайнятий зараз.

— Ох.

— Хочеш, розповім про козу-дерезу?

— Ні! — кажу я. Я не хочу про козу-дерезу.

— Я знаю, що ти не сердишся, Джоне.

Я не відповідаю. Я не можу говорити.

— Бувай, Джоне.

— Зачекай. Можеш подивитися, чи є лист для мене? Я чекаю листа від «Книги рекордів Гіннеса».

— Я зателефоную тобі, якщо щось буде. Добре?

— Точно мені не приходило листів?

— Точно.

— Добре.

— На все воля Божа, все владнається. Молися за мене, як чемний хлопчик, молися за маму з татом. І за себе молися, якщо знайдеш час.

Я поклав слухавку не попрощавшись.

Я розповів мамі те, що сказала бабуся. Вона посмурнішала, але нічого не сказала. Вона охоплює руками горнятко з чаєм.

— Що будемо робити? — питаю я.

— Все погасло,— каже вона.

— Хіба тобі байдуже? Хіба ти не розізлилась?

— Немає сенсу.

— Я йду до школи,— кажу я.

Але я не йду до школи. Я відчиняю і зачиняю двері і тихенько йду до себе в кімнату і сідаю на ліжко. За півгодини мама, не постукавши, вривається в мою кімнату.

— Я думала, ти у школі,— каже вона.

— Я був,— кажу я.— Але вони пішли на екскурсію і в мене не було записки від тебе, тож учитель відправив мене додому.

Вона насупилась.

— Ти жалюгідний брехун, а ще називаєш себе детектором брехні.

Я знову розлютився. У мене заболіла шия, вона наче розпухла. Важко дихати. Я ворушу ступнями і кладу руки в кишені, і витріщаюсь на неї.

— Я завтра піду,— кажу я.

— Піду ляжу,— каже вона.

— Знову?

— Я зовсім не спала вночі. Дуже втомилася.

— Чому ти не спиш?

— Не знаю.

Я виходжу і сідаю на диван. Замість того щоб увімкнути телевізор, я зігнувся, поклав голову собі на коліна і смикаю ними вгору-вниз. Я дуже хочу, щоб вона повернулася. Я хочу, щоб вона стала такою, як раніше. Не можна їй залишатися такою ж нудною і тупою. Цю проблему треба вирішити, доки ще не пізно.

33

По телевізору комедія, але мені невесело. Настрій у мене такий, як тієї ночі в сторожці з Брендоном; зараз, як і тоді, нікуди подітись, і через те, що неможливо відволіктися і я сам, я наче накручую себе і помічаю все. Я занадто живий. Забагато мене. Все розвалюється.

Я чую стук у двері, встаю і відчиняю, але нікого немає.

Я подумав, може, це він. Було б дуже розумно з його боку повернутися зараз.

Я сідаю на підлогу, впритул до екрана телевізора, але погані спогади атакують. Це такий дивний вид спогадів — речі, які б я хотів забути. Я згадую, як я був у туалеті вдома у Брендона. Я сидів там довго, бо у мене був закреп. Брендон стояв іззовні і чекав. Я чув, як він шаркає ногами і зітхає. Нарешті він сказав «швидше», і я відповів: «Я хезаю».

Я не знаю, чому я це сказав. Мені довелося залишатися в туалеті, як в'язню, доки моє червоне обличчя не стало нормальним. Я не бачив у цьому гумору, але він сміявся без упину і бігав по будинку, розповідаючи сестрам, що я сказав. Він потім цілий день дражнив мене цим.

Я згадав це і почервонів, хоча у вітальні більше нікого немає. Це ніби мій мозок вирішив дивитися свій власний темний фільм на повну гучність; фільм про погані думки, погані спогади, і кожна думка гірша за попередню, і нічого не зупинить цей фільм.

Я чую, що в двері дзвонять.

Нікого немає.

Я кричу:

— Гей!

Це він?

— Гей!

Я повертаюся до вітальні і додаю гучності, телевізор говорить голосніше, але мій мозок сильніший, і я не можу контролювати його. Я йду на кухню. Їсти нічого: ані молока, ані хліба, ані печива, ані пластівців.

Я йду до маминої спальні, щоб узяти трохи грошей з її гаманця і піти до крамниці. Я тихенько відчиняю двері. Вона не спить. Сидить на ліжку, спершись спиною на узголів'я і витріщившись на стіну.

— Я думав, ти спиш,— кажу я.

— Не можу.

— Чому?

— Сьогодні тиждень,— каже вона.— Сім днів — і лише декілька годин сну. Це було. Ти віриш? Це було у твоєї мами.

По її обличчю течуть сльози, але не чутно жодних звуків плачу.

— Що було? Що ти маєш на увазі?

У мене затрусились коліна, я ледь не впав.

— Я була красива. Але в мене був мій останній день, коли я була красива. Я навіть не знаю, коли саме він був. Місяць тому чи минулої зими? Мій останній день народження чи передостанній?

Я складаю руки, просто щоб щось зробити. Я не розумію, чому вона говорить про свою зовнішність. Вона не бридка і не стара.

— Останній день, коли я була вродлива, минув, і не було ніякого попередження. І він минув назавжди.

Вона бере склянку води біля ліжка і робить маленький ковток. Її губи сухі, трохи облізлі й обшерхлі.

— І скоро настане день, коли не матиме значення, у яке дзеркало я дивлюсь, не матиме значення, яке освітлення, яскраве чи слабке, я здаватимусь старою.

— Але ти не стара,— кажу я.— Ти ніколи не станеш бридкою. Це просто через те, що в тебе волосся скуйовджене і трохи сиве.

— Підійди до мене на хвилинку.

— Ні,— кажу я.— Я не хочу бути близько.

— Ти скучив за татком?

— Можна сказати, так.

— Я говорила з ним сьогодні. Я сказала, що пробачила його, але він сказав, що не повернеться. Він сказав, що ми принизили його. Він сказав, що його було знищено.

— Чому б тоді нам не поїхати в Горі?

— Нас там не чекають.

— Чекають.

— Ні, не чекають. Нас там не чекають.

— Чому?

— Бо ми знеславили добре ім'я сім'ї твого батька, і такого не вибачають.

— Це була правда. Ти б хотіла, щоб я тобі не казав? Я захищав тебе.

Вона розсміялася. Дивним сміхом, наче гавкіт чи кашель.

— Захищав мене? Від чого? Сифілісу? Гонореї?

Вона знову розсміялася.

— Подивись на себе, одинадцятирічний у тілі дорослого чоловіка, який наполягає на безглуздій правді і який сам звик брехати.

Я підходжу до ліжка і вона випростовується і натягує ковдру собі до шиї.

— Я не брехун. Він брехун,— кажу я.— Ти казала, довіра найважливіша за все.

— Я намагаюся уникнути страждань усюди, де можу. Я думаю, це все, про що турбується кожен.

— Тупо так вважати.

— Звісно, тупо. Але біль набагато важчий для розуму, ніж ігнорування.

— Ти тупа,— кажу я.— Я не знав, що ти така тупа.

— Можливо. Чому б тобі не зробити собі бутерброд?

— Хліба немає,— кажу я і виходжу з кімнати, забувши взяти гроші.

Наступного дня я не пішов до школи. Я лишився вдома. Їв спагеті з каструлі, рис із підливою з банки і майже весь день дивився телевізор. Я спустився до крамниці на перший поверх купити хліб і чай. Я приніс мамі заварник з чаєм і тарілку з тостами, і коли я сказав їй, що хвилююся через те, що вона не спить, вона сказала не хвилюватися за неї, сказала, що просто у неї грип і все.

— Але ти ніколи не спиш. І ти весь час стомлена. Ти не можеш встати з ліжка? Давай підемо кудись, щось зробимо.

— Що ти хочеш зробити?

— Будь-що. Може, піти на Графтон-стрит чи в зоопарк.

— Може, завтра.

— Раніше ти хотіла щось робити. Ти хотіла їздити до моря і просто покататись.

— Я знову захочу. Я просто трохи вимучена цим грипом.

— У тебе ніколи не було такого грипу раніше. І грип не змінює людей і не робить їх зовсім іншими.

— Ну, я постаріла.

Я хочу, щоб вона припинила говорити про старість. Я хочу розбити вазу об столик і перекинути абажур, і зтягти її за руку на підлогу, і повернути її справжню, якою вона була раніше.

— Яка різниця? — кажу я.— Ходімо в зоопарк або поїхали потягом до Дан Лері. І коли ми повернемося, може, буде фільм по телевізору.

— Може, завтра? Завтра мені може бути краще.

— Чому ти не кажеш точно завтра? Тоді ти точно почуватимешся краще.

— Добре. Точно завтра. Поїдемо потягом до моря.

* * *

Я пішов спати і вранці я згадав свій сон про мене і мою маму. Ми на круїзному лайнері і ми щасливі; ми прямуємо до Ніагари відвідати музей Ріплі.

Ми сидимо біля ілюмінатора в нашій каюті на верхній палубі і дивимось, як чоловік у зеленому комбінезоні завантажує наші валізи на конвеєрну стрічку, і ми дивимося, як вони зіслизають.

Але стрічка стає вужчою, і деякі валізи зіслизають надто швидко, підлітають у повітря і падають у воду. Люди кричать і плачуть, але чоловік у зеленому комбінезоні сміється.

— Дещо загубиться,— каже він.— Дещо загубиться.

Потім я бачу свою валізу, маленьку, блакитну, зі шкіряними ременями, і я нервую, коли бачу, як вона випадає зі стрічки. Але замість того щоб упасти у воду і загубитися назавжди, вона прямує до мене. Вона залітає в ілюмінатор і акуратно приземляється до мене на коліна.

Я щасливий. Я не знаю, що сталося уві сні з маминою валізою, але, здається, мені байдуже.

Я роблю чай і беру його до спальні. Вона не спить, сидить у ліжку майже в тому вигляді, у якому я її покинув учора, у рожевому кардигані поверх нічної сорочки, сидить витріщається на стіну.

— Служба доставки,— кажу я.— Ви замовляли чай?

— Хіба ти не золотко? — каже вона.— Я залюбки вип'ю чаю. Посидиш зі мною трохи?

Вона п'є свій чай, а я лягаю поруч з нею.

— Що буде, якщо ти більше ніколи не зможеш спати? — питаю я.

— Господь потурбується про мене, якщо це станеться.

— Отже, сьогодні ми їдемо потягом до моря?

Вона обняла мене однією рукою.

— Любий, думаю, зараз більша вірогідність того, що кажани приймуться пити гаряче молоко.

Вона розсміялася зі свого жарту, але я не хочу сміятися.

— Тобто не їдемо?

— Я цього не казала,— каже вона.— Не дуже влучний момент. Поганий момент.

У неї холодне серце, як і у батька. І в неї сиве волосся — не тільки на чолі, а й на скронях і за вухами; сиве пасмо звисає їй на очі. А ще волосся брудне і жирне. Брудне і сиве.

Я чекаю, поки вона доп'є чай і поставить чашку на столик, беру подушку у себе з-під голови і кладу собі на коліна. Я нічого не кажу, вона також. Я вмикаю радіо, щоб заглушити свої думки.

— Вимкни,— каже вона таким тоном, наче їй байдуже, наче її не стосується те, що станеться. Зараз вона майже все говорить таким тоном.

Я вимикаю радіо, повертаюся в ліжко, тримаю подушку на колінах.

— Ти займаєш забагато місця, Джоне. Можеш посунутися на інший бік ліжка?

Я відповзаю, і без тиску мого тіла на середину матраца її тіло піднімається вгору так само, як щось легке і пластикове у воді. Напевно, я набагато важчий за неї.

— Так краще,— каже вона і притискає пальці до скронь.— Але в мене дико болить голова. Тільки б мені вдалося заснути. Якщо я зможу спати, то ми знову зможемо бути щасливими.

— І ти знову будеш сама собою? Ти знову будеш щаслива?

— Не знаю, але я готова все за це віддати.

Я чекаю, поки вона вип'є дві пігулки снодійного і ляже на свій край ліжка і я лягаю також, і гладжу її спину.

— Дякую,— каже вона.— Твоя присутність заспокоює мене. Може, я зараз засну.

Я лишаю її і йду до вітальні. Я хочу заспокоїтися, але я не знаю як. Я сідаю, потім знову встаю. Я верчуся і ходжу туди-сюди. Пробую посидіти, але не можу. О третій я повертаюся до неї, перевірити, чи вона спить. Але вона не спить. Вона сидить, зашиває дірки на своїй нічній сорочці.

— Іди посидь зі мною,— каже вона.— Я почуваюся розбитою. Вщент.

Вона лягає на спину, я підходжу до ліжка і лягаю поруч з нею. Вона спокійна, її дихання ледь помітне.

Я беру її розслаблені руки і складаю у неї на грудях, і дивлюся на неї. Вона спокійна і умиротворена. Але я знаю, що скоро почнеться.

Я залажу на неї, стегнами здавлюю її живіт і я хочу так сидіти і дивитися в її спокійне обличчя, але вона пручається і стогне.

Щоб зупинити її, я беру подушку і кладу їй на обличчя і потім лягаю на неї, зверху на подушку, і роблюся важким, розслабившись. Коли вона припиняє рухатись, я кладу голову на подушку. Зараз ми обоє заснемо.

Раптом вона починає битися. Вона б'є мене, і її руки летять мені в обличчя. Я здивований її агресією, здивований її силою. Подушка глушить її крики і стогін, але мені б хотілося, щоб радіо було ввімкнене і перебивало цей жахливий шум.

З усієї сили я тисну на подушку і хапаю її за руки, щоб вона мене не била. Коли вона нарешті припиняє боротися, я злажу з неї і дивлюся на неї: вона погарнішала і заспокоїлась.

Я встаю з ліжка. Усе скінчено.

Але в мене холодні ступні. Чому вони такі холодні? Мені треба шкарпетки. Щось, щоб зігріти їх. Чому вони такі холодні? Що не так з моїми ступнями? Я йду до шафи по шкарпетки. Треба подумати, що робити далі, але мої ступні такі холодні. Я шукаю теплі шкарпетки у шафі. Я не можу думати.

Я чую скрип і тріскотню, ледь чую, але звуки не припиняються: хтось шкребе монетою по стіні з того боку? Я завмер і тепер чую краще, гучніше і ясніше, звук доноситься зі спальні. Я зачиняю шафу і випрямляюся, і я розумію, що це вона кашляє. Я розвертаюся до неї. Її очі широко розплющені, її руки в неї на шиї.

Я дивлюся, доки вона не припиняє шипіти. Я дивлюся, доки вона не піднімає на мене очі.

— Мамо?

Вона піднімається з кроваті, ноги спускає долу і встає, її руки простягнуті вперед, вони наче зупиняють мене, щоб я не підходив.

— Ти намагався задушити мене?

Її голос байдужий і спокійний.

— Так? Ти це збирався зробити?

— Ні, мамо. Ти просто спала. Тобі наснився кошмар.

Вона, не дивлячись на мене, бере свій халат зі спинки крісла і виходить у коридор.

Я слідом за нею.

— Геть з моїх очей,— каже вона, її руки простягнуті перед грудьми.

— Але чому? Що не так?

Я підходжу до неї, але вона відступає і забивається в куток.

— Богородице Маріє, Господь з Тобою. Благословенна Ти в жонах і благословен плід утроби Твоєї.

— Чому ти молишся?

— Тому що мій син намагався задушити свою матір. Господи! Матір задушити!

— Ти сказала, що ти хочеш заснути.

— Я не казала, що хочу померти. Ти міг убити мене.

— Але ти не вмерла. Я люблю тебе, мамо. Хіба ти не хочеш заспокоїтися?

Я наближаюся до неї. Вона відступає.

— Але ж я нічого,— кажу я,— нічого такого не зробив.

— Пішов звідси! — кричить вона.

Я йду до себе в кімнату, лягаю на ліжко і слухаю, як мама телефонує до поліції.

Вона диктує нашу адресу. Повторює її тричі і потім каже:

— Здається, мій син хотів убити мене в ліжку.

34

До вітальні заходять мама і двоє поліціянтів: рудоволосий чоловік і маленька довгоноса жінка. Вони обидва нижчі за мене. Вони дивляться на мене і нічого не кажуть. Я хочу, щоб вони пішли. Я підходжу до виходу і відчиняю двері. Це не їхній дім і не треба отак просто сюди вриватися.

— Двері відчинені! — кричу я.— Можете йти.

Але ніхто не виходить.

Я повертаюся до вітальні і дивлюся на маму. Вона стоїть за жінкою-поліціянтом, наче захищається, і витирає носа рожевою хусткою — тією, що я подарував їй минулого Різдва. Знову стук у двері. Мама йде відчинити, а я залишаюся наодинці з поліцейськими.

Усі мовчать, і мене дратує те, що жінка роздивляється фотографію на камині, на якій стою я під час свого першого причастя і тримаю молитвослов біля стегна, і я тоді зовсім не був готовий фотографуватися.

Мати стоїть біля вхідних дверей і плаче, розповідаючи комусь, що сталося.

Заходить чоловік років двадцяти, його рука на маминому плечі.

— Привіт,— каже він.— Ти, напевне, Джон Іган. Мене звати Кевін Макдональд. Я соціальний робітник.

— Так,— кажу я, дивлячись, як мама витирає очі хустинкою.

Я не відчуваю нічого, крім утоми і роздратування від чужих у нашому домі.

— Зараз ми з тобою ненадовго вийдемо в іншу кімнату,— каже соціальний робітник.

У нього у вусі сережка і татуювання на шиї — синій птах.

— Ходімо до твоєї кімнати? — каже він.

Він тягнеться до мене, намагаючись покласти руку мені на плече.

— Необов'язково мене торкатися,— кажу я.

Ми йдемо в мою спальню, і він сідає на підлогу, схрестивши ноги.

— Твоя мама зробила затишок тут,— каже він.— Ці квартири взагалі-то такі депресивні.

Я лягаю на своє ліжко, витріщаюся на стелю і слухаю сирену за вікном.

За декілька хвилин знову стук у двері. Я чую голоси лікарів швидкої і слова мами:

— Дякую, мені вже краще.

Один з лікарів каже їй, що все одно збирається її обстежити, і вона каже:

— Я не хочу марнувати ваш час. У цьому немає потреби.

Я встаю і йду до дверей. Я хочу поговорити з нею.

— Ти повинен залишатися тут,— каже соціальний робітник.

— Я хочу поговорити з нею.

— Можеш поговорити зі мною, якщо хочеш,— каже він.

— Хіба поліціянти не збираються брати свідчення? — кажу я.— Хіба вони не будуть опитувати мене і робити аудіозапис?

— Так, пізніше, але ми можемо поки що поговорити, якщо хочеш.

— Вони візьмуть у мене відбитки пальців?

— Не хвилюйся зараз через це. Може, поговоримо?

— Але що, як я вам скажу одне, а їм — зовсім інше? Що тоді?

— Те, що ти скажеш мені, не буде записане.

— Це якось тупо. Я думаю, мені краще помовчати,— кажу я.

— Як хочеш.

Через декілька хвилин я відчув, що не проти поговорити, але що більше я думаю, про що говорити, то важче мені відтворити події, і тоді я не розумію, що сталося, і потім зовсім не можу вже говорити і не знаю, чи зможу коли-небудь заговорити знову.

Жінка-поліцейський стукає у мої двері. Вона посміхається мені, ніби я раптом їй сподобався.

— Ми закінчили розмовляти з твоєю матусею і тепер переходимо до тебе,— каже вона.— На кухню.

Я йду на кухню, а мама чекає у вітальні, що здається дуже дивним. Якщо вона чує все, що ми говоримо, вона також може зайти на кухню і сісти з нами.

— Вип'єш чогось? — питає соціальний робітник.

— Ні, дякую. Та і немає нічого, окрім води. Навіть молока немає. Але мені і не хочеться молока. Я б хотів «Фанти».

Вони хвилину дивляться на мене і нічого не кажуть.

— Скільки тобі років, Джоне? — питає довгоноса жінка-поліцейський.

— Одинадцять,— кажу я.— У липні дванадцять.

— А на вигляд значно старший,— каже поліцейський.

— Так,— кажу я.— Знаю.

— Розкажеш нам, що сталося?

— А вона вам хіба ще не розказала?

Поліцейські дивляться одне на одного і, здається, не вірять тому, що почули. Жінка-поліцейський знизує плечима, чоловік хитає головою, наче натякаючи їй, щоб вона тримала свої жести при собі.

— Так, але хіба ти не хочеш розповісти, як ти зі свого боку бачиш цю історію? — каже поліцейський.

— Є тільки один бік,— кажу я.

— Ти намагався допомогти своїй мамі заснути, поклавши подушку їй на голову? — питає жінка.

— Я допомагав їй.

— Так, але як саме?

— Хіба вона вам не розповіла?

— Розповіла. Але чому б і тобі не розповісти? Ми тут для цього.

— Я допомагав їй подушкою.

— Ти хотів зробити їй боляче?

— Ні.

— Як ти вважаєш, що могло статися після того, як ти поклав подушку їй на обличчя?

— Я думав, вона засне.

— Ти не думав, що робиш їй боляче?

— Ні.

— Але ти зробив,— каже поліцейський.— Ти зробив їй боляче. Ось що ти зробив.

— Ні, я не робив. Я робив те, що вона хотіла. Вона вже не та, що була раніше. Я просто зробив те, що вона хотіла, щоб їй стало краще.

— Як це?

— Ви нічого не розумієте. Чому ніхто нічого не розуміє?

— Може, і зрозуміємо, якщо ти поясниш,— каже соціальний робітник.— Чому б тобі нам не розказати? Допоможи нам зрозуміти.

— Марна трата часу,— кажу я.

Вони питали про те ж саме, але коли я відмовився відповідати, вони лишили мене в спокої на кухні і пішли до вітальні поговорити з мамою.

— Гелен,— каже жінка-поліцейський.— Зараз нам треба забрати його з собою.

— Так. Забирайте,— каже вона.— Не можу лишатися тут із цим монстром.

Монстром? Монстром? Про кого вона говорить? Я штовхаю кухонний стілець і вриваюся до вітальні, але я зупиняюся біля краю дивана, коли поліцейський кидається до мене. Я стою зі схрещеними на грудях руками і дивлюся на неї поверх його голови.

— Я лише робив те, що ти хотіла,— кажу я.— Не моя вина, що ти передумала. Ти передумала, не я.

Вона дивиться на жінку.

— Заберіть його,— каже вона.

— Куди мене заберуть?

— Побачиш, коли приїдеш,— каже чоловік.

Соціальний робітник говорить мені, щоб я спакував речі на тиждень; підручники, ручку і щось погратися.

— У що саме? — питаю я.— Типу у футбол? У що погратися?

— Сам вигадай,— каже він.

Поліцейські лишаються з мамою. Ми з соціальним робітником разом виходимо з квартири, він мовчить. Приїжджає ліфт, ми заходимо всередину, він кладе руку мені на спину. Я прикриваю ніс через запах сечі, але йому, здається, все одно.

— Твоя мати дуже засмучена,— каже він.— Але вона каже, що все ще любить тебе. Тобі пощастило. Вона хороша жінка.

Я роздивляюся графіті на стіні — *свині трахають тварин* — посміхаюся і вдаю, ніби не чую його. Але мені хочеться якось показати графіті соціальному робітникові, і я кажу:

— У цього графіті подвійне значення.

— Завтра вранці я піду з тобою до суду неповнолітніх,— каже він.— Суддя вирішить, що з тобою робити до слухання.

— Що це таке — «слухання»? Це типу судового розглядання?

— Ми можемо поговорити, коли влаштуємо тебе до твоєї кімнати.

— Це ти сказав «слухання», я навіть не питав.

— Правда. Я почав. Вибач.

Біля входу припаркована швидка. Одні дверцята відчинені, решта зачинені. Напис «ambulance» видно лише наполовину — «lance»[1].

У соціального робітника синя машина, всередині пахне новими черевиками.

— Отже,— каже він,— місце, у яке я тебе відвезу, може тебе спочатку лякати, але це непогане місце, усі там піклуватимуться про тебе і будуть спостерігати, щоб з тобою все було добре. Я знаю, що ти почуваєшся трохи схвильованим після того, що сталося, і, можливо, це згодом мине.

— Я не маленький,— кажу я.— Не треба розмовляти зі мною, як із дитиною.

Він знизує плечима і дозволяє вантажівці наздогнати нас.

— Можна цигарку? — питаю я.

— У бардачку,— каже він.

Я риюся і знаходжу пачку «Silk Cut».

— Сірники?

---

[1] Lance англійською означає спис.

— Підпали від прикурювача.

— А-а, точно,— кажу я.

Мені весело. А не повинно ж бути весело. Я хочу залишитися у цій машині, їхати і їхати; потім з машиною на поромі до Франції чи Англії, і потім їхати аж до Швейцарії і покататися на фунікулері, потім поїхати до аеропорту і полетіти до Америки. І знову продовжувати їхати просто заради задоволення. У машині тепло, грає магнітофон.

— Це, я так розумію, джаз? — кажу я.

— Тобі подобається?

— Так.

Він киває, але нічого не каже, і ми їдемо мовчки, я випалюю дві цигарки, підкуривши другу від першої. Під'їжджаємо до міста, я відчиняю вікно і висуваю голову, як собака. Я дивлюся на темне небо і на тоненький місяць, і мені добре. Ми звертаємо на велику площу біля пам'ятника Парнеллу, я бачу освітлені вікна великого будинку з терасою і сподіваюся, що зупинюся в одному з них.

— Приїхали,— каже соціальний робітник.

Він указує на чотириповерховий будинок із синіми дверима, ґратами на вікнах і кам'яними сходами вниз до першого поверху.

В усіх вікнах горить світло, з вікон верхнього поверху видно куртки «Манчестер Юнайтед».

— Тут хлопці живуть?

— Так, тут хлопці живуть. Ходімо всередину і подивимось, чи підготували тобі ліжко.

Моя кімната в кінці довгого темного коридора. Ми підходимо до жовтих дверей з мідними цифрами «84» і заходимо всередину. Соціальний робітник вмикає світло, лампа миготить деякий час до того, як увімкнутися. Це маленька кімната з круглим жовтим килимом посередині, таким же жовтим, як і вхідні двері, вузеньким низеньким ліжком і гоночними машинами на шпалерах. Ліжко здається замалим для мене, і хоч я звик спати розпростершись, тут доведеться підгинати ноги вночі.

— Отже, це твоя кімната на наступні декілька днів,— каже соціальний робітник.— Поклади наплічник на шафу і ходімо зі мною до переговорної кімнати.

Я сідаю на застелене ліжко. Воно біле, як чистий блокнот, туго заправлене, простирадла з усіх боків підсунуті під тонкий матрац. На краю охайним стосиком складені три ковдри: помаранчева, зелена і коричнева.

— Навіщо? — питаю я.

— З тобою поговорить директор, лише декілька хвилин, а вранці ти підеш до нього ще раз із поліціянтами.

— Мені зле,— кажу я.

— Певна річ,— каже він, застібуючи ґудзики на своєму рукаві.— Те, що сталося, починає усвідомлюватися.

— Ні, не тому. Я просто погано почуваюся.

— Добре. Я дам тобі аспірин, але йти треба. Директор спеціально встав з ліжка, і ми не хочемо всю ніч не давати йому спати.

— Добре.

* * *

Ті двоє поліцейських, що були у нас удома, сидять у кріслах у переговорній кімнаті біля дальньої стіни. Соціальний робітник витягає крісло з-під столу і вказує на нього. Я сідаю за стіл, і потім він зникає, чи мені так здається, потім я розумію, що він стоїть позаду мене.

У кімнаті немає нічого, окрім стола, чотирьох крісел і кількох іграшок для малих дітей: пластикової пірамідки і пластикових фігурок, які треба дібрати до отворів тієї ж форми. Хтось хотів уперти трикутну фігурку в квадратний отвір.

Заходить директор. Він старий і худий, із сивим скуйовдженим волоссям. Він сідає за стіл навпроти мене і заносить ручку над блокнотом.

— Доброго вечора, Джоне,— каже він.— Мене звати містер Кітінг.

— Привіт,— кажу я.

Він дає мені ключ і каже, що це від шафи в моїй кімнаті. Ключ, напевне, зроблений з пластику: він важить не більше за кусок цукру. На столі шоколадні бісквіти, але мені їх не хочеться. Я почуваюся водночас голодним і ситим, наче мій шлунок наповнений повітрям.

Ми мовчимо, і він дивиться на мене.

— У тебе на голові розчісана рана,— каже він.— Ти це зробив сам, свідомо?

Несвідомо, але я не можу сховати кров під своїми нігтями.

— Тобі не боляче? Не боляче роздирати шкіру до крові?

— Не дуже. Я розчісую, бо воно чухається.

— Є інші способи припинити свербіж.

Я знизую плечима.

— Ти відчуваєш біль зараз? У тому місці, де кровотеча?

— Ні.

Він піднімає очі на соціального робітника.

— Я можу принести бинт чи вату.

— Ні, не треба.

Знову тиша.

— Я чув, що ти вважаєш себе детектором брехні. Я чув, що ти можеш сказати, коли люди брешуть.

— Так.

— Я трохи розуміюся на цій темі. Ти знаєш, що у світі є інші люди, які вміють це?

— Так. Я читав про них.

Я трохи розказав йому про те, що я читав про екстрасенсів і як вони складали тест на 90–100 %.

— Ти знаєш, що більшість детекторів брехні розвинули свої емоційні суперздібності у дитинстві? І ця підвищена чутливість часто зумовлена незвичними обставинами в дитинстві?

Мені подобається, що зі мною розмовляють, як з розумним дорослим, але я не вловив сенс сказаного.

— І? — кажу я.

— Розумієш, Джоне, більшість людей, які називають себе детекторами брехні, мали або невротичну матір, або алкоголіка батька, або ще якийсь сильний вплив у дитинстві — нездоровий, неприродний, неприємний або надзвичайно травмуючий у якомусь сенсі. Якось відкликається, Джоне? У тебе був травмуючий досвід?

Він помиляється.

— Мені зле,— кажу я.

Я починаю підводитися, і стілець піді мною падає. І це останнє, що я пам'ятаю зі своєї першої ночі в Домі для хлопчиків на площі Пранелла.

Я прокинувся. Соціальний робітник і директор стоять біля мого ліжка. У кімнаті задушно, і хоча вже ранок, штори запнені і в кімнаті все ще темно.

— Ми прийшли розбудити тебе,— каже соціальний робітник.— Але ти сам прокинувся. Як спалося?

— Добре,— кажу я.— Чудово.

— Ти пропустив сніданок,— каже директор, розсуваючи штори.— Вже одинадцята.

Я сідаю і на моє обличчя опускається комаха, потім на мою руку.

У кімнаті спекотно і повно комах. Я ніколи не бачив комах усередині. Вони не повинні тут бути.

— Одягайся, ми почекаємо за дверима.

Я вдягаюся у той самий одяг, у якому приїхав, і виходжу в коридор. Директор схрестив руки на грудях. Я роблю те саме. Але я почуваюся тупо, розхрещую руки і притуляюся плечима до дверей.

— Твоя мати прийде по тебе після обіду. Вона прийшла по тебе о дев'ятій і чекала на тебе, але вона не захотіла, щоб ми тебе розбудили. І твій батько приїде обіднім потягом, але сперешу тобі треба піти з нами до переговорної кімнати. Потім поїси.

— Якщо моя мама тут, чому я не можу побачити її? — питаю я.

— Вона була тут, але ми відправили її додому відпочити. Вона повернеться після обіду. Нам спочатку треба закінчити з паперами. Треба підписати твою виписку.

— Це означає, я виходжу звідси?

— Так. Але давай обговоримо це десь, не в коридорі.

Вони сидять з одного краю хиткого столу, а я сиджу з іншого. Директор увесь час говорить. Я ні про що не думаю, окрім свого неспокійного шлунку.

— Твоя мати сказала, що не хоче висувати звинувачень проти тебе. Вона не спала. Майже всю ніч вона була з поліцейськими і вранці прийшла сюди.

Я дивлюся на нього.

— Нам треба оформити твоє прибуття сюди, необхідно дотриматися всіх формальностей, бо ти був не в змозі нічого підписувати учора ввечері.

— Але навіщо мене вписувати, якщо мене вже треба виписувати?

— Ти вмієш читати?

— Звісно, вмію.

— Тоді читай це і, якщо згоден,— підписуй, а тоді ти вільний і можеш піти з мамою додому, якщо вона тебе туди веде.

— Додому?

— Схоже на це,— каже директор.— І краще припини чухати обличчя. Через це тебе погано чути і вугрі можуть з'явитися.

— Вугрі — це…— почав соціальний робітник.

— Я знаю, що це.

У виписці, з обох сторін паперу, йдеться про те, що я був примусово доправлений у заклад департаменту юстиції і що мене виписують наказом того ж департаменту. Дата, декілька прізвищ, щось про компенсацію матеріальних збитків і все.

Я б хотів зберегти це як сувенір.

— Отже, я можу йти? — питаю я.— Додому?

Соціальний робітник відкашлявся.

— Ну, ти можеш побачитися з мамою, і я сидітиму поруч з вами в кімнаті для сімей декілька хвилин, просто щоб переконатися, що все в порядку.

— А-а-а…

На обіді я сиджу в їдальні з соціальним робітником. Там сім столів, за кожним по п'ять-шість хлопців. Усім від десяти до сімнадцяти років. Вони здіймають такий галас, що кожні декілька хвилин чоловік у зелено-коричневій уніформі підходить до них і стукає пательнями одна об одну і каже:

— Хто тут хоче лишитися без вух? Хто?

Але вони всі, включно із чоловіком у зелено-коричневій уніформі, сміються і знову починають кричати. Я ніколи не був у дитячому таборі, які є в Америці, але там напевно саме так.

До мене повернувся апетит, і я з'їв дві порції картоплі, пюре з сосискою і два бісквіти. Соціальний робітник їсть трикутний бутерброд із сиром, він відкушує маленькими шматочками, гострими маленькими шматочками, як пацюк. Наче боїться широко відкрити рота.

— Якби ти лишився тут,— каже він, відклавши бутерброд,— тобі б сподобалася страва кожної першої неділі місяця.

— Чому?

— Приходять стажери шеф-кухарі з готелів і тестують свої нові рецепти. Стажери фешенебельних готелів, як «Шелбурн».

— Я зупинюсь у ньому одного дня.

Він проігнорував це.

— А кожного четверга змагання з більярду, по суботах дартс і настільний теніс.

— Але звідси хлопці йдуть до в'язниці, хіба ні?

— Деякі йдуть. Деякі — ні.

— Якби мама висунула звинувачення, то мене б звинуватили у спробі вбивства?

— Схоже на те.

— Тоді мені пощастило.

— Як нікому іншому. Ти хоч розумієш, як могло змінитись твоє життя?

— Напевне, я б потрапив до в'язниці.

— Скоріше, до психіатричної лікарні для неповнолітніх злочинців, надовго.

— Діти не потрапляють туди.

Він поклав бутерброд.

— Це правда. Але дорослі потрапляють.

Я дивлюся на нього.

— Ну, значить, я б туди не потрапив.

— Просто пам'ятай, що тобі пощастило мати таку люблячу матір.

Я не хочу розмовляти про маму, я хочу її побачити. Він не доїдає свій бутерброд із сиром, і той лежить на таці, як з якогось мультика, з відбитком крихітних зубів на ньому.

Він дивиться на мене, очікуючи, що я почну говорити, я не починаю, і він каже мені йти до своєї кімнати пакувати речі.

Я лягаю на постіль трохи полежати, дивлюся на стелю і б'ю комах маленькою Біблією в м'якій палітурці, яку я взяв на приліжковому столику.

О четвертій приходить соціальний робітник.

— Ну що, вони чекають на тебе.

Кімната для сімей велика, з трьома помаранчевими диванами, великим телевізором, магнітофоном і двома книжковими полицями, заповненими переважно журналами.

Я заходжу, мама встає. Вона з макіяжем, її волосся заплетене. Вона простягає руки, і я падаю до неї в обійми і вона тримає мене і я відчуваю запах солодкого чаю з молоком, який вона, напевне, пила, доки чекала на мене. Я щасливий.

— Я не змогла зробити цього,— каже вона.

Вона відпускає мене і відступає назад подивитися на мене.

— Ти мій син, і я люблю тебе, і я не можу дивитися, як зруйнується твоє життя. Твоє життя не зруйнується. Твоє життя не зруйнується. Ні мною, ні тобою. Твоє життя не зруйнується. Розумієш?

Її голос сильний і гучний.

— Так,— кажу я.

Батько стоїть у кутку з двома повітряними кульками — обидві помаранчеві, такого ж кольору, як дивани.

— Тобі шкода? — каже він, не рухаючись.— Ми знаємо, що тобі шкода. Так?

— Так,— каже мама.— Тобі шкода.

Вони дивляться одне на одного, і, схоже, вони помирилися. Мама падає на диван і беззвучно плаче. Я так і стою. Соціальний робітник стоїть за мною, важко дихає і нічого не каже.

Я не хочу сідати. Я хочу піти. Я дивлюся на батька — це легше, ніж дивитися на маму.

— Для чого кульки? — питаю я.

— Щоб за щось триматися,— каже він.

Це, напевне, жарт, але він не посміхається.

— А-а-а…— кажу я.

— Кульки для близнючок,— каже мама.— Їм сьогодні по вісім років. Ми підемо до тітки Евелін на чай. Дорогою купимо торт. І ми не будемо говорити про те, що ти зробив. А ти не будеш говорити, що ти сидів тут. Простили і забули. Інакше ніяк.

Я посміхаюся їй, але вона на мене не дивиться, вона дивиться на підлогу.

— Простили і забули,— продовжує вона.— І ми забудемо, а ти облишиш усі ці дурниці про викривання брехні. Не треба руйнувати прекрасне і багатонадійне життя.

Я дивлюся на батька. Я вивчаю його реакцію на мамині слова. Може, він приготував покарання для мене? Його плечі піднімаються і опускаються в такт з диханням, і він, нетерплячий, але не розлючений, перекладає стрічки від кульок з руки в руку.

Він дивиться на мене.

— Ми почнемо спочатку,— каже він.— Ми троє. Ми все почнемо спочатку.

— Ми повертаємося в Горі?

— Так. Ми їдемо завтра.

— Добре,— кажу я.— Я хочу повернутися.

Мама підводиться йти, і соціальний робітник підходить і запитує, чи готова вона виходити.

— Так.

— Ви впевнені?

— Так.

Він відчиняє двері і проводжає нас униз по коридору до виходу. Ми зупиняємося попрощатися на тротуарі біля машини.

— Дякую,— кажу я.— Дякую за вашу допомогу.

— На здоров'я,— каже він, кладучи руки в кишені.

— Так, дякуємо вам,— каже батько.

Соціальний робітник киває і розвертається, не попрощавшись. Він прямує до дверей дому.

Мама каже:

— Поїхали.

Вона відчиняє дверцята в машині, і ми сідаємо, але батько стоїть біля машини і дивиться вслід соціальному робітникові.

Він кричить йому:

— Дякую!

Соціальний робітник не почув, і батько кричить знову:

— Дякую! До побачення!

Його голос занадто гучний.

Соціальний робітник обертається, бачить, що батько все ще дивиться на нього, він махає рукою і батько махає у відповідь. Його рука рухається занадто швидко і занадто довго в цілковитій тиші.

35

Ми їдемо до тітки Евелін святкувати день народження, і мої батьки говорять про погоду і про трафік. Але коли я відчиняю вікно і висуваю голову, батько повертається до мене і кричить:

— Якого біса ти робиш?

Я не сперечаюсь. Я вибачаюся, зачиняю вікно і сідаю рівно на своєму місці.

На кухні у тітки Евелін мама допомагає засвітити свічки на торті спокійними врівноваженими рухами, а батько починає співати. Він співає так добре, що Кей, яка говорить дуже рідко і хіба що одночасно з сестрою, каже:

— Ви гарно співаєте, дядьку Майкле.

Після торту тітка Евелін приносить тацю бутербродів з шинкою.

— Смачна шинка,— каже вона.

Мама закриває рот і ніс рукою.

— Не знаю, що зі мною трапилось, але я не виношу запаху цих бутербродів.

Тітка Евелін розсміялася.

— Це ж треба!

Мама бере бутерброд, але вона його не їсть, а тримає в руці поруч з тарілкою.

— Замість цього я можу зробити бутербродів з сиром,— кажу я.

Дядько Джералд, не піднімаючи голови, говорить голосно і саркастично:

— Внесіть цього хлопця в «Книгу рекордів Гіннеса» як першого підлітка, який запропонував мамі приготувати обід!

Тітка Евелін розсміялася. Сама.

* * *

Після обіду дорослі пішли нагору випити віскі і портвейну. Я лишився у вітальні з Ліамом і близнюками дивитися футбольний кубок. Я не можу сидіти спокійно. Я переймаюся тим, що тітка Евелін і дядько Джералд дізнаються, що сталося. Я заплющую очі на кілька секунд і коли розплющую, то не можу згадати, який рахунок.

Ліам починає кричати і лаяти воротаря «Манчестер Юнайтед» за те, що той пропустив пенальті. Воротар не робив нічого такого, це був гарний удар і все, але Ліам продовжує кричати на воротаря:

— Ідіот! Монголоїд! Слабак!

Усі вболівальники «Манчестер Юнайтед» на стадіоні кричать на воротаря, їхні роти широко відкриті, більшість із них повставали, махають кулаками. Коли по телевізору показали широким планом обличчя воротаря, Ліам підсувається до екрана і плює на нього. Воротар тримається що є сили. Але зблизька видно, що він переляканий.

Я біжу до туалету.

У мене пронос. З мене ллє, і я відчуваю гострий біль унизу стегон. Діарея продовжується, дуже сильна, усе ллється в унітаз, і брудна вода бризкає мені на ноги. Сморід жахливий. Я зробив це тричі, весь час прикриваючи ніс рукою. Я витер рушником задню частину стегон і прополоскав рушник у ванній. Після того як я виправ рушник і вимив руки, я надовго відкриваю кран з гарячою водою, сподіваючись, що тепло і пара переб'ють сморід і полегшать моє самопочуття.

Ліам стукає у двері.

— Що ти там робиш? Купаєшся?

— Так,— кажу я.

Він продовжує стукати і кричати до мене, і я хочу вийти і вдарити його по обличчю. Я уявляю, як б'ю його рукою в обличчя.

Але я лишаюся на місці. Замість того щоб вийти до нього, я знову відкриваю гарячий кран. Вода шумить, і я не чую Ліама, і мені краще. Я стою перед дзеркалом, воно вкрите парою, і я не бачу свого віддзеркалення. Але я дивлюся на пару на дзеркалі.

— Я дорахую до десяти, і ти повернешся,— кажу я.— І все знову буде нормально.

Я витираю дзеркало насухо. Я дивлюся на своє обличчя і мені не подобається його вигляд.

Я дозволяю дзеркалу вдруге взятися парою. Знову витираю його і дивлюся на своє обличчя. Я посміхаюся. Другим разом краще. Я торкаюся рукою віддзеркалення моєї руки і кажу:

— Все буде добре. Ти не станеш злочинцем. Ти будеш кращим за інших людей.

Я мию руки і вичищаю під нігтями, потім беру Ліамів засіб після гоління і бризкаю ним собі на труси і джинси. Я повертаюся до вітальні. Футбольний матч закінчився, і Ліам з близнюками продовжують їсти торт. Я сідаю в крісло біля вікна і дивлюся на вулицю. Я бачу горбатого старого, який переходить дорогу. Здається, він не бачить, що наближаються машини.

О восьмій приходять мої батьки забрати мене додому. Мама посміхається, не показуючи зубів. Батько вперше пильно роздивляється мене відтоді, як він прийшов по мене в Дім для хлопчиків. Краще б він обійняв мене замість того, щоб дивитися.

— Час іти,— каже він.

Я заснув у машині і, коли ми приїхали, одразу пішов у постіль.

Вранці до мене заходить мама.

— Ти б пішов умився. Дядько Джек і дядько Тоні прийдуть снідати. Вони погодились носити меблі.

Я хочу, щоб вона підійшла і сіла на моє ліжко, але не думаю, що вона так зробить. Вона залишиться у дверях.

— Вони знають?

— Знає тільки бабуся.

— А тітка Евелін? Ти сказала їй?

— Ми сказали їй те саме, що і твоїм дядькам: що ми вирішили повернутися в Горі, бо нам там більше подобається.

Я встаю і йду до дверей. Вона кладе собі руку на плече поверх грудей. Вона тримається за плече, наче воно болить.

— Джоне, послухай. У Горі ти покажешся лікарю. Він дитячий психолог. Ти підеш до нього одразу, як ми повернемось, і ходитимеш стільки, скільки він скаже.

Мені байдуже до лікарів. Я хочу знати, про що вона думає, і я хочу знати, чому вона приймає мене назад. Але якщо я спитаю, все може змінитися. Неясні і непевні речі можуть стати ясними і певними. Вона може вирішити закрити мене, батько може знову піти, мене можуть покарати.

— Ти щаслива? — питаю я.

Вона виходить, не кажучи нічого.

Дядько Джек і дядько Тоні прийшли майже о дев'ятій. Вони з'їли по дві порції яєшні з шинкою і кров'янкою і випили три заварники чаю. Я їв лише один тост. Я дуже знервований через діарею.

— Чому ти не їси? — питає батько.

— Зуб болить.

Одразу після того, як я це сказав, дядько Тоні відволік усіх скаргами на свою подагру, болючу шишку на великім пальці його ноги.

— Мені боляче навіть від ваги простирадла на нозі,— каже він.

У мами уривається терпець, і вона починає говорити з ним звичайним тоном:

— Знаєш, якщо ти перестанеш їсти копчену рибу і жирні страви, то, може, й подагра зникне.

Батько посміхається куточками губ.

— Відверто,— каже дядько Тоні.

— Час пакувати речі, Джоне,— каже батько.

* * *

Я відкриваю свою шафу. Всі п'ять видань «Книги рекордів Гіннеса» зникли. Це п'ять зниклих років.

Я повертаюся на кухню. Мама з татом тримаються за руки, дивляться одне на одного і про щось шепочуться.

— Де мої книжки?

— Я віддала їх на благодійність,— каже мама.— Я хочу, щоб віднині ти читав щось інше.

— Наприклад?

— Підручники.

— Але вони потрібні мені.

— Давайте зберемо речі і поїдемо звідси,— каже батько.

Я йду до своєї кімнати, але замість того щоб пакуватись, я сідаю на ліжко і починаю кидати свій одяг у вікно. Мої сорочки, і штани, і шкарпетки летять униз повільніше, ніж я очікував, вони приземляються на балкони першого поверху; на землю долетіли тільки одні штани.

Я повертаюся на кухню з порожньою валізою. Я відкриваю її і кладу на підлогу в ногах у батька.

— Я зібрався,— кажу я.

— Де весь твій одяг? — питає він.

— Я все викинув у вікно.

Вони дивляться одне на одного, і вигляд у них зовсім не здивований. Вони не проти. Раптом, наче хтось натиснув кнопку, батьки починають сміятися і потім замовкають.

— Усе одно ти майже з усього виріс,— каже мама.— Може, це й на краще.

Об одинадцятій ми готові вирушати. Дядько Джек і дядько Тоні стоять, спершись на машину, і розповідають, як вони втомилися. Батько простягає кожному з них по конверту. Обидва відмовляються, але батько наполягає, щоб вони взяли.

— Тут небагато. Це все. Будь ласка, візьміть.

— Ми вам дуже вдячні,— каже мама.

— Не треба,— каже дядько Джек, потім ми прощаємося.

Мама сідає на заднє сидіння, і батько каже мені сідати вперед.

— Спереду більше місця для твоїх ніг,— каже він.

Але мені здається, що мама сіла назад, бо там вона почувається більш захищеною.

Чудовий сонячний день, ні хмаринки, на дорозі немає заторів. Ми говоримо про Баллімун. Мама каже, що вона б ніколи не змогла звикнути до смороду сміттєпроводу і шуму, а батько каже, що він ще ніколи так не радів поверненню додому.

Потім усе, про що вони говорили, було дорога і трафік. Говорили ні про що. Розмова, яка могла б відбутися між роботами. Це нервує мене. Це змушує мене думати, що буде якийсь раптовий вибух, коли ми приїдемо в Горі.

Потім, неочікувано, мама каже батькові:

— Між іншим, я мала рацію щодо Джека-різника і Шерлока Голмса. Вони існували в той самий час. Джек-різник скоював свої злочини в 1888 році, а Шерлок Голмс з'явився в 1887.

— Якого дідька тобі це зараз спало на думку?

— Я просто побачила бар «Шерлок». І потім згадала, що перевірила це у баллімунській шкільній бібліотеці.

— Ти перемогла,— каже він і торкається її стегна, і вони посміхаються одне одному.

Ми зупиняємося в барі щось поїсти і щоб батько відпочив від дороги і сідаємо за задній столик. Їжа потрапляє в бар з кухні через сервісний люк. Мені подобається, що видно білі рукава людини, яка тримає тарілку, а її голови не видно.

Смачно пахне смаженою відбивною, і мені подобаються важкі столові прибори і великі тарілки. Батько палить. Він підкурює одну цигарку від іншої. Мама йде на бар і приносить три газовані напої. Ми деякий час сидимо мовчки.

Маленька дівчинка заходить і виходить із бару, лишаючи двері відчиненими. Її брат встає і зачиняє за нею двері, і люди, які сидять біля виходу, кожного разу, коли вона лишає двері відчиненими, скаржаться.

Я ненавиджу, коли люди не зачиняють двері і роблять протяги.

Але це майже те саме, що відбувалося, коли ми зупинялися в готелі біля гори Віклоу по дорозі в Дублін. Я в цьому впевнений! Там була маленька дівчинка, і вона також відчиняла двері, і її брату доводилося вставати і зачиняти їх.

У мене серце калатається так сильно, що я відчуваю пульсацію в зубах, і я дуже знервований, але я повинен говорити.

— Що буде далі? — питаю я.

— Ну, ми зараз приїдемо додому, і твоя бабуся буде дуже рада тебе побачити,— каже батько.— Але спочатку — у мене дещо є для тебе.

Він дає мені маленький пакуночок, щось загорнуте в коричневий папір. Я розгортаю його. Це кепка. Така тупа кепка, у яких ходять фермери.

— Це тобі,— каже він.

— Навіщо?

Мама з татом дивляться одне на одного, чекаючи, що скаже інший.

— Щоб ти не роздирав свою вавку,— каже мама.— Хоча б доти, доки вона загоїться і ти позбудешся цієї звички.

— Я не хочу носити це.

— Ти будеш її носити,— каже мама.— Ходитимеш у ній цілий день, кожного дня, доки я не скажу тобі «досить».

Я вдягаю кепку і почуваюся ідіотом. Це світло-коричнева кепка, не капелюх, не берет. Я не знаю, як її назвати. Я знімаю її і дивлюся на неї.

— Це тупо. Я навіть не розчісував вавку,— кажу я.

— Ти чухаєш вавку без зупину відтоді, як ми виїхали з Баллімуна,— каже батько.

325

— Я не помічав. Де ви взяли це?

— Це дядька Джералда.

— Чому він вам її дав?

Мама розсміялася. Вона щаслива і задоволена.

— Він не давав,— каже вона.— Твій батько знайшов її вчора за кріслом, вона вся була вкрита пухом і павутиною, то ж він узяв її.

Я вдягнув кепку і зрозумів, що я зробив. Я повернув її. Я повернув її. Вона краща зараз.

Ми під'їжджаємо, бабуся чекає надворі біля котеджу, стоїть на порозі, руки на широких стегнах. Вона у всьому блакитному з голови до ніг, і зазвичай це означає особливий випадок. Блакитний светр і кардиган, і спідниця, і блакитні панчохи, і блакитні черевики.

Я першим виходжу з машини і йду до неї. Я хочу, щоб вона зраділа, побачивши мене, і я сподівався, що вона буде чекати надворі і посміхатися, тримаючи Кріто однією рукою, а другою готова обійняти мене. Але Кріто не видно, і її руки лишаються на стегнах. Вона не рухається до мене.

— Привіт,— каже вона.— Вам пощастило з гарним днем для переїзду.

— Привіт, бабусю,— кажу я.

— Елегантна кепка,— каже вона.

Вона стоїть там, де і стояла, на порозі, і дивиться на мене.

— Ти не допоможеш своїм бідним мамі і таткові з тими великими важкими валізами?

Я йду до багажника і дістаю останню валізу, маленьку червону.

— Ти вже достатньо великий і сміливий, щоб пропонувати допомогу.

— Вибач,— кажу я.— Я не думав...

Я думав: думав про те, що я б хотів, щоб мене тепліше зустріли вдома. Але я не заслуговую на це. Не зрозуміють, чому я це зробив. Не пробачать мені, можуть тільки забути.

— Заходьте і розбирайте речі,— каже вона.— А я приготую нам щось поїсти.

Я йду до своєї спальні, зачиняю двері і лізу під матрац. «Ланруж Інхерб» і гроші все ще на місці. Я дуже радий знову бачити свої речі: ніхто не повинен знати, де я їх тримаю, і що мені з ними робити — теж моє діло.

Я сідаю на підлогу і намагаюся вирішити. Можливо, я не буду зберігати гроші і, може, також не буду зберігати «Ланруж Інхерб»; у ньому повно помилок навчання, помилок минулого. Якщо я знайду спосіб, як повернути гроші і як позбутися «Ланруж Інхерб», знову все буде нормально. Нічого не заважатиме тому, щоб усе владналося.

За вечерею ми всі на своїх старих місцях за кухонним столом, і ми їмо рідке рагу, в якому моркви більше, ніж м'яса, вмочаючи в нього великі шматки чорного хліба. Кріто сидить у мене в ногах, і коли я нахиляюсь погладити її, я розумію, що вона зараз товща, ніж раніше. Я піднімаю її і саджаю собі на коліна так, що її морда біля бляхи мого ременя. Здається, вона пам'ятає, хто я, бо згортається клубочком і заплющує очі. Ніхто не каже мені, щоб я зігнав її на підлогу.

— Кріто муркотить так голосно,— кажу я.— Вона, напевне, щаслива бачити нас.

— Напевне,— каже бабуся.

— А ти? Також? Ти щаслива, що ми повернулися?

— Звичайно, щаслива,— каже вона не посміхаючись.— Добре, що ви вдома.

— Так приємно бути тут,— каже мама.— Я сумувала за домом.

У мами в руках тремтить чашка, і я хочу, щоб вона не тремтіла. Я роблю те, що робив аж до Різдва, до того моменту, коли батько збрехав про кошенят. Я беру з пачки печиво «Digestive» і вмочаю собі в чай. І я рахую вголос, перевірити, скільки часу знадобиться, щоб печиво розкисло і впало в чай. Я беру ще одне і дістаю його до того, як воно впаде.

— П'ять секунд,— кажу я.— Рекорд.

Я сміюся, і вони дивляться на те, що я зазвичай робив за столом після вечері, ще до Баллімуна, і я роблю це зараз, бо це те, що вони пам'ятають; трохи того, яким я був раніше. Я покажу їм, що я той самий хлопчик.

Бабуся задоволена. Вона піднімає свою чашку над головою.

— Будьмо! — каже вона.— За те, що ми вдома.

— Будьмо! — кажу я і встаю.— Гіп-гіп, ура!

36

Я просинаюсь уночі. Моя рука заніміла, наче з неї витягли усі кістки. Я піднімаю руку, вона квола і млява, як шия мертвої курки. Я боюся, що це може бути таке покарання — через параліч. Я встаю з ліжка і вмикаю світло і продовжую рухати рукою в надії, що вона оживе. І я молюся Господу Нашому.

Заходить мама.

— Чому ти не спиш? — питає вона.

— Мені руку паралізувало чи щось таке. Я її не відчував.

— А зараз?

— Вона все ще заніміла. Я не розумію.

Вона посміхається.

— Просто вона заснула,— каже вона.— І все. Твоя рука заснула.

— Але було таке відчуття, наче її немає.

— Не хвилюйся. Вона повернеться.

Я сиджу на ліжку і чухаю свою руку. Мама стоїть біля відчинених дверей.

— Батько майже нічого не говорив,— кажу я.— Мовчав увесь час.

Вона глибоко вдихає і дивиться на пляму на килимі десь між моїм ліжком і її ступнями.

— Він заговорить знову. Просто дай йому час.

— Але він читав учора ввечері. Це добре, правда? І ти знову щаслива. Це теж добре, так?

— Так.

Вона довго дивиться на мене, а я на неї. Я вже дивився їй в очі раніше, але цього разу це інакше. Вона дивиться на мене так, наче вона ніколи мене не бачила, наче вона знервована зустріччю з незнайомцем. Я хочу, щоб вона підійшла ближче, але вона відступає.

— Завтра треба піти до твого нового доктора,— каже вона.— Лягай спати.

Я встаю, вона виходить.

Я прокидаюся і йду на кухню, батько вже сидить за столом.

— Доброго ранку,— кажу я.

— Доброго,— каже він.— Будеш сосиски?

— Так, дякую.

Він посміхається, і волосся падає йому на очі. Він молодий і красивий. Я хочу поговорити з ним.

— Ти щасливий, що ми повернулися? — питаю я.

— Так. А ти?

— Так. Дуже.

— От і добре,— каже він.

— А чому ти щасливий повернутися? — питаю я, сподіваючись на більше.

Він розвертається і схрещує руки на грудях.

— Багато причин.

— Просто назви одну.

Він дивиться у вікно.

— Ну, тут добре.

— Що значить «добре»? — питаю я.

Він повертається до пательні і перевертає сосиски.

— Ти хотів повернутися, ми повернулися. Ти маєш бути щасливим із цього.

Він не бреше, бо нічого не каже, він не розмовляє зі мною, не називає причин. Він щось задумав проти мене? Щось приховує? Хоче мене позбутися? У чому він мене підозрює? Я нервуюся, і в мене бурчить у животі. Я встаю з-за столу і йду, біля дверей я повертаюся до нього і кажу:

— Я дуже радий, що ти привіз мене назад. Дякую.

— Тобі личить кепка,— каже він, посміхаючись, його голос тремтить.

* * *

Я йду прямо до себе в кімнату. Він дізнався, що я вкрав того начальника станції з великого будинку? І якщо він це знає, що ще він знає? Я перевірив під матрацом — усе на місці.

Я дивлюся на обличчя начальника станції, на його вуса, на його червону кепку з козирком, потім кладу його в кишеню. Я беру гроші, які витяг з бабусиного гаманця, і кладу їх у дірку в підкладці моєї валізи. Я придумаю, як повернути їх їй. Скоро я зроблю це, можливо, частинами, вона не помітить. Або, можливо, я дочекаюся, коли вона ще раз приїде з перегонів і не буде знати, скільки в неї точно грошей.

Я беру «Ланруж Інхерб» і кладу собі в наплічник. Я таки не буду знищувати його. Я покладу його в пластиковий пакет і викопаю яму під тим деревом, на якому висить лялька, і закопаю його там, і я зможу викопати його і почитати, якщо колись захочу, дорогою до школи чи зі школи.

Я прибрав усі докази, які він може використати проти мене; немає нічого, через що він міг би позбутися мене. Я все поверну на свої місця. Все туди, де воно має бути.

Я піднімаюсь сходами. Мама сидить на краю ліжка, упершись ліктями в коліна і затуливши обличчя руками.

— О Джоне,— каже вона.— Мені так важко дихати.

— Чому?

— Сьогодні вранці я чотири рази піднімалась і спускалась сходами.

— Чому?

— Я думаю, в мене гастроентерит.

— Це тому в тебе останнім часом тремтять руки?

Вона піднімає очі на мене. Вона красива і спокійна, і наче вона мене любить. Я зачиняю двері і притуляюся до них спиною.

Вона випростовується.

— Джоне, будь ласка, відчини двері.

— Ні. Я хочу поговорити з тобою наодинці. Можна?

Вона деякий час дивиться на мене, не впевнена, що робити, і я підходжу і сідаю на ліжко поруч з нею. Але вона мовчить. Не каже ні слова. Я теж мовчу. Раптом вона падає назад, і я також падаю назад і ми разом лежимо на спині і дивимось на низьку стелю. Я беру її за руку і вона не проти.

— Ти щаслива, що ми повернулися? — питаю я.

— Звісно, щаслива.

— Чому?

— Добре бути знову разом. Це наше місце.

— Це добре, бо я збираюся зробити макет села. Такий самий, як у тому маєтку.

— Який макет села?

— У дитячій кімнаті, нагорі. Я думав, я розказував тобі. Неважливо. Я хочу зробити свій власний. Це займе багато часу, але я справді хочу зробити це.

Вона сідає, і я сідаю за нею. Наші ноги звисають з края ліжка.

— І я хочу зробити свій макет навіть більшим і кращим за той, що у великому будинку. У мене будуть школи і церкви, і навіть лікарня і кладовище.

Вона посміхається.

— Тож можемо піти туди якнайскоріше, і я сфотографую його? І тоді зможу працювати за фото.

— Можемо поговорити про це пізніше?

— Ми не можемо вирішити зараз?

Вона встає і кладе руки собі на живіт.

— Ох, любий, мені знову треба йти.

Я йду вузькими сходами слідом за нею вниз і дивлюся, як її шовкове волосся леліє на спині.

Вона заходить у ванну і зачиняє двері. Я чекаю ззовні, але вона там довго. Я хвилююся.

— Мамо, все гаразд?

— Так, так. Іди почекай мене на кухні.

* * *

Я чекаю на кухні, і о пів на дванадцяту вона везе мене в Горі зустрітися з доктором Мерфі, дитячим психологом. У машині вона каже мені, що я повинен ходити до нього мінімум півроку. Я не проти. Це гарантує шість місяців перебування в Горі.

Вона розмовляє нудним неживим тоном, яким вона розмовляла по дорозі додому з Дубліна. Вона їде сорок миль за годину по вільних дорогах, наче думає, що втече від думок, їдучи швидше за них.

Ми заїжджаємо на парковку торговельного центру і хірургічної клініки доктора Раяна.

— Це в одному приміщенні з доктором Раяном? — питаю я.

— Так.

— Але я не хочу, щоб доктор Раян бачив мене тут.

— Чому?

— Він подумає, що я божевільний.

— Ну, ти і є божевільний.

Вона відкриває рота і закидує голову назад. Вона хоче, щоб я подумав, що вона пожартувала, але вона це робить неприродно, сміх вимушений.

Я виходжу з машини.

— Значить, не ходи зі мною,— кажу я і гримаю дверцятами.— А то ще вб'ю тебе чи ще щось.

Доктор Мерфі сидить за великим столом, який накритий склом. Його видовжене обличчя віддзеркалюється в склі, а за ним — трохи блакитного неба з вікна.

Він представляється, і я дивлюся на картини на стінах; на двох зображені селяни взимку. У дантиста в Дубліні такі ж картини.

Доктор Мерфі намагається привернути мою увагу раптовим рухом. Але я продовжую дивитися на картини.

— Тобі вони подобаються?

— Мені подобається Брейгель,— кажу я, щосили сподіваючись, що я вгадав.

— Он як. Мене не попередили, що ти експерт-мистецтвознавець.

— Так,— кажу я.— Я дуже цікавлюсь мистецтвом.

Від такої брехні хочеться сміятися. Я беру великий степлер з його столу і торкаюся ним свого коліна, щоб припинити шкіритися.

— Можливо, ми зможемо повернутися до цього пізніше. Спочатку я хочу спитати у тебе дещо, і коли буде зроблене те, що треба зробити, у нас буде більш чітке розуміння… твого психічного стану. Що скажеш на це?

Він здається знервованим; може, він думає, що я кину в нього степлером. Може, треба розвеселити його історією про найшвидшого психіатра, доктора Альберта Вайнера, який приймав у себе по сорок пацієнтів щоденно і використовував електрошок і м'язові релаксанти? Але голки, які він використовував, погано стерилізували, і в 1961 році його посадили за ненавмисне вбивство.

Я кладу степлер назад на стіл.

— По-перше, як ти почуваєшся сьогодні? Тобі трохи краще, ніж було у Дубліні, коли стався інцидент?

— Я добре почуваюся,— кажу я.

Я не знаю, як я почуваюся, окрім того, що я почуваю себе дуже бадьорим, наче мені нескладно буде згадати все, що я коли-небудь читав. І мені зараз краще, ніж було вночі, коли мама вийшла з моєї кімнати. Мені добре від того, що я збрехав, буцімто люблю мистецтво, і від того, що доктор Мерфі не може контролювати мене, навіть якщо він думає, що може.

— А як зараз ти ставишся до того, що сталося з твоєю мамою?

Декілька тонких волосин стирчать із рожевого кружка його лисини, і я чую його дихання, хрипле й вологе.

— Я думаю, що… Мені здається, що це не відбувалося насправді. Наче хтось інший це зробив. Здається, ніби це було кіно. Наче вона була не моєю мамою, а незнайомою мені людиною.

* * *

Раптом доктор Мерфі змінив позу, і це шокувало мене. Він відкинувся назад, наскільки дозволяло крісло, закинув руки за довгасту вузьку голову, і я злякався цієї раптової зміни, наче в темній кімнаті різко розсунули штори. І я наче побачив його вперше. Це, напевне, така тактика.

— Ти усвідомлюєш, що хотів убити свою матір? Ти розумів, що робив тоді, і чи усвідомлюєш ти свої дії зараз?

Я не рухаюсь.

Він нахиляється вперед.

— Ні,— кажу я.— Я ж вам сказав. Я не відчуваю, що це сталося насправді. Я відчуваю, наче це був не я. Наче я був кимось іншим.

— Тоді ким ти був, якщо не собою?

— Кимось іншим. Не знаю ким, просто не собою.

— Але ти все одно відчував себе людиною. Ти був хлопчиком.

— Ну, я не був твариною. Я не був собакою чи вівцею, розумієте?

— Я відчуваю, що ти розізлився. Гадаєш, мої запитання несправедливі?

— Ні.

Він встає.

— Хочеш води? Чи газований напій?

— Так, будь ласка.

— Що будеш? Воду чи газованку?

— «Фанту».

— У мене тільки «Клаб Оранж», підійде?

Він відкриває холодильник — його дверцята сховані за дерев'яною панеллю — і дістає пляшку «Клаб Оранж», тоді пропонує мені коробку, у якій сотня паперових соломинок із загнутими верхівками.

Я обираю блакитну.

— Блакитна для хлопчиків,— каже він.

Я насупився.

— Поки ти п'єш, я спитаю ще дещо, і дуже важливо, щоб ти відповідав чесно. Можеш дати мені слово, що говоритимеш правду?

— Так.

Він сідає за свій стіл, цього разу в нормальній позі: ноги під столом, у руці — ручка над чистим папером.

— Добре. Готовий?

— Так.

— Ти можеш ігнорувати фізичний біль?

— Так. Іноді.

Я думаю про те, як до крові роздираю голову і не відчуваю цього.

— Було колись таке, що ти був не впевнений, чи ти зробив щось, чи тільки думав про це?

Він поспішає, і йому, здається, байдуже до відповідей. Якби я брехав, відсутність його уваги менше б мене непокоїла, але через те, що я говорю правду, я не розумію, чому він такий незацікавлений.

— Так. Іноді я плутаю, особливо вночі.

— Часто витріщаєшся?

— Часто. Але я розмірковую, а не просто витріщаюсь. Я завжди про щось думаю, коли витріщаюсь.

— Ти колись мав сумніви щодо того, сталася якась подія чи тобі це наснилося?

— Ні,— кажу я.— Такого ніколи не було.

Зараз я був непослідовним.

Він піднімає погляд і кашляє.

— Ти колись забував важливі події свого життя?

— Я не пам'ятаю, як народжувався чи був маленьким.

— А як щодо подій останніх шести-семи років?

— Я не пам'ятаю мого першого святого причастя. Я тільки знаю, що сталося, із фотографій і маминих розповідей.

Раптом він зацікавився. Він встає і підходить до меншого столу біля шафи з холодильником. Він стає спиною до цього столика і кладе обидві руки собі на ремінну бляху.

— Могло щось погане статися того дня, те, чого ти не пам'ятаєш?

— Звідки мені знати, якщо я не пам'ятаю?

Я також встаю і простягаю йому свою пляшку «Клаб Оранж», але він відмовляється жестом.

— Джоне, сядь, будь ласка.

Я сідаю і він сідає, назад, за свій великий, вкритий склом стіл.

— Ти коли-небудь знаходив записи чи малюнки, які напевно робив ти, але не пам'ятаєш, як робив?

— Так,— брешу я.

— Ти чуєш голоси у своїй голові?

Хіба йому не цікаво було б дізнатися більше про малюнки перед тим, як перейти до іншого запитання?

— Тільки свій власний. Це те, що ви мали на увазі?

— Інші люди і речі іноді здаються тобі несправжніми?

Гарне питання. Мені треба подумати про це деякий час — про те, що таке «справжній».

— Ні. Так. Іноді люди. Як моя мама. Вона здавалася несправжньою до того, як це сталося, і під час також, але потім вона знову справжня. Після того випадку вона справжня.

Я ковтнув і замовк.

— Хочеш сказати ще щось про це?

— Ні.

— Це може допомогти. Коли розкажеш, може допомогти. Це важливо.

Я схиляю голову і мовчу.

— Ну що?

— Ні.

— Ти коли-небудь відчував, що твоє тіло тобі не належить?

— Це якось тупо.

— Яка твоя відповідь?

— Ні.

— Ти коли-небудь не впізнавав своє віддзеркалення?

— Ні.

Він встає, і я сподіваюся, що мені час іти додому. Я дуже голодний.

— Добре, Джоне. Ти молодець. Ти думав над своїми відповідями і ти був дуже терплячий. Зараз я тебе залишу самого ненадовго. Я збираюся піти в іншу кімнату і поговорити з твоєю мамою. Посидиш тут декілька хвилин?

— Так.

Він виходить і замикає за собою двері, і потім я помічаю ґрати на вікнах і в мене скручує живіт. Це якось нечесно; треба було сказати мені, що він мене замкне, і, розуміючи, що мене замкнули, я хочу вийти.

Коли він не повернувся за десять хвилин, я відкрив холодильник пошукати щось з'їсти. Пачка масла, яблуко і більше нічого. Я їм масло і читаю брошури і статті про дитячий суїцид, але ніде не сказано про вік цих дітей, і мені цікаво, якого віку був наймолодший суїцидник і як саме вони це робили.

Мені стає нудно. Він змусив мене чекати півгодини. Я б хотів поговорити з кимось.

Я знімаю сорочку і дивлюся на рукав. Ось він, номер містера Роше.

Я набираю номер, але не очікую, що хтось відповість.

— Алло?

— Добрий день, це Джон Іган.

— Отакої! Привіт.

Я шепчу:

— Я повернувся в Горі і у мене все ще є мій талант. Я хочу його використовувати, але вони змушують мене тримати його в секреті.

— Хто хоче, щоб це був секрет?

— Усі.

— А чому це повинно бути секретом?

— Вони вважають, що це деструктивно і небезпечно.

— І це так?

Я чую кроки за дверима.

— Мені треба йти,— кажу я і вішаю слухавку.

Але кроки затихають і ніхто не заходить. Я знову сам, і, хоч нависає така ж сама тиша, мені легше.

Доктор Мерфі повертається з мамою. Масло зробило моє піднебіння слизьким, але зрештою я почуваюся добре. Мама посміхається і простягає до мене руку, а доктор Мерфі зводить брови, ледь помітно, але я це помічаю, як і мама.

Вона дивиться на нього, посміхається і довго цілує мене в щоку.

— Ходімо, любий. Поїдемо додому.

Сонячний теплий день. Вона бере мене за руку, і ми прямуємо до машини.

— Що він казав? — питаю я.

— Мені байдуже.

— Тобі байдуже? Чому?

— Це спало мені на думку, коли він базікав про дисоціативні розлади, і межовий розлад особистості, і ліки, і ЕКГ… Мене вразило, наскільки мені байдуже, що він думає. Він тебе перший раз бачить, а приписує тобі всі захворювання психіки, відомі людству.

Я покрутився на місці і розсміявся. Я взяв обидві її руки і підняв їх угору.

— Отже, я вільний?

Вона різко зупинилась і забрала руки.

— Тебе вже несе.

Вона пішла, а я за нею.

37

Уранці, о пів на дев'яту, я прокидаюся і чую, як на вулиці батько говорить з якимось чоловіком. Потім хтось виходить із парадних дверей. Декілька хвилин по тому мама стукає в мої двері.

— До тебе прийшли,— каже вона.

— Хто?

— Твій колишній учитель, містер Роше.

Вона зачиняє двері і притуляється до них спиною. Вона каже, що містер Роше більше не працює в національній школі Горі і що він зараз дає приватні уроки.

— Здається, він почув, що ти повернувся, і хоче побачити тебе. Але він не знає ні про що. І, як ми вже домовились, необов'язково всім розказувати, що сталося.

— Я хочу його побачити.

— Добре. Вдягайся. І не забудь свою кепку. Батько вийшов ненадовго, і коли він повернеться, то подивиться, чи ти в кепці. І не виходь, доки не застелиш ліжко.

— Можна я пізніше застелю? Це нечемно — змушувати гостя чекати.

— Я тобі розповім, що чемно, а що ні,— каже вона.— Застеляй ліжко.

Вона дивиться, як я застеляю ліжко. Тоді вона каже мені вдягтися — кепку також — і вмитися перед тим, як вийти у вітальню.

Містер Роше сидить у бабусинім кріслі біля вогню. Він у костюмі, з подарунком; маленька коробка загорнута в срібний папір.

— Привіт, юначе,— каже він, посміхаючись.

Його колись довге, по плечі, волосся тепер коротко обрізане, він здається товстішим, його обличчя запливло жиром, особливо підборіддя і навколо губ.

— Доброго дня, сер,— кажу я.

Він дивиться на маму, і вона виходить, але двері не зачиняє; вони трохи прочинені. Містер Роше встає і вручає мені коробку.

— Що це?

— Просто невеличкий подарунок. Відкриєш потім.

— Добре.

— Спочатку поговоримо про твої новини?

— Дякую, що прийшли,— кажу я.

— На здоров'я. Отже, як справи?

Мені не подобається, що він прийшов без попередження і сидить надто далеко, і надто розслаблений у бабусинім кріслі. Я сідаю на край дивана. І, навіть будучи самотнім, я жалкую, що телефонував йому вчора.

— Хочу почути твої новини,— каже він.

Я не можу говорити. Я не знаю, що не так. Неможливо почати. Я не знаю, чому він тут. Я почуваюся незграбним і бридким і не хочу, щоб на мене дивилися так, як він на мене дивиться.

Але він встає і підходить, і сідає біля мене. Він сідає дуже близько і кладе свою руку на мій рукав. Я повинен бути щасливим від того, що він тут; урешті-решт, я хочу йому сподобатися.

— Ну, розказуй, як ти. Я бачу, що тебе переповнюють думки.

Він бачить? Він може таке бачити?

— Здається, ти так багато хочеш сказати, що не знаєш, із чого почати. Здається, твоє миле личко хоче приховати безліч вражаючих речей.

Я дивлюся через його плече на двері. Звісно, це змусить його замовкнути.

— Чому б тобі не почати свою розповідь з Баллімуна? Як там? Як твій талант викривати брехню?

Я знову дивлюся на двері.

— У мене його більше немає,— кажу я.

— Але вчора ти…

Я прикладаю вказівного пальця собі до губ, щоб він замовк, але він продовжує:

— Можливо, у тебе ніколи й не було цього таланту,— каже він.— Може, ти такий само звичайний, як усі інші хлопці.

Моє серце розривається від болю і гніву.

— А я подумав, що ви повірили мені,— кажу я.

Містер Роше нахиляється і торкається моєї руки. Я здивовано дивлюся на це.

— Тоді розкажи мені про свій талант. Як так сталося, що ти можеш сказати, коли хтось бреше? Як ти це відчуваєш?

Я сідаю рівно. І тут я розумію, що він намагається зробити. Він хоче хитрістю змусити мене розповісти про мій талант, коли я почну захищатись. Я думаю, це розумно, але водночас це злить мене. Мій гнів дивує мене. Я сиджу спокійно і раптом починаю ненавидіти людину, яка дурить мене, і так сильно, що більше ніколи не хочу її бачити. Я хочу піти.

— Я просто знав це,— кажу я.

— Але як, Джоне?

— Це не так, як пишуть у книжках. Поліцейський знав, що злочинець бреше про злочин, «бо в нього пересохло в роті, почервоніло обличчя і пульсує сонна

344

артерія». Але я ніколи не бачу цих речей. Я суджу за більш незначними деталями. Вираз обличчя, ру́ки і, переважно, голос.

— Але ти викривав брехню членів своєї родини, а це люди, яких ти знаєш добре. Хіба ти не «читав» їх зі свого досвіду спілкування з ними? Ти коли-небудь викривав брехню інших людей?

Я встаю.

— Але все одно,— кажу я.— У мене більше немає цього таланту.

Він деякий час мовчить, я також. Ми сидимо в тиші декілька хвилин, і годинник над каміном цокотить так повільно, наче хоче зупинити моє серце.

Я схвильований і занепокоєний. Я розриваю обгортку подарунка раніше, ніж повинен був. Я розкидую шматки паперу по підлозі. Його подарунок — це дорогий набір для гоління: лезо, кусок мила, помазок для гоління і лосьйон після гоління. Також є листівка, у ній, мабуть, гроші. Пізніше відкрию.

— Сподіваюся, не зарано для таких речей,— каже він.

— Ні. Мені подобається. Дякую.

Я встаю і розвертаюсь до нього, бо думаю, що треба обійняти його чи якось показати свою вдячність, але він також підводиться, і ми стоїмо занадто близько один до одного. Я починаю пітніти.

— Ну, дякую,— кажу я.

— На здоров'я.

— Дякую.

Заходить мама. Вона з макіяжем, у неї гарний вигляд.

— Мені треба забирати Джона,— каже вона.— Він ще не снідав, а сьогодні стільки всього треба зробити.

— Ну що ж,— каже містер Роше,— я піду.

— Так, сер. Дякую, сер.

Ми йдемо з ним надвір. Коли він доходить до саду, то зупиняється, опускає руки собі на стегна, дивиться під ноги, а потім на годинник. У нього немає машини. Цікаво, як далеко йому треба йти пішки? Мама, певно, теж про це думає, але не пропонує підвезти його.

За сніданком і мама, і тато читають, поки їдять свою вівсянку, бабуся стоїть біля печі і чистить моркву.

Раптом батько відкладає свою книжку і відкашлюється.

— Джоне, хочеш піти до великого будинку сьогодні? Мама казала, ти хочеш піти і подивитися на макет села.

— Справді? Сьогодні?

— Так,— каже він.— Сьогодні чудовий сонячний день. І виготовлення макета села звучить непогано.

— Я б дуже хотів піти. Дуже.

— Добре. Одразу після сніданку.

— Люди з Дубліна повинні бути вдома,— каже бабуся.— Вас можуть не впустити.

Вона зроняє картоплину, і та котиться під стіл. Я піднімаю і подаю їй. Я продовжую стояти біля неї, і вона каже:

— Я подумала. Гадаю, люди з Дубліна не приїхали. Вас впустять.

— Добре,— каже мама.— Підемо всі вчотирьох.

Ми всі дивимося на бабусю.

— Ні, ні,— каже вона.— Ви йдіть, а я лишуся тут. Ви швиденько.

Ми під'їжджаємо до воріт будинку, садівник від'їжджає на своєму мінівені. Мама нахиляється через батька і сигналить. Садівник бачить її, і вона махає йому. Він зупиняється і виходить із мінівена. Вона виходить із машини і біжить до нього.

Ми з батьком сидимо в машині і спостерігаємо. Мама підбігає впритул до садівника, він дивиться на годинник. Він хитає головою, але вона кладе руку йому на плече. Напевне, вона каже «будь ласка», бо її обличчя усміхнене.

Він знову дивиться на годинник і киває.

Вона повертається до машини.

— У нас є п'ять хвилин. Не більше. Я сказала, що Джону лишилося жити шість тижнів.

— Він пам'ятає нас з минулого разу? — питаю я.

— Здається, ні.

Батько дивиться на маму.

Вона киває.

— Ходімо всередину.

— Я почекаю тут,— каже він.— Ви лише на п'ять хвилин.

— Ти ідеш з нами,— каже вона.— І захопи фотоапарат.

Батько дає мені камеру, і ми ходимо деякий час кімнатами першого поверху. Тоді я кажу їм, що хочу піднятися нагору, до кімнати з макетом села, сам.

— Чому ти хочеш піти сам?

— Можна я пізніше розповім? Клянуся, я розповім. Ви будете щасливі і задоволені, коли я вам розкажу.

— За дві хвилини щоб повернувся,— каже батько.

Я дивлюся на свій годинник.

— Обіцяю,— кажу я.

Я йду до дитячої кімнати, у ній усе так само, як було раніше, тільки цього разу більше пляшок з піском і з'явилася ще одна дерев'яна конячка між двома маленькими ліжечками.

Я підходжу до макета села біля вікна і дивлюся на нього.

Усе таке саме, як і було. Потяги і крамниці, і пластикові чоловічки, і кущі, і собаки. І потяг до Пігаля з балконом для пасажирів у задній частині.

І потім я помічаю: є новий начальник станції. І в нього, як і у того, що в моїй руці, є вуса, червона кепка з козирком, і він стоїть на пласкому шматку зеленого пластика.

Начальника станції потяга на Пігаль замінили. Ось він, ідентичний тому, що у мене в руці, не такий запилений, але такий самий. І тепер їх двоє; двоє однакових.

Я ставлю свого начальника станції поруч з наступником. Вони стоять пліч-о-пліч. Це дивне, але щасливе видовище — начальники-близнюки. Але, може, вони і не близнюки; може, вони брати, чи друзі, чи просто схожі один на одного чоловіки. Чи, може, це та сама людина.

Я фотографую одного начальника станції окремо, потім фотографую обох начальників, які стоять поряд.

Я відступаю і посміхаюсь.

Я кладу фотоапарат у кишеню куртки і виходжу з дитячої. Я йду на сходовий майданчик верхнього поверху, зупиняюсь там і дивлюся вниз, і бачу маму. Он вона, чекає мене.

Я спускаюся до неї і, поки йду, стискаю руки в кулаки і притискаю до себе. На середині сходів я кричу:

«Гей!» — і вона обертається подивитись на мене. Спустившись, я бачу, як вона посміхається мені, і я посміхаюсь їй у відповідь. Батько стоїть біля вхідних дверей, руки в кишенях.

— Закінчив? — питає вона.

— Так,— кажу я.— Отримав, що хотів.

— Що ти там отримав? — питає вона.

— Де? — кажу я.

— Що в тебе в руках?

— Нічого.

— А мені здається, що в тебе щось у руках.

— Ні, нічого немає.

— Тоді відкрий їх.

Я відступаю назад і врізаюсь у поручні.

— Навіщо? — питаю я.

Батько рухається до нас.

— Відкрий руки! — каже мама.

Я нічого не кажу, і вона бере мої кулаки і намагається їх відкрити.

Ось уже батько з лівого боку розтискає мій лівий кулак.

— Що ти ховаєш?

Я міцно стискаю кулаки.

Мама тягне мене за пальці на правій руці, а батько — на лівій. Я докладаю максимум зусиль, щоб зупинити їх, але їм обом нарешті вдається розкрити мої руки, в них нічого. Обидві порожні.

— Бачите? — кажу я, сміючись.— Нічого немає. Як я і казав.

Батько посміхається мені і каже:

— Тим краще для тебе.

Але він не розлючений.

— Так, тим краще,— каже мама, і вона також не розлючена.

349

Ми виходимо з маєтка і йдемо пліч-о-пліч до машини. Я сідаю назад, посередині, і нахиляюсь уперед так, що бачу їхні обличчя. Батько повільно від'їжджає, одна його рука на рулі, друга на стегні. Мама дивиться у вікно, спокійна і, здається, щаслива. Ідеальний день, щоб поїхати на пляж, і, можливо, якщо я попрошу, туди ми і поїдемо.

* * *

Начальники станції стоять разом. Прибуває потяг, і дзвенить дзвінок шлагбаума. Коли останній пасажир сідає в потяг, начальники станції махають в унісон своїми білими прапорцями і дивляться, як потяг вирушає з платформи. Машиніст махає їм з вікна кабіни, але вони не звертають уваги. Вони дуже захоплено розмовляють.

Коли їм холодно, або вони хочуть відпочити, або поїсти чогось теплого чи солодкого, вони вдвох ідуть до буфету на станції. Вони сідають біля вікна, п'ють чай, їдять тости і тістечка і дивляться на перехожих. І внутрішній вогонь зігріває їм руки і обличчя.

Двері відчинені.

ПОДЯКИ

Я дякую моєму редакторові Майклу Х'юарду, чия бездоганна робота зробила «Дай спокій» кращою книжкою. Також дякую (з тієї ж причини) Стюарту Ендрю М'юру, Керолін Тетас, Дженні Лі, Маріон Мей Кемпбел і Девіду Вінтеру. Я вдячна Джеммі Бінгу, чия рішуча впевненість надала мені можливість писати кожного дня. Особлива подяка моєму ірландському коректору Енн Маккері з Вексфорда за її напружену, терплячу допомогу. Також дякую Марку Моннону, Розалі Хем, Сью Масліну, Гелен Блек, Карен Маккроссан, Поллі Коллінгрідж, Джессіці Крег, Алісі й Артуру Ширреф, Барбарі Моббс і Девіду Маккорміку. І велика подяка його величності «перевіряльнику фактів в останній момент» Колліну Бреннену.

Переклад з англійської
ЯНИ СЄРОЇ

Видавництво «Фабула» є складовою
видавничої групи «Ранок»

Літературно-художнє видання
М. Дж. Хайленд
M. J. Hyland
ДАЙ СПОКІЙ
CARRY ME DOWN

Роман
A novel

Дизайн обкладинки *І. І. Нестеренко*
Головний редактор *А. А. Клімов*
Редактор *Т. О. Попова*
Технічний редактор *Т. Г. Орел*
Коректор *Н. В. Красна*
ФБ676015У. Підписано до друку 23.12.2018.
Формат 84 × 108/32. Папір офсетний.
Гарнітура Minion. Друк офсетний.
Ум. друк. арк. 18,48.
ТОВ Видавництво «Ранок»,
вул. Кибальчича, 27, к. 135, Харків, 61071.
Свідоцтво суб'єкта видавничої справи
ДК № 5215 від 22.09.2016.
Для листів: вул. Космічна, 21а, Харків, 61145.
e-mail: info@fabulabook.com.
Тел. (057) 717-61-80,
тел./факс (057) 719-58-67.
Надруковано у ПП «Юнісофт»
UNISOFT
вул. Морозова, 13 б, м. Харків, 61036
www.unisoft.ua
Свідоцтво ДК №5747 від 06.11.2017 р.
Наклад 1500 прим. Замовлення 353/02.